A1 méthode de français

Guide Pédagogique

J. Girardet
A.-C. Couderc

CLE
INTERNATIONAL
www.cle-inter.com

Direction de la production éditoriale : Béatrice Rego

Marketing : Thierry Lucas

Édition : Pierre Carpentier

Conception graphique : Miz'en Page / Domino

Mise en pages : Domino

Couverture : Dagmar Stahringer / Griselda Agnesi

Fabrication : Lysiane Bouchet / David Fauro

Sommaire

Survol des éléments de la méthode

Le livre de l'élève et le DVD-Rom

Trois unités de 4 leçons + une leçon 0

■ Une unité correspond à 30 à 35 heures d'apprentissage. Elle vise à adapter l'étudiant à un contexte situationnel global. Par exemple, le début de l'apprentissage dans une classe de langue où on ne parle que français (unité 1 : « J'apprends avec les autres ») ou bien un premier voyage en France (unité 2 : « Je me débrouille »).

■ Chaque unité comporte 4 leçons de 8 pages.

■ À la fin de chaque unité, deux pages « Entraînement » permettent à l'apprenant de vérifier ses capacités à transposer les savoir-faire acquis.

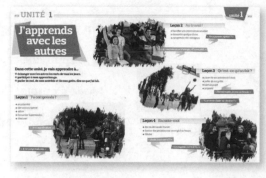

Une leçon de 4 doubles pages

Deux pages Forum

Un ou plusieurs documents permettent aux étudiants d'échanger des informations et des opinions ou de s'exprimer dans le cadre d'une réalisation commune (projet).

Les documents et les prises de parole permettent d'introduire des éléments lexicaux et grammaticaux.

Deux pages Outils

Les principaux points de langue de la leçon, essentiellement des points de grammaire au niveau A1, sont développés selon un parcours qui va de l'observation à la systématisation.

Les particularités orales de ces faits grammaticaux sont travaillées dans la rubrique « À l'écoute de la grammaire ».

Deux pages Échanges

Cette double page propose des scènes dialoguées qui illustrent des situations pratiques de communication.

Ces scènes s'inscrivent dans une histoire qui se déroule sur les quatre leçons de l'unité et qui est représentative de l'objectif général de cette unité.

Ces dialogues donnent lieu à des activités d'écoute, de simulation et de prononciation.

Deux pages Découvertes

Différents types de documents sont proposés aux étudiants pour un entraînement à la compréhension et à la production écrites et orales. Ces documents permettent également de faire le point sur un thème de culture et/ou de civilisation francophones et d'introduire une réflexion sur l'interculturalité.

À la fin du livre

- un aide-mémoire pour les nombres, la grammaire et les conjugaisons
- les transcriptions des documents sonores qui ne sont pas transcrits dans les leçons : rubriques « À l'écoute de la grammaire » et « Prononciation » ; dialogues non transcrits des pages « Échanges » ; autres documents sonores pouvant figurer dans les pages « Forum » ou « Découvertes »
- une carte de France physique et touristique

Le DVD-Rom

Le DVD-Rom contient les ressources audio et vidéo du livre de l'élève et du cahier d'exercices.

On y trouve l'ensemble des enregistrements audio pour la réalisation des exercices et activités. Le recours au DVD-Rom est signalé devant chaque exercice ou document par une icône (casque audio).

On y trouve également les douze premiers épisodes de la fiction humoristique « Alice et Antoine », dont les fiches d'exploitation pédagogiques figurent en deuxième partie de cet ouvrage.

Le cahier d'activités

Il permet à l'élève de travailler seul après la classe. Pour chaque double page du livre, l'élève retrouvera un tableau récapitulatif du vocabulaire nouveau. Il pourra vérifier sa compréhension des textes et des dialogues étudiés, faire des exercices oraux et écrits pour l'automatisation des conjugaisons et des structures syntaxiques, travailler sur des documents complémentaires à ceux du livre élève.

Un portfolio placé à la fin de l'ouvrage permet également à l'étudiant de noter les étapes de sa biographie langagière, d'indiquer le niveau de compétence qu'il a atteint pour chacun des objectifs poursuivis dans la méthode et de se situer sur l'échelle des niveaux du CECR.

Les corrigés des exercices figurent à la fin de ce livre du professeur.

Les CD audio collectifs

On y trouvera les enregistrements :

- des scènes des histoires des pages « Échanges »
- des exercices des rubriques « À l'écoute de la grammaire » et « Sons, rythmes, intonations »
- des activités d'écoute qu'on peut rencontrer aussi bien dans les pages « Forum » que dans les pages « Découvertes »
- des tests oraux du portfolio

Toutes les transcriptions de ces enregistrements se trouvent dans le livre de l'élève, soit dans les leçons soit dans la partie « transcription » en fin d'ouvrage.

Le fichier d'évaluation

Ce livret, décliné sur les niveaux A1 et A2, permet d'évaluer les compétences acquises avec *Écho Junior A1* et *Écho Junior A2*.

Chaque niveau de ce fichier comporte 12 fiches d'évaluation photocopiables correspondant aux douze leçons du livre de l'élève ainsi qu'un CD audio contenant les documents sonores pour la compréhension orale.

Dans la deuxième partie du fichier, on trouvera les transcriptions des documents sonores, les corrigés des épreuves ainsi que des conseils pour leur passation et pour leur notation.

Une approche orientée vers l'action

L'apprenant futur acteur social

Écho Junior est une méthode pour l'apprentissage du français langue étrangère par de grands adolescents débutants ou faux débutants. Elle vise à préparer ces étudiants à vivre et à communiquer dans un environnement francophone. Ses objectifs sont donc formulés en termes :

- de **savoir-faire** : acheter un objet, commander un repas, demander des nouvelles de quelqu'un, etc.

- de **savoir être** : aborder quelqu'un, s'adapter aux rythmes de vie, savoir se comporter lors d'un dîner, etc.

- de **savoir apprendre** : comprendre le sens d'un mot à partir du contexte, mémoriser la conjugaison d'un verbe pour que la forme soit produite naturellement, utiliser un dictionnaire, etc.

Les éléments linguistiques (la grammaire, le vocabulaire, la prononciation) ; tout en étant introduits progressivement sont donc subordonnés aux savoir-faire qu'il s'agit d'acquérir.

Écho Junior est né de la convergence de deux perspectives :

- **une méthodologie d'inspiration communicative** que les auteurs ont conçue, évaluée et amendée dans différentes productions, notamment *Panorama* (1996) et *Campus* (2002) ;

- **les recommandations du Cadre européen commun de référence** (CECR[1]), document élaboré par le Conseil de l'Europe qui propose des orientations pour apprendre une langue étrangère, l'enseigner et l'évaluer. Rappelons que le CECR préconise une approche « actionnelle » (orientée vers l'action) et qu'il considère l'apprenant, futur utilisateur de la langue, comme « un acteur social qui a des tâches à accomplir ».

Écho Junior propose donc une méthodologie où l'apprenant est à la fois :

- acteur social dans le groupe classe ;

- acteur dans les simulations des situations qu'il aura à vivre dans un environnement francophone ;

- acteur qui prend en charge son apprentissage.

---

[1] Bien que le CECR ait été conçu à l'intention des pays d'Europe, la plupart des enseignements de langue étrangère dans le monde peuvent se reconnaître dans ses recommandations et s'en inspirer. Il fixe en effet comme objectif à l'enseignement d'une langue l'adaptation à un milieu linguistique et social. Il n'est pas dogmatique dans ses indications méthodologiques. Il a le mérite de donner un cadre conceptuel pour l'apprentissage, l'enseignement et l'évaluation qui permet à tous les enseignants d'avoir un langage commun. Dans ce livre du professeur, nous utiliserons la terminologie du CECR.

Une approche par l'interaction

1. L'espace social de la classe générateur d'apprentissage

Avec *Écho Junior*, les premiers mots, les premières formes grammaticales sont découverts et utilisés grâce à l'espace social du groupe classe. On fait connaissance, on demande des explications au professeur, on donne des informations aux membres du groupe. Puis, progressivement, au fur et à mesure que les moyens linguistiques le permettent, on réagit aux documents proposés dans le livre, on échange des points de vue, on fait des projets.

Ces interactions sont naturelles. Quand il salue, s'excuse d'être arrivé en retard ou évoque un souvenir, l'étudiant est lui-même. Il ne joue pas au futur touriste ou au futur résident qu'il sera peut-être un jour dans un pays francophone. Il est pleinement acteur, en français, dans cette micro société que constitue la classe.

Cette parole authentique sera un grand facteur de motivation et de mémorisation. Les interactions seront le moteur de l'apprentissage. Ce sont elles qui susciteront les apports linguistiques et justifieront les objectifs langagiers.

2. Le nécessaire recours à la simulation

Il est évident que l'espace classe ne peut pas générer de façon naturelle toutes les situations que l'étudiant rencontrera dans un pays francophone. Pour apprendre à réserver une chambre d'hôtel, à acheter un billet de train ou à demander son chemin dans la rue, on aura recours à des activités de simulation.

On jouera au vendeur et au client et on fera semblant d'être obligé de remplir une fiche d'inscription. Mais comme l'apprenti pilote d'Airbus qui accepte de s'entraîner sur son simulateur de vol, on abordera ces jeux de rôles non pas comme des moments de divertissements (encore qu'ils puissent l'être) mais comme les étapes obligées d'une formation. Cette **validation sociale** aidera à convaincre les étudiants éventuellement rétifs à ce type d'activité.

L'étudiant acteur de son apprentissage.

1. L'apprentissage par les tâches

Nous adopterons la définition du mot « tâche » donnée par le CECR : « Est définie comme tâche toute visée actionnelle que l'acteur se représente comme devant parvenir à un résultat donné en fonction d'un problème à résoudre » (CECR, p. 16).

Remplir un formulaire d'inscription à un séjour, retrouver un objet perdu (en cherchant, en demandant, en téléphonant aux objets trouvés), échanger avec son correspondant ou sa famille d'accueil sont des tâches car, pour un étranger, elles posent des problèmes (linguistiques et comportementaux.) qu'il peut se représenter clairement.

Dans son déroulement, un cours avec *Écho Junior* se présentera comme une suite de tâches de nature variée.

a. Les tâches naturelles

Ce sont celles qui sont suscitées naturellement par le groupe social de la classe. Comme dans tout groupe social, ses membres ont envie de parler d'eux, de connaître les autres, de réaliser des choses ensemble, de maintenir la cohésion du groupe.

Ces tâches peuvent être **individuelles** (tenir un journal d'apprentissage, faire un test sur la connaissance du monde francophone) mais, la plupart du temps, elles sont **collectives** (donner son opinion sur des destinations de voyage, faire un projet de fête, organiser un petit spectacle).

b. Les tâches simulées

Ce sont celles qui ne peuvent pas apparaître naturellement dans la vie de la classe mais que l'étudiant devra effectuer dans un pays francophone et qu'il devra par conséquent anticiper. Il s'agit en particulier des nombreuses tâches quotidiennes ou pratiques : acheter un vêtement, réserver un billet de train, s'inscrire à un club, etc.

c. Les tâches techniques d'apprentissage

On pense ici *aux tâches d'observation de la langue, de conceptualisation, de mémorisation et d'automatisation des formes linguistiques ainsi que des tâches qui permettent l'acquisition des stratégies de compréhension et de production.*

Pour des raisons d'usage, nous continuerons à appeler ces tâches « exercices », mais elles correspondent à une évolution de l'exercice traditionnel. En effet :

- nos exercices supposent toujours **une réflexion sur la langue**. L'étudiant est toujours conscient de ce qu'il fait et du pourquoi il le fait ;
- un point de grammaire ou de vocabulaire est toujours abordé selon **une pédagogie de la découverte** qui rend l'étudiant actif. La règle ne lui est pas donnée, c'est à lui de la déduire à partir d'activités concrètes de repérage et de classement ;
- ces exercices ont comme support **de petits textes ou dialogues** qui ont du sens au même titre que les autres documents de la méthode ;
- ils mettent en jeu **les processus mentaux qui interviennent généralement dans la production ou la compréhension langagière**. Pour l'exercice classique dit « à trous », c'est

la recherche d'un mot ou d'une forme dans la mémoire. Lorsqu'on demande à l'étudiant de combiner deux phrases (pour travailler les propositions relatives), c'est le processus d'addition d'informations.

2. L'apprentissage de l'autonomie

Hormis en immersion totale ou dans un cours très intensif, il n'est pas possible d'apprendre une langue étrangère sans fournir un travail personnel important.

La classe est le lieu où on motive, où on apporte les outils de la communication et où on met ces outils en œuvre. Mais, pour la majorité des étudiants, ce n'est pas le lieu où on mémorise. Il y a trop de parasitages, de tensions, de stress pour que la mémorisation soit efficace.

Il faut donc savoir travailler seul et être capable de prendre en charge une partie de son apprentissage.

Écho Junior propose divers instruments pour l'autonomie de l'apprenant.

a. Le cahier d'activités

Pour chaque double page qui compose une leçon du livre de l'élève, ce cahier permet :

- de retrouver l'intégralité des mots nouveaux classés par ordre alphabétique et d'écrire leur traduction ;
- de vérifier que le travail fait en classe, par exemple la compréhension d'un texte, a bien été assimilé ;
- de faire des exercices de systématisation et de mémorisation portant sur la morphologie (notamment les conjugaisons), la syntaxe et le vocabulaire ;
- de s'entraîner à la prononciation et de vérifier sa compréhension de l'oral à partir de petits documents sonores fabriqués avec des éléments vus dans la leçon.

b. Des outils pour l'évaluation

À la fin de chaque unité, une double page « **Entraînement** » propose des tâches parallèles à celles qui ont été travaillées dans l'unité. C'est l'occasion pour l'élève de vérifier sa capacité à transposer les savoir-faire abordés et de prendre conscience de l'évolution de ses différentes compétences.

Le portfolio figurant à la fin du cahier d'activités constitue le passeport de l'étudiant. Il y notera les détails de sa biographie langagière, les différents savoir-faire acquis ou en cours d'acquisition et il aura la possibilité de vérifier s'il a atteint le niveau A1 du CECR.

À côté de ces instruments d'autoévaluation, le professeur dispose **d'un fichier d'évaluation photocopiable** qui lui permet de tester les compétences de ses étudiants soit à la fin de chaque leçon soit à la fin de chaque unité.

Précisons que, dans tous ces outils pour l'évaluation, cinq compétences sont évaluées : la compréhension orale, la

Une approche orientée vers l'action

compréhension écrite, la production écrite, la connaissance des moyens linguistiques utilisés dans les situations orales et la correction de la langue.

c. Des outils consultables « à la carte »

La double page « Outils » figurant dans chaque leçon présente plusieurs points de langue (grammaire ou moyens expressifs organisés autour d'un acte de parole). Cette double page peut être utilisée **en fonction des besoins des étudiants**.

Dans une activité où il s'agit de choisir une destination de voyage (page 63), les étudiants auront peut être besoin de quelques expressions comparatives. Ils pourront alors décider d'interrompre la tâche en cours pour consacrer quelques minutes à la découverte de ces nouvelles formes grammaticales. La rubrique « Comparer » (page 58) servira de support à cette activité.

d. Des outils de référence

Pour que l'étudiant puisse facilement retrouver et mémoriser un point de langue ou de vocabulaire, *Écho Junior* met à sa disposition :

– dans les leçons : **des tableaux** de grammaire et de conjugaison ainsi que **des inventaires lexicaux** ;

– à la fin du livre élève : **un aide-mémoire** pour les nombres, la grammaire et les conjugaisons ;

– dans le cahier d'activités : **la liste exhaustive des mots nouveaux** introduits dans chaque double page du livre de l'élève.

Une progression par unités d'adaptation

Écho Junior se présente comme une succession d'unités correspondant chacune à 30 à 35 heures d'apprentissage (selon la langue maternelle de l'apprenant, son expérience en matière d'apprentissage des langues étrangères, etc.).

Chaque unité vise à adapter l'étudiant à un contexte, c'est-à-dire à un environnement dans lequel il aura à vivre différentes situations langagières et à accomplir certaines tâches.

Ainsi, **la leçon 0 « parcours d'initiation »** offre à l'étudiant un matériel linguistique qui lui permet d'assimiler rapidement et simplement les bases de la conversation en classe de langue.

L'unité 1 « J'apprends avec les autres » prépare l'étudiant à vivre en français la situation d'apprentissage en classe. Il s'agit pour lui de s'intégrer dans le groupe et de faire en

sorte que cette intégration dynamise l'apprentissage.

L'unité 2 « Je me débrouille » le prépare à effectuer un bref séjour dans un pays francophone. L'étudiant apprendra à faire des réservations, à voyager, se loger, se nourrir, trouver de l'aide en cas de problème, etc.

Dans **l'unité 3 « Je me fais des amis »**, le contexte est celui de premiers échanges avec des francophones, que ce soit par écrit (en particulier par Internet), par téléphone ou en direct. Ce contexte ne se situe d'ailleurs pas forcément dans un pays francophone.

Cette progression par unité d'adaptation présente différents avantages :

■ L'unité n'est plus une étape arbitraire vers une lointaine compétence de locuteur idéal. C'est la conquête d'un territoire limité dans lequel l'étudiant pourra se débrouiller.

Par ailleurs, la durée de 30 à 35 heures nous paraît être celle au bout de laquelle beaucoup d'étudiants commencent à s'essouffler. Repartir vers de nouvelles directions et redonner de nouveaux objectifs à l'issue de cette durée constitueront un bon moyen de relancer la motivation.

■ Certaines situations et actes de parole essentiels sont déclinés plusieurs fois, entraînant ainsi un recyclage du vocabulaire et une progression en spirale de la grammaire. Par exemple, dans l'unité 1, l'étudiant apprend à se présenter à la classe. Plus tard, dans l'unité 2, il apprendra à se présenter à la réception d'un hôtel. Enfin, dans l'unité 3, il aura à se présenter sur un forum Internet.

Ce réinvestissement permanent autorise un apport assez important de matériaux communicatifs dès le début de l'apprentissage. C'est ainsi que la plupart des actes de parole nécessaires à la communication courante sont abordés dans l'unité 1 car on sait qu'ils seront constamment utilisés. Avec un minimum de mots, l'étudiant doit pouvoir demander des informations (Qu'est-ce que ça veut dire ?), une autorisation (Je peux ?), exprimer une impossibilité (Je ne peux pas), etc.

Des moyens linguistiques adaptés aux besoins et aux capacités des étudiants

Les capacités des étudiants ne sont pas les mêmes selon les compétences. La **compréhension écrite** est le domaine où les progrès sont les plus rapides surtout avec les étudiants dont la langue maternelle est proche du français ou qui, tout simplement, connaissent déjà l'anglais lorsqu'ils abordent le français. La compétence de **compréhension orale** est toujours la plus difficile à acquérir dans une classe de langue où l'on ne peut écouter que le professeur ou des enregistrements. La compétence de **production orale** est souvent la plus demandée par les étudiants. Quant à la **production écrite**, en dehors du fait qu'elle est un instrument d'apprentissage, elle ne motive pas tous les étudiants de la même manière.

Il serait donc peu judicieux de vouloir travailler les quatre compétences à égalité.

Dans *Écho Junior* leur acquisition est modulée de la façon suivante :

1. Dans les documents proposés pour la compréhension écrite, on ne s'interdit pas un vocabulaire plus important qu'à l'oral et, de temps en temps, une tournure grammaticale qui n'a pas encore été abordée. L'étudiant est mis progressivement en situation de lecture de documents authentiques de façon à appréhender le sens d'un texte sans forcément tout comprendre. Mais la masse lexicale donnée à lire dans *Écho Junior* ne dépasse pas 1 400 mots.

2. Les documents sonores utilisés pour les activités d'écoute (dialogues et autres exercices d'écoute) sont en revanche beaucoup moins riches du point de vue du vocabulaire (moins de 800 mots) et de la grammaire. On retrouvera très souvent les mots les plus fréquents (verbes, indicateurs de temps et d'espace, formes expressives de la surprise, de la satisfaction, etc.) employés dans des situations diverses et avec des intonations différentes.

Il s'agit de fixer des repères dans la mémoire sonore de l'étudiant et de lui montrer qu'on peut dire beaucoup de choses avec un minimum de mots.

3. Cette stratégie de rentabilisation maximale du capital linguistique sous-tend **les activités d'expression orale et écrite**. Par ailleurs, l'étudiant de 15-18 ans est très vite désireux d'exprimer des opinions et de manier des outils argumentatifs. On n'attendra donc pas le niveau A2 pour lui en donner les moyens, notamment en introduisant des expressions comme « Il a raison » ou « pourtant ».

Une adaptation à la société française

Être un acteur social suppose une certaine connaissance de l'environnement dans lequel on va graviter.

Apporter cette connaissance pour l'ensemble des zones francophones aurait nécessité trop de place. On s'est donc limité à la France et à ses territoires d'outre-mer. Toutefois, la francophonie est loin d'être absente. Par exemple, c'est par un repérage des pays francophones à travers le monde que débute la méthode.

La découverte de la société française se fait non seulement dans les pages « Découvertes » mais aussi par petites touches, grâce à la plupart des documents de la méthode. On abordera ainsi les différents aspects de l'univers culturel :

– les repères d'espace et de temps (la géographie, les lieux et les personnages célèbres à plusieurs titres) ;

– les préoccupations actuelles des Français ;

– les comportements (rencontres, repas, conversations, etc.) ;

– les systèmes scolaire, administratif, politique et le système de santé ;

– l'actualité politique, économique et artistique.

La classe tout en français

La méthodologie d'*Écho Junior* permet au professeur, s'il le souhaite, de se passer de la langue maternelle des élèves.

Rappelons brièvement les avantages d'une telle méthodologie :

- les acquisitions exigent un certain **effort cognitif** qui est un facteur de mémorisation (un mot acquis grâce à sa traduction est moins bien retenu que si sa compréhension a nécessité un travail d'hypothèses/vérifications) ;

- la fonction de répétition y apparaît de manière naturelle. Le professeur utilise sans cesse les acquisitions antérieures pour expliquer les nouvelles. Les étudiants développent des stratégies de gestion de leur acquis ;

- la situation de classe se rapproche des situations naturelles d'expression et de compréhension. L'étudiant apprend progressivement à **vaincre ses inhibitions et sa peur de parler**.

La recette pour réussir une classe << tout en français >> est simple mais elle exige de la rigueur et de la vigilance.

Voici quelques règles utiles :

1. Introduire les mots nouveaux à petite dose.

Essayer de ne pas augmenter le lexique présenté dans le livre. *Écho Junior* introduit en moyenne une douzaine de mots nouveaux par heure de cours. Ils ne sont certes pas tous à mémoriser car certains apparaissent de manière fortuite. Mais ce volume suffit amplement à la mémoire de l'étudiant. Il convient toutefois de préciser que la capacité d'appropriation dépend du degré de transparence entre le français et la langue maternelle des élèves.

2. Garder les mots connus en mémoire et les réutiliser de manière constante.

- pour l'explication des mots nouveaux ;

- pour tout ce qui concerne la vie de la classe. Au début, le rituel en français sera pauvre (*bonjour – comment allez-vous ? – ça va – au revoir*). Petit à petit, introduire des consignes, des demandes, des commentaires, etc.

Exemple : le seul fait de dire à chaque séance << *Ouvrez votre livre, page …* >> permettra l'acquisition progressive du verbe << ouvrir >>. Ce mot sera tout de suite compris lorsqu'il apparaîtra dans la leçon 4.

3. Expliquer les mots et les formes grammaticales en utilisant le contexte,

les mots déjà connus, le dessin, le mime, la gestuelle et surtout les connaissances générales de l'étudiant.

Exemple : le mot << banlieue >> sera tout de suite compris si on le fait suivre du nom d'une banlieue connue des étudiants.

Dans ce livre du professeur, après chaque texte ou dialogue, on trouvera la recommandation << Expliquer >> suivie des mots nouveaux du texte et d'une proposition d'accès au sens. Dans notre esprit, il ne s'agit pas d'une explication magistrale mais d'une découverte active du sens par les étudiants.

4. Faire en sorte que chaque mot ou forme grammaticale soit compris, manipulé et mémorisé.

Après une activité de compréhension de texte, regrouper les mots nouveaux et les faire employer dans un échange guidé (questions / réponses).

5. Instaurer la règle du jeu dès le début du cours.

Si, dès le début, la communication s'installe en langue maternelle, il sera difficile de revenir en arrière.

Les pages d'ouverture des unités

Chaque unité s'ouvre par une double page qui présente de manière concise et illustrée l'objectif général de l'unité (la situation d'adaptation) et les objectifs secondaires qui en découlent.

Ces objectifs formulés en termes de savoir-faire sont aisément compréhensibles des étudiants.

Dès la deuxième unité, on pourra présenter l'objectif général de l'unité et poser aux étudiants la question : << *Nous allons faire un petit voyage en France. Qu'est-ce qu'on doit savoir faire et dire ?* >>. On fera alors collectivement la liste des situations qui doivent être préparées (à l'aéroport, dans l'avion, etc.).

Il est important que l'étudiant ait une conscience claire de l'objectif général (très concret) de l'unité et des différentes étapes qui permettront d'y parvenir. Il pourra ainsi à tout moment visualiser le chemin parcouru et ce qui reste à faire.

Cette page fixe par ailleurs **un contrat de travail** entre les étudiants et l'enseignant. Notons que ce contrat est négociable, les étudiants pouvant ajouter ou supprimer certains objectifs secondaires. Des étudiants qui envisagent à brève échéance un voyage dans un pays francophone voudront peut être ajouter des objectifs secondaires à l'unité 2 (« Je me débrouille »).

Les pages « Forum »

Chaque leçon débute par une double page « **Forum** » qui propose un ou plusieurs documents (parmi lesquels il peut y avoir un document sonore) choisis pour leur pouvoir déclencheur d'expressions orale ou écrite.

1. Types de pages « Forum »

Selon le document la classe interactive peut prendre des formes diverses.

a. Le document est un questionnaire, par exemple un test de connaissance (p. 28), un forum Internet de type questions / réponses (p. 72) ou un sondage (p. 100). Guidés par le professeur qui explique les mots difficiles, les étudiants remplissent le questionnaire individuellement, puis comparent leurs résultats et échangent des opinions

Il peut leur être demandé d'adapter le test ou le sondage pour leur pays. Le travail se fait alors en petit groupe.

b. Le document invite à faire des choix. C'est le cas de la page accueil du site Internet d'une agence de voyage étudiante (p. 56) ou d'une agence immobilière (p. 80) ou bien de la publicité d'une sandwicherie (p. 65). Ici l'échange est immédiat. Les étudiants discutent pour choisir leur destination de voyage, le logement dans lequel ils veulent vivre ou se mettent d'accord sur leur repas.

c. Le document déclenche des prises de position. Il peut s'agir d'un forum Internet (p. 108). La classe se partage les différents documents. Chaque petit groupe prépare une intervention pour rendre compte du contenu du document au reste de la classe et pour donner son opinion. Le reste de la classe donne ensuite son avis.

d. Le document suscite l'envie de réaliser un projet individuel ou collectif. La découverte d'un album de souvenirs (p. 92) donne à l'étudiant l'envie de créer son propre recueil de souvenirs.

2. Caractéristiques des pages « Forum »

Dans le travail réalisé avec ces pages, l'étudiant sera pleinement « acteur social ».Les échanges, qu'il s'agisse de brèves interactions ou de paroles en continue (monologue suivi) seront de même nature que les conversations de la vie réelle.

En plus des savoir-faire langagiers, il va acquérir des « savoir être » (vaincre sa peur de parler, développer des stratégies d'interaction, gérer ses manques, prendre de l'assurance).

3. Conseils pour réussir un cours avec ces pages « Forum»

a. Le professeur doit prévoir avec assez de précision le déroulement de sa classe. La partie « activités », en bas de la double page, lui propose un déroulement possible. Les activités collectives en petits groupes et les prises de parole individuelles doivent alterner. Chaque étudiant doit avoir l'occasion de s'exprimer non seulement dans le petit groupe mais aussi devant le groupe classe.

b. L'enseignant guide les étudiants dans la découverte du document. Il fait expliquer ou explique lui-même les mots nouveaux.

c. Il est bon que les productions orales (sauf lorsqu'il s'agit de réactions brèves et spontanées) **soient précédées d'un moment de réflexion** ou de prises de notes écrites. Dans l'activité de la p.72 (Forum : quel est votre meilleur moment de la journée ?) on donnera aux étudiants quelques minutes de préparation pour développer les raisons de leur choix. Sinon on court le risque d'avoir des réponses laconiques qui rendront le tour de table ennuyeux.

d. Les activités de type projet individuel ou collectif doivent être précédées d'une mise en condition pour motiver les étudiants. Il faut créer le désir de se lancer dans le projet.

Certains projets commencés en classe peuvent être poursuivis en travail personnel. C'est le cas de l'album des souvenirs (p. 92), du logement idéal (p. 80).

e. L'introduction ou l'explication d'un point de langue peut se faire :

– de façon complète si elle a lieu entre deux activités différentes ;

– rapidement au cours d'une activité.

Les pages « Outils »

Chaque double page « **Outils** » propose deux ou trois points de langue : point de grammaire (Nommer – Préciser), de conjugaison (Conjuguer les verbes) ou regroupement de formes autour d'un acte de parole (Parler de ses activités)

Chaque point est autonome. Il propose un parcours qui va de l'observation à l'emploi des formes étudiées :

a. Un dessin humoristique proposant un corpus d'expressions qui va permettre l'observation du point de langue (les deux ou trois dessins de la double page sont liés par une trame narrative).

Ce dessin est suivi d'une **activité de découverte** (grille à remplir, mot à rechercher, etc.) qui permet de conceptualiser, de classer, d'induire des règles du système de la langue.

Il est impératif que l'enseignant guide les étudiants dans ce travail.

b. Un tableau de présentation didactique des points de grammaire. C'est la mise en forme, complétée par certains points particuliers, de ce que les étudiants auront découvert avec l'aide de l'enseignant.

c. Des exercices de systématisation. Ces exercices permettent de vérifier que la forme nouvelle peut être comprise et employée. Selon le degré de réussite de l'activité de découverte, cet exercice peut se faire individuellement ou collectivement. Rappelons que les exercices de fixation et de mémorisation se trouvent dans le cahier d'activités.

d. Dans certains cas, le travail sur le point de langue se termine par **une activité de réemploi plus libre.** Par exemple, la découverte de quelques formes comparatives débouche sur la production de phrases où on compare deux villes ou deux pays.

Une rubrique de la double page « Outils », intitulée « **À l'écoute de la grammaire** », permet de travailler les incidences orales de la grammaire (marques orales du pluriel ou du féminin, différenciation présent / passé, etc.).

Quand utiliser les pages « Outils » ?

Il est tout à fait possible de les utiliser au moment de leur apparition dans le livre. Le travail sur les pages « Forum » aura sensibilisé les étudiants à certains points de langue. La découverte des autres points préparera le travail sur les pages « Échanges ».

Mais on peut aussi les utiliser « à la carte », soit en fonction des demandes des étudiants entre deux activités des pages « Forum », soit comme préparation à la découverte des pages « Forum » ou « Échanges ».

Les pages « Échanges »

Dans ces pages, l'étudiant va être confronté aux **situations orales en interaction** qu'il aura l'occasion de vivre dans un pays francophone et qui ne sont pas naturellement suscitées par la vie de la classe. C'est le cas des situations pratiques (acheter, s'orienter, prendre un rendez-vous, etc.)

ainsi que des interactions liées à des contextes particuliers (le logement, les transports, la voiture, etc.).

Ces situations sont mises en scène dans des dialogues qui s'enchaînent pour raconter une histoire. Cette histoire se déroule sur une unité.

1. Coup d'œil sur les histoires

Unité 1 – « Un été à Paris »

Des jeunes se retrouvent à Paris dans le cadre d'un stage de comédie musicale. Ils vont vivre une histoire parallèle à celle du groupe classe. Ils font connaissance, suivent des cours de chant et de danse, se détendent en allant au café, en organisant des sorties ou en faisant du sport, ont des moments d'enthousiasme ou de découragement.

Il y a bien sûr une intrigue. Mélissa, une jeune Guadeloupéenne qui est venue avec son ami Florent est séduite par la verve et l'assurance du Toulousain Lucas. Florent et Lucas sont en compétition pour le rôle de Quasimodo car, à la fin du stage, les chanteurs et danseurs interprètent « Notre Dame de Paris ». Qui aura le rôle ? Florent se consolera-t-il auprès de Noémie, la Québécoise ? Le spectacle sera-t-il prêt à temps ?

Unité 2 – « Vacances à la montagne »

Antoine, Malik, Julie et Clara sont lycéens à Strasbourg. Ils viennent d'obtenir leur bac et font le projet de partir en vacances ensemble.

Ils décident d'aller chez les cousins d'Antoine, à Cambo, dans les Pyrénées Atlantiques.

Mais ces vacances à la campagne ne seront pas forcément de tout repos pour nos quatre jeunes citadins.

Unité 3 – « Histoire de famille »

Camille, qui vit en Nouvelle-Calédonie et qui vient de réussir sa licence de sciences, décide de poursuivre ses études à Rennes. Elle compte bien y retrouver la famille de son père, avec qui celui-ci s'est fâché 25 ans plus tôt. Camille va trouver une famille dispersée où chaque membre aura eu un destin particulier. Il faut tenter de réconcilier les uns avec les autres. C'est l'occasion de découvrir certaines facettes de la société française (les types de famille, la mobilité, les niveaux socio-économiques).

2. Caractéristiques des histoires

■ Les histoires sont **des métaphores du contenu général de l'unité.** Dans l'histoire « Un été à Paris », par exemple, on trouvera les situations courantes d'un cours de langue pour débutant.

■ **Les situations de la vie quotidienne apparaissent dans un contexte précis.** Il y a un avant et un après de la communication qui facilitent la compréhension. Par ailleurs, le comportement des personnages n'est pas perçu comme celui d'un Français type mais comme celui d'un individu particulier, ce qui permet d'éviter les généralisations abusives.

■ **Certains dialogues ou parties de dialogues ne sont pas transcrits dans la leçon.** Ils servent d'exercices d'écoute. Dans ce cas, la page où se trouvent les transcriptions est signalée.

■ Certaines scènes sont seulement illustrées. **Le dialogue est à imaginer par les étudiants.**

■ Dans le bandeau d'exploitation, à droite de la double page, on trouvera :

- pour chaque scène, une procédure d'écoute (questions, texte ou grille à compléter). Mais la pédagogie de l'écoute est surtout développée dans ce guide pour le professeur.

- une ou plusieurs propositions de jeux de rôles. Il s'agit la plupart du temps de transposer une scène de l'histoire.

- une rubrique « Sons, rythmes, intonations » qui propose un travail de prononciation.

3. Quelques techniques pour travailler avec un document audio

Selon le dialogue, chacune de ces techniques est plus ou moins appropriée. Elles peuvent également se combiner.

a. Hypothèses sur le contenu du dialogue d'après les éléments situationnels (à faire par exemple avec la scène 3, p. 25).

(1) Observation de l'image. Lecture de la phrase d'introduction et éventuellement de la première réplique. On peut présenter la page dialogue caché avec le rétroprojecteur.

(2) Hypothèses sur ce qui se passe et sur le contenu du dialogue. Cette étape peut servir de préparation lexicale et grammaticale à l'écoute.

(3) Écoute et mise au point de la compréhension.

b. Écriture du dialogue.

Même démarche que la précédente lorsque la scène est la conséquence logique du début de l'histoire ou que l'environnement écrit est suffisamment explicite.

c. Compléter le dialogue dont on a préalablement masqué quelques répliques.

À faire en utilisant le TBI ou un vidéoprojecteur. Sinon, on peut distribuer des textes lacunaires aux étudiants *ou* écrire au tableau.

d. Dévoilement progressif du dialogue (à l'oral ou à l'écrit selon la difficulté).

On procède de la manière suivante :

- écoute de la première réplique ;

- analyse collective. Propositions de réponse ;

- écoute de la réponse ;

- etc.

À faire par exemple avec la scène 1, p. 40.

e. Écoute directe après préparation lexicale minimale (cas d'un dialogue facile, par exemple scène 3, p. 33)

On écoute le dialogue. On note ce que les étudiants ont compris. On procède à plusieurs écoutes en reconstituant progressivement le texte.

f. Mise en scène et interprétation d'un dialogue.

On écoute le dialogue puis on travaille à partir du texte écrit. On recherche la position et les mouvements des personnages, leurs expressions et leurs gestuelles comme si on préparait une pièce de théâtre. Le travail de compréhension linguistique est intégré au projet d'interprétation. À faire par exemple avec la scène 1 p. 76 ou la scène 2 p. 77.

g. Faire des hypohèses. Imaginer une suite.

Pourquoi François Le Gall s'est-il fâché avec sa famille (scène 1, p. 96) ?

Les pages « Découvertes »

Ces pages présentent les savoirs et les savoir-faire langagiers et non langagiers qui permettent une adaptation à une société francophone. Pour des raisons d'espace, on s'est limité à la société française.

Cette page propose des documents divers : photos, analyses, statistiques, témoignages, micro-trottoirs, interviews, conseils pratiques, etc.

Ces documents permettront de mettre en valeur :

- la culture partagée par une majorité de Français (environnement géographique, actualité artistique, sociale politique, Histoire, etc.) ;

- les habitudes et les comportements dans les différents domaines de la vie quotidienne.

En général, la première page est consacrée à la compréhension et la production écrites, selon l'organisation suivante :

- Un **texte** est proposé à la lecture (ou plusieurs petits textes lorsqu'il s'agit de brefs messages, petites annonces, etc.). Tout au long de la méthode on abordera les différents types de texte : messages familiers, cartes postales et lettres amicales, cartons d'invitation, extraits d'ouvrages touristiques, extraits de journaux ou de magazines. Beaucoup de textes sont des documents authentiques légèrement simplifiés au niveau 1.

- Un **travail d'exploration du texte** qui s'appuie généralement sur un projet de lecture.

Ce travail vise également à développer des stratégies de lecture :
- – repérage des éléments situationnels (Qui écrit ? À qui ? Etc.) ;
- – induction du sens d'un mot nouveau d'après le contexte ;
- – balayage du texte pour retrouver une information.

– Un travail de production écrite peut être proposé.

Écho Junior donne la priorité aux situations de production écrite fréquentes et prévisibles pour un étudiant qui a des contacts avec des francophones (messages ou lettres de prise de contact, d'échange d'informations, de prise de rendez-vous, d'invitation, de remerciements, etc.).

Mais la production écrite pour le plaisir n'est pas pour autant négligée car c'est un moyen efficace de motivation et d'apprentissage de la langue. Les étudiants sont par exemple incités à tenir leur journal en français (à partir de la leçon 4). Les différents projets donnent également lieu à des exposés écrits.

– Enfin, les étudiants on la possibilité de réaliser un « projet ».

Il s'agit d'une « tâche » à accomplir en petits groupes, sur le thème de la leçon. Les projets permettent un réemploi de ce qui a été vu pendant la leçon, en faisant appel à d'autres compétences (dessin, multimédia...). En contexte scolaire, ils peuvent être un prétexte à des activités transversales (avec le cours d'arts plastiques, d'informatique, ...).

Écho Junior, le Cadre européen et le DELF

Les pages qui précèdent auront montré que, par ses objectifs généraux et ses orientations méthodologiques, la méthode *Écho Junior* s'inscrit dans le Cadre européen commun de référence.

Elle suit aussi les recommandations du Cadre dans ses contenus et ses objectifs spécifiques.

Ainsi, chaque volume de la méthode *Écho junior* correspond précisément aux objectifs visés par les différents niveaux du cadre.

Le portfolio et son utilisation

L'étudiant dispose de son propre portfolio à la fin du cahier d'activités. Ce portfolio comporte deux parties :

1. La biographie langagière. Il s'agit d'un questionnaire dans lequel l'étudiant note ses expériences en français en dehors du cadre de la classe (voyages, spectacles, rencontres, etc). Ces pages peuvent s'utiliser dès la première heure de cours avec des étudiants faux débutants ou si l'enseignant utilise la langue maternelle. Dans le cas contraire, on peut commencer à remplir ces pages après la leçon 2.

2. Les compétences. À la fin de chaque unité, l'étudiant indexera les savoir faire et les savoirs abordés en indiquant s'ils sont « acquis », « en cours d'acquisition » ou « non acquis ». Il mettra à jour les listes d'objectifs des unités précédentes si tout n'avait pas été acquis.

Conseils aux professeurs

1. Tirer parti des pages « Forum » pour introduire et faire utiliser les nouveaux éléments grammaticaux et lexicaux

Les pages « Forum » ont pour but d'instaurer dans la classe des conversations naturelles sur des sujets qui intéressent les étudiants mais aussi de susciter des besoins langagiers ciblés qu'il s'agira de satisfaire.

Par exemple, le forum questions / réponses du livre de l'élève A1, p. 72 : « Quel est pour vous le meilleur moment de la journée ? » conduit à deux types de besoins langagiers :
- le lexique des activités de la journée ;
- la conjugaison pronominale, puisque plusieurs verbes courants qui décrivent les activités quotidiennes sont des verbes pronominaux.

On tirera le meilleur parti de ces pages « Forum » en ayant ces objectifs à l'esprit. Ainsi, tout en travaillant sur le forum dont on vient de parler, on pourra faire remarquer les verbes à conjugaison pronominale (*je me lève, je me réveille, je me couche*) et faire induire rapidement la conjugaison sans s'éloigner du sujet du forum : « Marco se lève tôt. Et toi, tu te lèves tôt ?, etc. ».

Autre exemple : le livre de l'élève A2 propose à la p. 20 un sondage « Es-tu optimiste face au futur ? ». On remarquera que les différents items du sondage permettent déjà de présenter les formes *il/elle, nous /vous, ils/elles* du futur. La présentation de la forme *je/tu* se fera par des questions /réponses aux étudiants : « Dans le futur, tu auras plus ou moins de loisirs – J'aurai plus de... ».

Ces points de langue étant brièvement présentés, la suite des activités des pages « Forum » permettra de les réemployer de manière naturelle.

Par exemple, dans le sondage du livre de l'élève A1, p. 100, « Êtes-vous accro aux nouvelles technologies ? », il convient de présenter et d'expliquer brièvement les adverbes qui permettent l'expression de la fréquence. Ils sont présents dès la question 3 (*jamais, quelquefois*, etc.). Ils seront ensuite réemployés dans les réponses aux autres questions.

L'approche grammaticale proposée dans ces pages est donc une approche dans et par la communication, une approche où l'explication verbale est extrêmement limitée.

Si le professeur estime que cette explication limitée n'est pas suffisante, il peut avoir recours à la rubrique correspondante des pages « Outils ». Ainsi, « L'album des souvenirs », livre de l'élève A1, p.92, propose un corpus suffisant pour faire découvrir le sens et les formes de l'imparfait. Après avoir fait découvrir cet album (1ère activité proposée p. 92),

le professeur pourra se reporter à la rubrique « Parler des souvenirs et des habitudes » de la p. 94, puis revenir à l'activité de production des p. 92–93 (« Rédige quelques souvenirs » – « Réalisez l'album des souvenirs de votre classe »).

Ce qui vient d'être dit vaut aussi pour le vocabulaire. La découverte de l'album des souvenirs (livre de l'élève A1, p.86) permet d'introduire une partie du vocabulaire des moments de la vie. Ce vocabulaire pourra être complété par une lecture active du tableau de la p. 93.

2. Utiliser les différentes façons d'aborder la grammaire

Écho Junior propose plusieurs façons d'aborder la grammaire.

A. L'approche communicative qui vient d'être décrite ci-dessus. Des documents déclenchent des interactions et suscitent un besoin grammatical ciblé. Par exemple, le passé composé dans le jeu du musée Grévin, livre de l'élève niveau A1, p.44. Ces documents servent donc de corpus d'observation et de compréhension et de déclencheurs d'expression.

B. Une approche plus didactique dans les pages « Outils » mais qui n'en reste pas moins inductive. L'observation des phrases d'une BD conduit à des activités de repérage et de conceptualisation des formes / sens qui sont ensuite réemployées dans des exercices.

C. Une approche plus globale à partir des dialogues. Ainsi, la découverte des adjectifs possessifs peut se faire à partir du dialogue 2 de la page 68 (livre de l'élève A1), mais aussi à partir de la rubrique « Exprimer la possession » de la page 67.

Ces trois approches convergent pour assurer un maximum d'efficacité :
- nécessité de motiver l'étudiant à l'introduction de nouvelles formes linguistiques.
- nécessité d'inscrire ces nouvelles formes dans un système. Il nous semble que ce système doit être ni trop grand ni trop petit. C'est ainsi que l'apparition du passé composé entre la 30e et la 40e heure de cours doit permettre d'assurer la communication courante, c'est-à-dire de pouvoir dire « J'ai regardé, j'ai vu, je suis allé » (donc utiliser les auxiliaires *avoir* et *être*) sans pour autant développer davantage la liste des verbes nécessitant l'auxiliaire *être* et les règles de formation du participe passé.

On peut d'ailleurs remarquer que, pour des apprenants débutants qui ne pourront utiliser au passé qu'une dizaine de verbes, les notions de « règle générale » et « d'exception » n'ont pas beaucoup de sens. En effet, les verbes qu'ils doivent connaître pour communiquer font très souvent partie de ces exceptions.

– nécessité de réemployer les éléments qu'on vient de découvrir.

3. Améliorer le travail de compréhension orale des dialogues

Comme le font déjà beaucoup de professeurs, il est conseillé d'aborder l'écoute des dialogues en projetant sur le TBI une série de questions ou d'items vrais ou faux, ou bien en donnant une grille de recherche.

Il suffit quelquefois de développer ce qui est proposé dans le livre. Par exemple, dans le livre de l'élève A2, p. 69, scène 2, compléter avec deux ou trois items vrais ou faux (« Dora se repose. – Fabien n'est pas étudiant. – Les autres amis sont partis en promenade en forêt. »).

4. Ne pas se contenter d'une compréhension globale

D'une manière générale, les professeurs font un très bon travail de compréhension globale des dialogues. Il convient toutefois d'assurer la compréhension du détail : découpage de la chaîne sonore, reconnaissance des mots déjà vus, compréhension des mots nouveaux. Si la compréhension reste approximative, certains étudiants risquent d'être frustrés et l'apprentissage en pâtira.

Pour assurer cette compréhension du détail, plusieurs techniques peuvent être mises en œuvre après le travail de compréhension globale sans le support du texte :
– lire le dialogue dans le livre. Cette technique est rapide puisque seuls les mots nouveaux sont à expliquer. Mais elle ne conduit pas à une véritable éducation de l'oreille car il n'y a pas d'effort cognitif ;
– écoute fragmentée avec répétition par un étudiant (pour vérifier le découpage de la chaîne sonore) et questions de vérification de la compréhension des mots ;
– écoute avec pour support une transcription à trous (facile à mettre en œuvre avec le TBI). On peut masquer certains mots déjà vus ou les éléments qui font partie de l'objectif (par exemple : les adverbes et prépositions de localisation).

5. Mettre les exercices en situation

La plupart des exercices des pages « Outils » comportent des phrases liées entre elles par une situation de communication. Le travail sur la langue s'appuie donc toujours sur le sens. Pour une meilleure motivation et une assimilation optimale, il serait bon de présenter cette situation de communication.

Par exemple, dans le livre de l'élève A2, p. 38, ex.2, plutôt que de dire aux étudiants « Faites l'exercice 2, p. 38 », dire « Voici des phrases que dit souvent le professeur de français.

Mettez les verbes à la forme qui convient ». Ensuite, quand l'exercice a été fait et corrigé : « Trouvez d'autres phrases que le professeur peut dire et qui commencent par : « Il faut que » ou « Je voudrais que » ».

Idem pour l'exercice 4, p. 38 : « Voici des phrases prononcées par un chef d'entreprise qui donne des ordres à ses employés. Comment s'appellent ces employés ? Que dit le directeur ? ». Quand l'exercice est terminé et corrigé, faire trouver d'autres phrases injonctives que peut prononcer un chef d'entreprise.

6. Activité en autonomie ou guidée par le professeur

De ce qui précède, il découle qu'il faut bien choisir les activités qu'on donne à faire aux étudiants en autonomie. Souvent, le livre les signale mais il laisse quelquefois l'initiative aux professeurs.

Par exemple, le professeur aura intérêt à guider la classe dans le travail sur la double page « Forum » du livre de l'élève A1, p. 28. Au fur et à mesure du traitement des items du test, il construira au tableau un corpus permettant la conceptualisation des adjectifs et des mots interrogatifs.

Pour la double page « Forum », livre de l'élève A1, p. 36 et 77, la classe se partagera les cinq documents. Chaque groupe travaillera en autonomie pour comprendre le document et en préparer une présentation aux autres groupes. Mais, lors de la mise en commun, deux mises au point devront être faites par le professeur :
– répertorier les moyens d'expression pour parler des loisirs (*Je fais du/de la/de l'* – *Je joue au/à la/à l'*) ;
– assurer la compréhension des mots nouveaux.

Le sondage du livre de l'élève A2, p. 98, pourra être fait en autonomie mais la mise en commun guidée par le professeur devra permettre la production de phrases avec pronoms et l'expression de la fréquence (*Tu fais ton lit souvent ? – Oui, je le fais tous les jours.*).

7. Tirer parti des tableaux de vocabulaire

On trouvera deux types de tableau de vocabulaire :
– ceux qui sont organisés autour d'un acte de parole. Exemples : « Pour exprimer la peur et l'inquiétude – Pour rassurer », livre de l'élève A2, p. 25 » / « Pour présenter quelqu'un », livre de l'élève A2, p. 49 ».
– ceux qui sont organisés autour d'un thème lexical. Exemple : « Pour parler de la télévision et de la radio », livre de l'élève A2, p. 45 » – « Savoir, connaître, se souvenir », livre de l'élève A2, p. 61 ».

Ces tableaux peuvent être utilisés pour compléter les éléments du thème traité par le document. Par exemple, dans le livre de l'élève A2, p. 25, scène 2, un personnage exprime son inquiétude, l'autre le rassure. Le tableau reprend les éléments du dialogue en les enrichissant.

Ce tableau servira aussi à la préparation du jeu de rôles (activité 4, p. 25) : un(e) étudiant(e) rassure un(e) ami(e) qui est stressé(e) par un contrôle en histoire.

De même, la double page « Forum », livre de l'élève A2, p. 44 et 45, permet de découvrir un programme de télévision et demande aux étudiants de faire un choix d'émissions. Au cours de ces interactions, un certain nombre de termes du thème de la télévision seront employés. Certains sont déjà connus des étudiants, d'autres seront apportés par le professeur qui les notera au tableau. Ce corpus se retrouvera dans le tableau de vocabulaire de la p. 45.

Ces tableaux fonctionnent donc comme des aide-mémoire pour les étudiants.

Propositions de déroulements de classe – Niveau A1

Les leçons de la méthode *Écho Junior* ne sont pas conçues pour être traitées de manière linéaire. Les pages « Outils » présentent des points grammaticaux auxquels on fait appel en fonction des besoins. Les pages « Forum » proposent des activités de productions qui peuvent nécessiter le recours aux pages « Outils ». La présentation des dialogues des pages « Échanges » doit être répartie sur plusieurs cours et être coordonnée avec les autres contenus.

Pour aider les professeurs dans cette navigation entre les différentes parties de la leçon, ce document propose des déroulements de classe possibles (mais en aucun cas obligatoires).

Pour chaque leçon, on trouvera donc cinq ou six ensembles d'activités représentant environ 1 h 30 de cours chacun. Certains de ces ensembles demanderont un peu plus de temps, d'autres moins. Nous avons souhaité avant tout dégager des ensembles cohérents.

Leçon 0

Tous les éléments introduits dans cette leçon 0 seront repris dans les leçons 1, 2 et 3 de l'unité 1.

On peut toutefois anticiper la présentation du tableau de phonétique de la p. 27. S'y reporter chaque fois qu'on rencontre un son difficile.

Unité 1

Leçon 1

1. « Forum », p. 20 et 21. La première activité propose un travail de compréhension orale en lien avec l'acte de parole « se présenter ». L'activité 2 permet de travailler la prononciation, d'introduire l'expression de la compréhension et de l'incompréhension et de revoir les articles définis. Après ces deux activités, il est possible de faire travailler les étudiants sur les exercices proposés à la page suivante (p. 22).

Ensuite, l'enseignant reviendra sur la double page « Forum » et proposera les activités 3 et 4 de la p. 21.

2. « Outils », p. 22 et 23. On conceptualise la totalité de la conjugaison du présent. Faire ensuite « À l'écoute de la grammaire », p. 23.

3. « Échanges », p. 24 : scènes 1 et 2. À coordonner avec « Outils », rubrique « Interroger, répondre », p. 23.

4. « Échanges », p. 24 et 25, activités 2 et 3. Présenter le tableau de vocabulaire « Petits mots de politesse ».

5. « Découvertes », p. 26 et 27.

Leçon 2

1. « Forum », p. 28 et 29. Utiliser le test pour induire le système des articles (les articles ont déjà été vus à plusieurs reprises mais jamais leur système d'ensemble). Systématiser ensuite avec la rubrique « Nommer, préciser » de la double page « Outils » (p. 30).

Travailler la prononciation des articles avec la rubrique « À l'écoute de la grammaire », p. 31.

2. « Forum », p. 29. Présenter le tableau « Poser des questions » et faire l'activité 2 p. 28. Puis faire les exercices de la double page « Outils », p. 31, rubriques « Accorder les noms et les adjectifs » et « Conjuguer les verbes ».

3. « Échanges », p. 32. Activités 1 et 2.

4. « Échanges », p. 32 et 33. Activités 3 et 4. Présenter le tableau de vocabulaire et faire produire quelques phrases de demandes. Faire ensuite le travail de prononciation.

5. « Découvertes », p. 34 et 35.

Leçon 3

1. « Forum », p. 36 et 37. Document « Ville de Châteauneuf sur Loire » : la classe se partage les textes après une mise en situation collective. Au cours de la mise en commun, présenter les verbes « faire», «venir» et «aller» (« Outils », p. 38, encadré « Pour parler des activités ») ainsi que le tableau « Parler des loisirs », p. 37. Faire ensuite l'activité 2, p. 36. L'activité 4 peut être donnée en préparation pour le cours suivant.

2. « Outils », p. 38 et 39. Systématiser ce qui a été vu dans le cours précédent avec « Parler de ses activités » et les pronoms « moi », « toi », etc. ». Puis faire l'activité 1 de la rubrique « À l'écoute de la grammaire », p. 39, pour la différenciation « vais/fais ». Faire ou mettre au point l'activité 4 de la p. 36.

3. « Échanges », p. 40 et 41. Scène 1 : permet de revoir les pronoms toniques. Faire ensuite la scène 2 en relation avec la rubrique « Faire un projet » de la p. 39 (futur proche). Attendre d'avoir écouté la scène 3 pour faire le jeu de rôles (activité 4, p. 40). Faire la prononciation p. 41.

4. « Échanges », p. 41. Écoute de la scène 3. Voir le vocabulaire de l'encadré « Proposer – Inviter », p. 41.

5. « Découvertes », p. 42 et 43. Lecture des textes et travail d'écriture. L'activité 2 (présentation du pays de l'étudiant) se fait en petit groupe avec mise en commun et mise au point collective. Son but est de rendre l'étudiant capable de dire quelques mots à propos de son pays.

Leçon 4

1. « Forum », p. 44 et 45. Présenter le document et faire le jeu en petits groupes. Au cours de la mise en commun, dégager les formes au passé et les observer. Noter au tableau les formes au passé composé avec « je » des verbes connus. Puis donner l'activité 3 p. 45 en préparation du cours suivant.

2. « Outils », p. 46. Puis, faire l'activité 3 de la p. 45.

3. « Outils », p. 47 : « Préciser l'heure ». Puis faire le travail de compréhension de la scène 1 des pages « Échanges », p. 48.

4. « Échanges », p. 48 et 49. Écouter la fin de l'histoire (scènes 2 et 3). Faire les activités correspondantes (activités 2 et 3). Travailler sur les exemples du tableau « Répondre : moi aussi / moi non plus ». Donner l'activité 4, p. 48, à faire à la maison comme travail préparatoire au prochain cours.

5. Restitution et comparaison en classe des productions de l'activité 4 p. 48. « Découvertes », p. 50 et 51 : travail sur les docs « Les rythmes de vie », et exercice d'écoute, « L'emploi du temps de Léa », p. 50.

Unité 2

Leçon 5

1. « Forum », p. 56 et 57. Faire l'activité 1 en petits groupes. Au cours de la mise en commun, travailler les rubriques « Comparer » et « Montrer » des pages « Outils », p. 58 et 59.

2. Présenter le vocabulaire « Les voyages », p. 57 et faire l'activité de production « Réalisez la page accueil Internet d'une agence de voyage ». « Échanges » p. 60, écoute du dialogue 1 et activité 1.

3. « Outils » p. 58 et 59, travailler la rubrique « Proposer, accepter, refuser » et travail de prononciation des sons (« À l'écoute de la grammaire », p. 59).

4. « Échanges », scènes 2 et 3, p. 60 et 61. Faire les activités 2, 3, 4 et 5. Travail de prononciation p. 61.

5. « Découvertes », p. 62 et 63. Faire les activités en lien avec les différents documents.

Leçon 6

1. « Forum », p. 64 et 65. Découverte du document de la double page et réalisation des activités 1, 2 et 3. Présenter le vocabulaire du tableau « Pour parler de nourriture », p.65. Faire l'activité 4. Au cours de cette séquence, introduire les partitifs sans explication approfondie. Écoute du dialogue 1, p.68 et réalisation des activités 1 et 2. Donner l'activité 3 en devoir à la maison pour préparer la classe suivante.

2. « Outils » p. 66, rubrique « Nommer les choses ». Restitution orale de l'activité 3 et mise en pratique des règles d'utilisation des articles (et notamment les articles partitifs). « Échanges », p. 68, écoute du dialogue 2 et réalisation de l'activité 4. Mettre en lumière les adjectifs possessifs à partir des occurrences du dialogue 2 et du tableau « Les possessifs », p. 67. Faire les exercices de la rubrique « Exprimer la possession », p. 67.

3. « Outils » p. 67. Faire les exercices de la rubrique « À l'écoute de la grammaire ». Pages « Échanges », p. 68 et 69, faire écouter les dialogues 3 et 4. Réalisation des activités 5 et 6, p. 68 et des exercices de prononciation, p. 69.

4. « Découvertes », p. 62 et 63. Faire les activités en lien avec les différents documents.

Leçon 7

1. « Forum », p. 72 et 73. Présenter les documents. Faire en petits groupes l'activité 1. Au cours de la mise en commun, repérer les verbes qui décrivent les activités de la journée et relever les verbes pronominaux sans donner d'explications détaillées. Répondre à la question principale du forum et, éventuellement, aux autres questions sous forme de tour de table (activités 2 et 3).

2. « Outils » p. 74, les verbes du type « se lever ». Donner ensuite comme activité de production des verbes pronominaux et du vocabulaire nouveau, l'activité 4 la p. 72. Donner l'activité 5 « Votre journée idéale » en travail à la maison.

3. « Échanges », scènes 1 et 2, p. 76 et 77. « Outils », p. 75, « Donner des instructions, des conseils ». Travail de prononciation « À l'écoute de la grammaire ».

4. « Échanges », écouter la scène 3, p. 77 et faire les activités correspondantes.

5 « Découvertes », p. 78 et 79, lecture des documents de la double page. Donner le travail d'expression écrite (activité 1) à faire à la maison. Ce travail peut être fait en se partageant le travail au sein d'un petit groupe. Faire les exercices en relation avec les différents documents.

Leçon 8

1. « Forum », p. 80 et 81. Faire en commun l'activité 1. Présenter le vocabulaire du tableau. Faire les activités 2 et 3. Donner l'activité 4 en travail à la maison.

2. « Outils » p. 82, faire les activités de la rubrique « Situer ». « Échanges », p.84 et 85, écoute de la scène 1. Faire les activités 1 et 2.

3. « Outils » p. 82 et 83, faire les exercices de la rubrique « Décrire un trajet » et présenter le tableau « Décrire un itinéraire ». Écoute des dialogues 2 et 3, p. 85. Faire l'activité 3 et donner l'activité 4 en devoir à la maison.

4. Restitution en classe de l'activité 4. « Échanges », p. 85, écoute du dialogue 4. Voir l'encadré « Exprimer un besoin », p 85 et faire les exercices de prononciation. Faire les exercices de la rubrique « À l'écoute de la grammaire », p. 83.

5. « Découvertes », p. 86 et 87, lire les documents de la page de gauche et faire l'activité 1. Faire les activités 2 et 3 et présenter le vocabulaire « pour parler du temps », p. 87. Donner le travail d'expression écrite (activité 4) à faire à la maison.

Unité 3

Leçon 9

1. « Forum », p. 92 et 93. Faire l'activité 1 en lien avec le document « L'album des souvenirs ». Faire les activités 2 et 3. Systématiser avec la rubrique « Parler des souvenirs et des habitudes » de la page « Outils », p. 94. Donner l'activité 4, p. 92, « Rédigez quelques souvenirs », à préparer à la maison.

2. « Outils » p. 95, rubrique « Raconter ». Faire lire les souvenirs qui auront été rédigés à la maison.

Chaque groupe compose son album de souvenirs.

3. « Échanges », p. 96, écoute de la scène 1. « Découvertes », p.99, voir la rubrique « Les membres de la famille » et le vocabulaire « Le couple et la famille ». Faire les activités 1, 2 et 3.

4. « Échanges », p. 96 et 97. Présenter l'encadré p. 97

« Enchaîner les idées ». Écoute de la scène 2. Faire l'activité

4. « Découvertes », p. 98 et 99, document « Familles d'aujourd'hui ». Faire les activités correspondantes. Travail à la maison sur les activités 4 et 5.

5. Restitution des travaux en lien avec les activités 4 et 5, p. 99. Faire les exercices de prononciation p. 97 et l'activité 5 de la même page (jeu de rôles).

Leçon 10

1. « Forum », p. 100 et 101. Faire collectivement les activités 1, 2 et 3 p. 100. À l'occasion de la question 3 du sondage, présenter le tableau « Exprimer la fréquence, la répétition ». Faire l'activité 4 p. 101 pour préparer le prochain cours sur les pronoms compléments directs.

2. « Outils » p.102, faire la rubrique « Utiliser les pronoms compléments directs ». « Échanges », p.104, scène 1, faire repérer les pronoms compléments directs. Faire les activités 1 et 2.

3. « Échanges », p. 104 et 105. Écouter la scène 2, faire repérer les pronoms. Systématiser avec la page p. 102, « Outils », les pronoms compléments directs. Faire relever les questions dans le dialogue et faire la rubrique « Interroger » de la page 103. Faire l'activité 3 p. 104.

4. Présenter le tableau « Pour exprimer une opinion » de la p. 105 et faire le jeu de rôles, activité 5. Faire les exercices de la rubrique « À l'écoute de la grammaire », p. 103. Faire les exercices de discrimination phonétique de l'encadré « Prononciation », p. 105.

5. « Découvertes », p. 106 et 107. Lire les documents et faires les activités correspondantes.

Leçon 11

1. « Forum », p. 108 et 109. Découverte du document « Forum des jeunes ». Puis la classe se partage la lecture des 5 messages. Au cours de la mise en commun, repérer les pronoms compléments. Commencer par les compléments que les élèves connaissent déjà, les pronoms compléments directs. Puis introduire les pronoms compléments indirects. « Outils », p. 110, faire la rubrique « Les pronoms compléments indirects ».

2. « Outils », p. 111. Faire la rubrique « pour rapporter des paroles ou des pensées ». « Forum », p. 108 et 109, faire les activités 1 et 2. Donner l'activité 3 à faire à la maison.

3. « Échanges », p. 112 et 113. Faire lire les deux courriels. Faire les activités 1 et 2. Écoute de la scène 2. Faire les activités 3 et 4. Faire les exercices « À l'écoute de la grammaire » p. 111.

4. « Échanges », p. 112 et 113. Écouter le dialogue 3 ; faire l'activité 5 et présenter le vocabulaire « Pour parler d'un problème de santé », p. 113. Faire l'activité 6 puis l'exercice de discrimination phonétique du tableau « Prononciation » p. 113.

5. « Découvertes », p. 106 et 107. Lire les documents et faires les activités correspondantes.

Leçon 12

1. « Forum », p. 116 et 117. Découverte du document « Partagez vos passions ». Par groupes, faire les activités 1 et 2. Au cours de la mise en commun, faire repérer les formes qui permettent de caractériser. Faire l'activité 3 puis faire la rubrique « Caractériser les personnes ou les choses », p. 118.

2. Voir le vocabulaire de l'encadré « Les qualités et les défauts », p. 117. Faire l'activité 4. « Échanges », p. 120, écouter la scène 1 et faire les activités 1 et 2 ; Donner l'activité 3 en devoir à la maison.

3. « Échanges », p. 120 et 121. Écouter la scène 2. Faire repérer les formes impératives. Systématiser avec la rubrique « Donner des ordres et des conseils », p. 119. Faire les exercices de la rubrique « À l'écoute de la grammaire ».

4. Faire l'exercice de compréhension de la scène 2 (activité 4, p. 120). Faire l'activité 5. Faire le travail de discrimination phonétique de la rubrique « prononciation », p. 121.

5. « Découvertes », p. 122 et 123. Lire les documents et faires les activités correspondantes.

Ce parcours d'initiation a été conçu pour des étudiants vrais débutants. Il peut être fait plus ou moins rapidement selon le profil des apprenants. La proximité entre la langue maternelle de l'élève et le français, la connaissance d'une autre langue étrangère, notamment d'une langue romane ou de l'anglais ainsi que de quelques notions de français, permettront au professeur de moduler l'importance accordée à ces huit pages.

Page 10
Comment tu t'appelles ?

Objectifs

- **Savoir-faire :**
- Dire son nom
- Demander le nom de quelqu'un
- **Vocabulaire :**
- *un homme – une femme – un(e) adolescent(e) – un professeur – une gare – une rue – une maison*
- *s'appeler – épeler – pouvoir (vous pouvez)*
- *oui – non*
- **Grammaire :**
- conjugaison du présent : *je, tu, vous*

Exercice 1

La première demi-heure de cours peut se faire livre fermé ou bien avec la page 10. L'important est d'établir une communication en français dans la classe et de faire en sorte que les étudiants commencent à se connaître.

Quand le public est international, les étudiants peuvent montrer leurs pays d'origine sur la carte du monde de la page 20-21.

a. Le professeur se présente (Il peut écrire la phrase au tableau.) : « *Bonjour, je m'appelle...* ». Il demande ensuite à un étudiant : « *Comment vous vous appelez ? / Comment tu t'appelles ?* » (Pour le choix du « tu » ou du « vous », voir le paragraphe ci-contre). Il invite l'étudiant à répondre en utilisant la phrase écrite au tableau.

b. Les étudiants se présentent. Faire un tour de table. Chaque étudiant interroge son voisin, qui interroge à son tour un autre étudiant.

Le professeur corrige ponctuellement la prononciation en veillant à ne pas bloquer la communication.

Activité de systématisation

Les étudiants se lèvent et marchent dans la classe. Il faut un espace libre où chacun peut marcher comme il le sou-

haite. Inciter les étudiants à ne pas marcher en file. Quand le professeur tape dans les mains (éteint la lumière, coupe la musique, ...) chacun s'arrête et salue la personne en face de lui : « *Bonjour je m'appelle...* ».

Variantes :

a. tu / vous : en début d'activité, distribuer à chaque étudiant un élément qu'il devra garder caché dans sa main (petit papier, craie, trombone). Selon le code établi, son objet correspondra à « tu » ou à « vous ». Lorsqu'il rencontre son partenaire, il lui montre son objet et l'interaction se déroule en fonction de ces critères.

Exemple : *étudiant A « vous » – étudiant B « tu » :*
> A : *Bonjour comment tu t'appelles ?*
> B : *Je m'appelle B et vous, comment vous vous appelez ?*
> A : *Je m'appelle A.*

b. On peut également systématiser « bonjour »/« bonsoir » en allumant ou éteignant la lumière. Les étudiants marchent puis s'arrêtent et ferment les yeux. Quand ils rouvrent les yeux, si la lumière est allumée, ils disent « *bonjour* », si elle est éteinte, ils disent « *bonsoir* ».

« Tu » ou « vous » en classe

Selon sa personnalité et l'âge de ses étudiants, l'enseignant optera pour l'usage du tutoiement ou du vouvoiement en classe.

Pour certains enseignants, le « tu » contribue à créer une ambiance plus détendue. Il évite par ailleurs certains problèmes de morphologie. L'enseignant n'aura donc pas à interrompre souvent la classe pour corriger. Mais la similitude « je » « tu » risque de se généraliser aux autres formes.

Le « vous » permet de sensibiliser dès le début les étudiants au phénomène de la conjugaison des verbes.

L'utilisation du « tu » et du « vous » hors du contexte de la classe sera vue également dans les pages « Outils » de la leçon 1.

Au début de l'apprentissage, on peut donner quelques règles simples :

– D'une manière générale on dit « vous » à un inconnu sauf s'il s'agit d'un enfant. Il est préférable que l'étranger qui ne maîtrise pas bien le français attende que son interlocuteur francophone le tutoie pour passer au tutoiement.

– Les jeunes et en particulier les étudiants se disent « tu » dès la première rencontre.

Exercice 2

a. Observation des images : Combien y a-t-il d'images, combien de personnages ?

Le professeur demande aux étudiants d'imaginer si pour

chaque image on doit dire « tu » ou « vous ».

b. Mise en relation des dialogues et des dessins « a », « b » et « c ». Effectuer une première écoute des trois dialogues. Lors de la deuxième écoute, faire une pause à chaque dialogue et faire trouver aux étudiants le dessin qui correspond.

Justifier : 1 personne – 2 personnes – un homme – une femme – un adulte – un ado / enfant. Ne pas hésiter à mimer, à s'utiliser soi-même ainsi que la classe comme exemple.

c. Découverte du contexte : une jeune fille, Lola Perez, arrive en France (à Lille) pour les vacances ou un échange. Elle est accueillie par un professeur. Elle habite chez Madame Legrand.

d. Compréhension du détail des dialogues.

« *Madame, Monsieur* » : en référence à des étudiants ou à des professeurs connus des étudiants.

« *Comment ?* » (expression de l'incompréhension, demande de répétition) : par le mime.

« *Épeler* » : le mot se comprend aisément par l'action.

« *Merci* » : le mot aura été introduit en situation de classe. Le professeur demande son nom à un élève puis lui demande de répéter et lui dit « merci ».

e. Compréhension des formes du verbe. Faire prendre conscience de l'opposition « *je* » / « *tu* » ou « *vous* » par la gestuelle. Faire une première approche de l'opposition « *tu* » / « *vous* » grâce à l'observation des dessins.

Sur cette opposition, le professeur pourra éventuellement faire un petit développement en langue maternelle pour justifier le choix du mode de communication en classe. Faire observer l'encadré « S'appeler ».

f. Focus sur le dialogue 3. Le réécouter une fois seul. « *Comment ?* » : faire répéter les étudiants.

Faire lire le dialogue à quelques étudiants. Insister sur l'intonation.

Exercice 3

Les étudiants écoutent l'alphabet une première fois. Le professeur écrit les lettres de l'alphabet au tableau et les étudiants dans leur cahier.

Deuxième écoute de l'enregistrement, les étudiants répètent les lettres. En fonction des besoins et profils du groupe, ensemble ils décident des lettres « difficiles », qui seront soulignées ou entourées.

Troisième écoute : les étudiants lèvent le bras quand ils entendent la première lettre de leur prénom.

Activité de systématisation

Jeu de la balle :

Matériel : une balle / un chiffon / une peluche.

Type d'activité : groupe.

Modalités : cercle

Les étudiants se mettent en cercle et le professeur prend une balle. Les étudiants se lancent la balle à tour de rôle et récitent l'alphabet. Si un étudiant se trompe de lettre ou si la prononciation est mauvaise, il faut recommencer.

Jeu de la bombe :

Matériel : une balle / un chiffon / une peluche.

Type d'activité : groupe.

Modalités : cercle

Ensemble, les étudiants choisissent une ou plusieurs lettres « bombes ». Ce sont des lettres qui lorsqu'elles seront prononcées feront perdre le joueur qui a la balle entre ses mains. Le but du jeu et de dire l'alphabet en groupe, **le plus vite possible et sans se tromper**, tout en faisant passer la balle de main en main.

Exercice 4

À tour de rôle, les étudiants épellent leur nom. Le professeur note les prénoms au tableau en respectant ce qu'il entend. Le cas échéant, en voyant la graphie erronée de leur prénom au tableau, les étudiants essaieront de corriger d'eux même la prononciation.

Activité supplémentaire :

La liste des étudiants

Objectifs : mémoriser la prononciation des lettres de l'alphabet. Savoir noter un nom sous la dictée. Savoir épeler.

Matériel : Fiches proposées ci-dessous.

Modalités : par groupes de deux.

Durée : 10 minutes

Distribuer aux étudiants le tableau ci-dessous : les étudiants épellent chacun leur tour un mot de leur liste à leur voisin. Chacun doit être vigilant à la prononciation (surtout dans le cas d'un groupe monolingue, où tous les étudiants risquent d'avoir les mêmes difficultés de prononciation).

Ensuite, la correction se fait au tableau : un étudiant ou le professeur écrit ce qui lui est dicté.

Il convient à nouveau de bien insister sur les lettres posant des difficultés.

A	
BENEDICTE LEGOFF	1. _____ _____
RICHARD GASTON	2. _____ _____
DAISY SERRET	3. _____ _____
WILFRIED SEGUE	4. _____ _____
QUENTIN MALVIALLE	5. _____ _____

B	
1. ---- -------	ANNE VALENZA
2. --- --------	ERIC CASONATO
3. ------ --------	SOAZIG KERZERHO
4. ------ ------	ROXANE VIGNON
5. ------ ------	JOHANN VOLANT

Pourquoi insister sur la prononciation des lettres ?

Savoir bien prononcer les lettres peut s'avérer utile en situation de communication avec des francophones, notamment en vue d'être capable de noter ou donner une adresse, un nom, un lieu de rendez-vous. Cela permet également une introduction sur la prononciation du français et notamment des voyelles.

Page 11
Tu parles français ?

Objectifs

● **Savoir-faire :**
• Trouver un interlocuteur qui parle français

● **Vocabulaire :**
• *français – allemand – arabe, etc.* (adjectifs de nationalité)
• *parler*
• *excusez-moi – moi aussi*

● **Grammaire :**
• formes « *il* » et « *elle* » de la conjugaison

Exercice 1

a. Compréhension de la situation. Faire comprendre aux étudiants que l'on continue à suivre Lola (la faire reconnaître sur le dessin). Demander aux étudiants où elle est : « *Toujours à la gare ?* » → « *Non, elle est à l'école internationale de langues* » (faire observer le panneau).

b. Compréhension du dialogue. Le professeur lit le dialogue et s'assure de la compréhension détaillée.

– « *Parler* » : le professeur dit une phrase dans la langue maternelle des étudiants et dit en français : « *Je parle ....* ».

– « *un peu* » : par la gestuelle.

– « *Moi* » : par la gestuelle. « *Toi* » peut être facilement introduit à ce moment.

c. Compréhension de l'opposition « *il* » / « *elle* » par la

situation du dialogue. Interroger les étudiants : « *Quelle langue parle Lola ? Elle parle ....* » / « *Quelle langue parle Julien ? Il parle ...* »

Faire systématiser les étudiants en leur posant des questions : « *Il parle ... ? Elle parle ... ?* ». Ne pas hésiter à dire « *il* » à une étudiante et « *elle* » à un étudiant afin de les faire réagir et qu'ils prêtent bien attention à la différence de prononciation entre les deux mots.

d. Associer les mots de l'exercice 1 avec les différentes traductions de « *Bienvenue* ». Laisser quelques minutes aux étudiants pour faire ce travail d'association avant de corriger. Compléter en fonction des langues parlées par les étudiants.

Corrigé *(de haut en bas, de gauche à droite) : français ; anglais ; allemand ; italien ; espagnol ; portugais ; polonais ; chinois ; russe.*

Exercice 2

Observer la liste des participants. Le professeur donne la première phrase :

– « *Elle s'appelle Hakima El Messaoudi. Elle parle arabe. Elle parle français.* ».

À tour de rôle, les étudiants produisent des phrases à partir des noms de la liste. Il s'agit évidemment d'hypothèses. L'important est la production de phrases correctes.

Corrigé *(à titre indicatif) : Hakima (elle parle arabe) – Adriano (il parle portugais) – Dieter (il parle allemand) – Lola (elle parle espagnol) – Igor (il parle russe) – Azra (elle parle turc) – Vincent (il parle français) – Liu (elle parle chinois) – Luigi (il parle italien) – Diana (elle parle anglais)*

Exercice 3

À faire sous forme de tour de table. Chaque étudiant indique les langues qu'il parle.

Activité de systématisation

Matériel par équipe : 1 dé, des vignettes avec des noms de langue / des drapeaux de pays.

Modalités : par équipes de 2 à 6.

On attribue une personne à chaque face du dé : 1 = *je* – 2 = *tu* – 3 = *il* – 4 = *elle* – 5 = *nous* – 6 = *vous*.

Chaque joueur lance le dé et tire une vignette. Il doit ensuite faire une phrase avec les éléments.

Exemple : + = *Nous parlons chinois*.

Chaque équipe marque un point par phrase réussie. Si le joueur se trompe, un autre a le droit de corriger la phrase et de remporter ainsi le point. Attention à bien préciser aux étudiants que la prononciation est aussi importante que le reste : l'équipe ne marque pas de point si la phrase est mal prononcée.

Il est également possible de faire ce jeu avec deux grandes équipes si le professeur veut vérifier la correction de chaque proposition.

Page 12
Vous êtes Français ?

Objectifs

● **Savoir-faire :**
● Demander à quelqu'un sa nationalité
● Dire sa nationalité.

● **Vocabulaire :**
● *un café – une serveuse – une nationalité*
● *être*
● *bien – voici*

● **Grammaire :**
● conjugaison du verbe « *être* »
● structure « *être + adjectif* »
● marques du féminin et du masculin

Exercice 1

a. Compréhension de la situation. Nous suivons toujours Lola (présente sur le dessin – terrasse de café à Bruxelles). Faire le point sur le tour du monde francophone. Observer la description du voyage et situer les villes sur la carte.

Faire produire : « *Bruxelles est en Belgique* ». Faire identifier la photo (la Grand-Place de Bruxelles).

Observer la situation dialoguée (la serveuse et les touristes clients, dont Lola).

b. Écoute et compréhension du dialogue.

Répondre aux questions : « *Il est … / Elle est …* » (note : a priori, la serveuse est belge).

Expliquer : « *Et voici …* », par le mime ; « *Verbe être + nationalité* » : le professeur écrit au tableau « *Je suis + sa nationalité* ».

« *Bien* » : « Le professeur parle bien français ? » – « Oui » / « Les étudiants ? » – « Non ».

c. Faire jouer le dialogue. Les étudiants donnent leur propre nationalité.

d. Les étudiants qui n'ont pas joué le dialogue donnent leur nationalité.

Exercice 2

a. Observer et lire le tableau « Les nationalités ». Repérer les marques écrites et orales qui distinguent le féminin du masculin. Compléter le tableau avec des adjectifs de nationalités utiles pour les étudiants de la classe.

b. Faire l'exercice par déduction avec les formes du tableau. On trouvera « anglais / *anglaise* » par rapprochement avec « *français / française* » ; « *italien / italienne* » par déduction avec « *canadien / canadienne* ».

L'enseignant montre les deux premiers items, les étudiants font le reste en autonomie.

Corrigé : *anglaise – italien – espagnole – suédois – indonésienne – russe – marocaine – grec*

Pour systématiser l'opposition masculin / féminin à l'oral, poser des questions aux étudiants. Les étudiants doivent faire attention à la nationalité proposée mais aussi au genre.

Exercice 3

a. Revoir les conjugaisons des trois verbes connus (formes « je, tu / vous, il / elle »).

b. Exercice individuel et correction collective.

Corrigé : *Je m'appelle Eva Conti. Je suis députée (...). – Vous êtes italienne ? – Non, je suis allemande. – Vous parlez français ? Moi, je suis polonais. – Ah, je parle un peu polonais.*

Exercice 4

Commencer l'activité avec des personnalités connues des étudiants, puis avec celles du livre. Le professeur donne un nom qu'il écrit au tableau. Les étudiants doivent produire la phrase : « *Il / Elle est + adjectif de nationalité* ».

Un/une étudiant(e) prend la place du professeur.

Corrigé : *Lady Gaga : c'est une chanteuse américaine. – Rafael Nadal : c'est un joueur de tennis espagnol. – Marion Cotillard (photo) : c'est une actrice française. – Ronaldinho : c'est un joueur de football brésilien. – Shakira : c'est une chanteuse colombienne. – Miyazaki (affiche de film) : c'est un réalisateur japonais.*

Activité de systématisation

Jeu de Memory pour travailler sur les différents verbes.

Matériel : vignettes

Durée : 10–15 minutes

Manche 1 : Les cartes sont disposées face cachée sur la table. D'un côté, il y a les verbes et de l'autre les mots. Chacun leur tour, les étudiants piochent deux cartes. Si les cartes ne sont pas compatibles, l'étudiant passe son tour. S'il est possible de faire une phrase, il la propose et, si elle est correcte, il garde les cartes.

Exemple : *tirage 1 :* parler – Lady Gaga. → Il n'est pas possible de faire une phrase. L'étudiant repose donc ses cartes où il les a prises.

tirage 2: être – chinois. → L'étudiant peut faire une phrase (« *Je suis chinois.* », « *Il est chinois.* »). Si la phrase est correcte, il garde les cartes. Sinon il les repose.

Manche 2: Ne laisser que les cartes-mots en tas. Les étudiants en piochent une chacun leur tour et forment une phrase de leur choix. Si la phrase est correcte, l'étudiant garde la carte.

Exemple: l'étudiant tire la carte « lady gaga ». Possibilités : « *Je suis Lady Gaga.* » ; « *J'aime Lady Gaga.* » ; « *Je connais Lady Gaga.* » ; ... Laisser les étudiants faire des propositions.

PARLER	PARLER	PARLER	PARLER
HABITER	HABITER	HABITER	HABITER
ÊTRE	ÊTRE	ÊTRE	ÊTRE
AIMER	AIMER	AIMER	AIMER

à Paris	en Espagne	aux États-Unis	à Bilbao
à Lille	au Brésil	en Allemagne	aux Pays-Bas
au Mexique	en Lituanie	en Belgique	en Suisse
espagnol	coréenne	anglaise	marocain
Georges Clooney	David Beckham	Raphael Nadal	Lady Gaga
Ronaldinho	William Windsor	Victor Hugo	Rihanna
française	français	chinois	chinoise
anglais	allemand	allemande	péruvienne
japonais	russe	hongrois	italienne
belge	Robert Pattinson	Guillaume Canet	Pablo Picasso

Page 13
Tu habites où ?

Objectifs

- **Savoir-faire :**
  - Indiquer une adresse
- **Vocabulaire :**
  - *un restaurant – un cinéma – un musée – une friterie – un magasin de jeux vidéo, de vêtements – un enfant – une adresse – une rue – une avenue – une place*
  - *habiter*
  - *nombres de 1 à 10*
- **Grammaire :**
  - préposition de localisation (à + ville – en/au/aux + pays)

Exercice 1

Compréhension du dialogue. Écoute du dialogue. Pour comprendre le sens de « habiter », partir d'expressions personnelles : « J'habite à ... », « Vous habitez où ? ».

Interroger les étudiants : « Elle habite où ? → À Bilbao. »

Faire aussi observer la nouvelle étape du voyage et faire produire : « Où est Bilbao ? » ; « C'est en Suisse. » ; « C'est au Pays Basque. ».

Construire un petit corpus de phrases écrites au tableau avec le lieu d'habitation des étudiants et la localisation de certaines villes.

À partir de ce corpus, faire induire le système d'emploi des prépositions de lieu.

Lire l'encadré « L'adresse », dans le tableau de vocabulaire et de grammaire.

Exercice 2

Activité de prononciation. Enchaînement article indéfini ou adjectif numéral avec le nom. Le professeur prononce, les étudiants répètent (ne pas faire de répétition collective).

Ensuite, le professeur puis les étudiants posent des questions : « *Il y a combien d'italiens ?* ».

Expliciter « *combien* » grâce à la gestuelle.

Exercice 3

Consolidation de l'emploi des prépositions de lieu.

Après avoir fait les phrases de l'exercice, les étudiants continuent en se posant des questions. Cette activité peut prendre la forme d'un jeu concours. Deux équipes se posent dix questions chacune.

Corrigé : *au Brésil – en Argentine – à Sao Paulo – au Brésil – en France – à Paris – à New York – aux États-Unis – à Rome – en Italie.*

Activité de systématisation

Objectif : systématiser l'emploi des prépositions de lieu.

Matériel : fiches présentant des lieux connus ainsi que leur localisation. Par exemple : La Sagrada Familia, Barcelone, Espagne. Pour chaque lieu, prévoir deux versions :

- une fiche A avec toutes les informations (nom du lieu + ville + pays)
- une fiche B ne mentionnant que le seul nom du lieu.

Afin de rendre l'activité plus attrayante, l'enseignant pourra éventuellement ajouter une photo du lieu concerné sur chaque fiche.

Modalités : chaque étudiant se voit remettre le même nombre de fiches. Faire en sorte que chaque étudiant dis-

Leçon 0 Parcours d'initiation

pose de fiches complètes et de fiches lacunaires.

Durée : 15 mn.

Pour chaque fiche lacunaire, les étudiants posent à toute la classe les questions qui vont le renseigner sur les informations manquantes. L'étudiant qui possède la fiche complète correspondante répond aux questions et donne les informations manquantes.

Exemple : L'étudiant qui possède la fiche B (= fiche lacunaire) avec la Sagrada Familia demande à la classe : « *Où est la Sagrada familia ?* ». L'étudiant qui possède la fiche A correspondante (= la fiche complète sur la Sagrada Familia) répond : « *La Sagrada Familia est à Barcelone, en Espagne.* ».

Exercice 4

a. Compréhension du document « Bonnes adresses » (extrait d'un guide touristique sur Genève).

Classer les types de lieux : restaurant, hôtel, café, musée.

S'assurer de la compréhension des mots « *rue* », « *avenue* », « *place* », en les rapprochant de lieux connus des étudiants.

Introduire les nombres de 1 à 5.

b. Par petits groupes, les étudiants font la liste des bonnes adresses de leur ville.

Activité de systématisation

Activité pour mémoriser les chiffres. Elle peut être également ment proposée lors de la leçon 4, quand d'autres nombres sont étudiés.

Les étudiants se rassemblent au milieu de la salle, debout les yeux fermés. Le but de l'activité est de réussir à compter jusqu'à 10. Chaque étudiant doit dire un chiffre, si deux étudiants parlent en même temps, il faut recommencer.

L'objectif de cette activité, au-delà de systématiser les chiffres, est de créer une cohésion dans le groupe et de susciter un climat propice à ce que les étudiants soient attentifs envers les uns et les autres dans la classe. En effet, ayant les yeux fermés, personne ne sait quand l'autre va parler. Il faut être très concentré et attentif à ce qui se passe autour de soi pour parvenir à réussir. On notera que les étudiants réussissent plus vite quand ils se connaissent au préalable.

Ce genre d'activité permet par ailleurs de calmer un groupe quelque peu agité et d'aider chaque étudiant à se reconcentrer.

Exercice 5

Par deux, les étudiants imaginent le dialogue de la rencontre entre un(e) touriste et un(e) habitant(e) d'une ville. Réutilisation des actes de parole déjà abordés : saluer, demander si on parle telle ou telle langue, poser des questions sur un lieu, etc.

Page 14
Qui est-ce ?

Objectifs

- **Savoir-faire :**
  - Identifier une personne
- **Vocabulaire :**
  - *noms et adjectifs de profession (chanteur, comédien, etc.) – un festival – un groupe de musique – un festival*
  - *regarder*
- **Grammaire :**
  - marques du masculin / féminin
  - construction « *Il est + adjectif* » opposée à « *C'est + nom précédé d'un article* »

Exercice 1

a. Compréhension de la situation. Situer le lieu où sont les personnages (à Arras, dans le nord de la France). Observer sur la carte de France.

b. Découverte et explication du dialogue.

« *Regardez* » : par la gestuelle

« *Qui est-ce ?* » : qui = une personne. Utiliser cette question pour identifier des étudiants de la classe. « *Qui est-ce ? C'est ...* »

c. Questions :

« *Comment il s'appelle ?* → *Il s'appelle Win Butler.* »
« *Quelle est sa nationalité ?* → *Il est canadien.* »
« *Quelle est sa profession ?* → *Il est chanteur. C'est le chanteur du groupe Arcade Fire.* »

Exercice 2

Choix de l'article indéfini ou défini selon le contexte.

Corrigé : *C'est une chanteuse. – C'est la chanteuse (...) – C'est le prince (...) – (...) la serveuse*

Exercices 2 et 3

On peut faire produire deux types d'énoncés :

Barak Obama → *Il est américain. C'est un homme politique.*

Corrigé : *Barak Obama (homme politique, américain) – Albert Einstein (scientifique, allemand puis suisse et américain) – Beethoven (musicien, allemand) – Antonio Banderas (comédien, espagnol) – Picasso (artiste, espagnol) – Michael Jackson (chanteur, américain) – Angela Merkel (femme politique, allemande) – Penelope Cruz (comédienne, espagnole) – Madonna (chanteuse, américaine)*

Page 15
Qu'est-ce que c'est ?

Objectifs

- **Savoir-faire :**
  - Identifier une chose ou un lieu
- **Vocabulaire :**
  - *une église – une cathédrale – un quartier – une maison – le Parlement européen*
  - *beau – belle*
- **Grammaire :**
  - articles indéfinis et définis
  - construction pour identifier : « *C'est + nom* »
  - construction pour préciser : « *Nom + de (du, de la, des) + nom* »

Exercice 1

a. Observation des photos. Le professeur fait faire des hypothèses sur le lieu : « *C'est où ?* → *À Strasbourg.* ») ... « *Qu'est-ce que c'est ?* → *C'est une maison, une église...* ».

b. Écoute du dialogue. Associer les images aux dialogues. Après l'écoute, vérification et correction. Puis, compléter le tableau :
- Indications imprécises : *une belle église – un musée.*
- Indications précises : *la cathédrale de Strasbourg – le Parlement européen – le quartier de la petite France – les belles maisons.*

Faire induire l'emploi des articles :
- selon le genre et le nombre
- selon que le nom est une identification générale (article indéfini) ou qu'il désigne une chose ou un lieu précis (article défini)

Exercice 2

Choix de l'article indéfini selon le genre et le nombre du nom.

Corrigé : une rue – **des** avenues – **un** quartier – **un** café – **un** théâtre – **des** restaurants

Exercice 3

Choix de l'article défini selon le genre et le nombre du nom.

Corrigé : le parlement ... – **l'**hôtel .... – **les** rues ... – **le** musée ... – **le** restaurant ...

Exercice 4

Choix de l'article défini ou indéfini selon le contexte.

Corrigé : Vue de **la** tour Eiffel – **le** quartier – **l'**Arc de triomphe, **un** monument

Exercice 5

Peut se faire par groupe de deux ou trois. Le professeur présente le but de l'activité en faisant le premier item.

Corrigé : *Le film Avatar – Le journal El País – Le musée du Louvre – L'avenue des Champs Élysées – La boutique H&M – La place Tien'anmen*

Ne pas hésiter à prolonger l'activité en proposant des photos aux étudiants ou en leur demandant (à l'avance) d'apporter des photos, cartes postales, etc.

Page 16
Vos papiers, s'il vous plaît ?

Objectifs

- **Savoir-faire :**
  - Comprendre une pièce d'identité (passeport, carte de visite)
  - Remplir une fiche d'identité
- **Vocabulaire :**
  - *une fiche de renseignements – le nom – le prénom – le numéro de téléphone – une adresse électronique – un médecin – un avocat – des papiers – un passeport – une carte de visite*

Exercice 1

a. Écoute du dialogue. Livre fermé, écouter le dialogue. Éventuellement, afficher l'image au tableau en la vidéoprojetant à partir de la version numérique.

Poser des questions aux étudiants : « *Où sont-ils ? Que se passe-t-il ? Quelle est la nationalité de la fille ? Elle habite où ? Elle voyage seule ?* »

Corrigé : *dans la rue – un contrôle de police – elle est chinoise – elle habite à Pékin, en Chine – non, elle est avec le groupe.*

Exercice 2

a. Compréhension du passeport. Retrouver les informations qui figurent sur le passeport. Les faire oraliser : « *Elle s'appelle Anne-Laure Vincent. Elle est française. Elle est née ...* »

Écrire au tableau les indications correspondant à ces informations : nom, prénom, nationalité, date de naissance, etc.

b. Les étudiants reportent sur la fiche de renseignements les informations les concernant.

Expliquer en langue maternelle « nom de jeune fille ».

Exercice 3

Travail sur les questions qui permettent de demander des informations sur l'identité d'une personne.

Corrigé : *a. → nationalité – b. → adresse – c. → nom ; nom de jeune fille ; prénom – d. → adresse électronique*

Noter les questions au tableau. Les faire poser aux étudiants entre eux.

Si vous disposez de temps : faire s'interviewer les étudiants (en laissant les questions au tableau).

Activité de systématisation

Cette activité a pour but de pratiquer les questions / réponses.

Photocopier la liste de questions et de réponses (il faut au minimum, une question et une réponse par personne. Si le groupe classe est trop important, il est possible de former deux sous-groupes.)

Chaque étudiant prend un papier. Ceux qui ont une question la posent, c'est à ceux qui ont la bonne réponse de la donner. Le plus rapide marque un point. Etant donné que peu de questions ont été étudiées, il y aura beaucoup de répétitions et une réponse pourra être utilisée plusieurs fois. Bien penser à le préciser aux étudiants afin qu'ils restent concentrés.

Possibilité d'avoir une « pioche » de réponses.

Cette activité est également l'occasion de retravailler sur tu/vous.

Questions / réponses à photocopier et à découper :

Comment tu t'appelles ?	Quelle est votre nationalité ?
Comment vous vous appelez ?	Tu parles quelles langues ?
Tu habites où ?	Vous parlez quelles langues ?
Vous habitez où ?	Quelle est ton adresse ?
Quelle est ta nationalité ?	Quelle est votre adresse ?

Je m'appelle Claire.	Aux États-Unis.	Allemand.
Lola Perez.	À Pékin.	Allemande.
Lise Legrand.	5, avenue de la République.	Français.
Julien.	rue Sorbier.	Française.
Luigi.	Chinois.	Anglais.
À Bilbao.	Chinoise.	Anglaise.
À Paris, en France.	6, rue de l'Eglise à Strasbourg.	Espagnole.
En Espagne.	8, rue de Prés.	Espagnol.
Au Canada.	Place de la Poste.	Russe.

Page 17
Cartes postales et messages

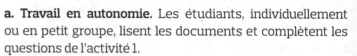
Objectifs

● **Savoir-faire :**
- Rédiger une brève carte postale
- Se présenter brièvement sur un forum Internet

● **Vocabulaire :**
- *une carte postale – un message – la montagne – les randonnées – le canyoning – un ami – une bise – la musique électro – le tennis – un blog*
- *aimer – chercher*
- *sympa – super*
- *salut*

● **Grammaire :**
- conjugaison du verbe « *aimer* »

Exercice 1

a. Travail en autonomie. Les étudiants, individuellement ou en petit groupe, lisent les documents et complètent les questions de l'activité 1.

b. Correction collective.

Corrigé : *a. → un blog : Liu ; une carte postale : Lola ; un message Palash – b. → le sport : Palash ; la photo : Liu ; la montagne : Lola – c. → Palash – d. → Lola*

c. Présentation des documents et des personnes qui les ont écrits. Exemple : « *C'est une carte postale. Elle est de Lola. Lola est à Genève, etc.* »

Au cours de cette présentation expliquer les mots nouveaux.

Exercice 2

Les étudiants utilisent les structures du message de Palash pour se présenter sur un site de rencontre. Laisser 10 minutes de préparation. Puis chaque étudiant lit le message qu'il a rédigé.

Activité supplémentaire

Activité de production écrite s'appuyant sur les phrases de la carte postale de Lola. Chaque étudiant choisit un lieu de vacances et rédige une brève carte postale à l'intention d'un autre étudiant (une vingtaine de mots). Le professeur les assiste dans ces productions. Laisser un quart d'heure de préparation. Les étudiants lisent à la classe la carte qu'ils ont reçue.

J'APPRENDS AVEC LES AUTRES.

Objectifs généraux de l'unité

Adapter les étudiants à vivre la situation de classe en français.

Leur donner les outils qui permettent :

- de comprendre les consignes et les explications de l'enseignant ;
- de poser à l'enseignant des questions relatives à l'apprentissage ;
- de réaliser en français les actes sociaux langagiers du groupe classe (salutations, prise de congé, demande de permission, remerciements, excuses) ;
- de comprendre les règles simples de la vie de la classe et de s'excuser si on les transgresse ;
- de faire connaissance avec les autres étudiants et d'échanger avec eux des propos sur ses goûts, ses loisirs, ses activités présentes ou passées, ses projets ;
- d'organiser des activités communes avec d'autres étudiants (propositions de sorties, etc.).

L'histoire des pages « Échanges »

« Un été à Paris »

Des jeunes venus de différents pays du monde francophone se retrouvent à Paris dans le cadre d'un stage de comédie musicale. Ils logent à la Cité universitaire internationale, suivent des cours de chant et de danse et préparent pour la fin de leur séjour un spectacle au cours duquel ils vont représenter la comédie musicale *Notre Dame de Paris*. Ils vont donc vivre une histoire parallèle à celle du groupe classe. Ils travaillent, font connaissance, se détendent en allant au café, en organisant des sorties ou en faisant du sport.

Mélissa, une jeune Guadeloupéenne, est venue avec son ami Florent. Dès son arrivée, elle est séduite par la verve et l'assurance du Toulousain Lucas. Petit à petit, elle se détache de Florent. Mais Noémie, une étudiante québécoise, n'est pas insensible au charme discret de ce dernier.

Ce chassé-croisé amoureux se double d'une compétition pour le rôle de Quasimodo que convoitent Lucas et Florent.

C'est finalement Florent qui aura le rôle mais, une heure avant la représentation, il n'est toujours pas arrivé : petit moment de panique qui débouche sur une issue heureuse pour le spectacle mais incertaine pour le destin des quatre personnages.

Pages 20–21
Forum

Objectifs

● **Savoir-faire :**
• Savoir dire si on comprend ou si on ne comprend pas
• Savoir dire si on connaît (un lieu) ou si on ne le connaît pas

● **Savoir-être :**
• Accepter la règle d'une classe tout en français
• Se sentir membre d'une microsociété qui poursuit un but commun à tous

● **Vocabulaire :**
• Connaître – comprendre (uniquement pour « *je comprends / je ne comprends pas* » – « *je connais / je ne connais pas* »)
• Quelques noms de lieux correspondant aux photos : *le musée, le parc, la pyramide, etc.*
• Noms des pays

● **Grammaire :**
• La forme négative ne fera pas l'objet d'une explication détaillée

● **Prononciation / Orthographe :**
• Sensibilisation aux rapports formes écrite / forme orale
• Différence de prononciation de l'écrit français et de l'écrit dans les langues connues des étudiants
• Sensibilisation aux phonèmes difficiles du français

Le monde en français

Repérage

Faire observer le planisphère et les photos.

Production orale : faire décrire la double page en réutilisant le vocabulaire de la leçon 0. : « *Il y a deux filles. Il y a un garçon. C'est une ville, c'est une tour ...* ».

Activité 1

Exercice d'écoute : Révision des présentations (vues dans la leçon 0).

Les étudiants écoutent et complètent le tableau dans leur cahier.

Développer les stratégies d'écoute : Pour la première présentation, il est possible de faire partager la recherche d'informations entre les étudiants. En groupes de 4, l'un est chargé de trouver le nom de A, un autre sa nationalité etc.

Activité 2

Le nom des pays où le français est très utilisé.

Demander (en langue maternelle si besoin est) aux étudiants de trouver le point commun entre tous les pays mentionnés.

Guider : Pourquoi les États-Unis et la Chine ne figurent pas ? Pourquoi y a-t-il le Canada ? → Parce que ce sont les pays francophones (des pays où on parle français).

Lancer l'enregistrement et l'arrêter à chaque nom de pays. Poser la question : « *Vous comprenez ?* ». Selon les réponses des étudiants écrire au tableau :

« *Il comprend.* » ou « *Il ne comprend pas.* ». La construction négative sera comprise en situation naturelle de communication. Aider les étudiants à produire « *Je comprends.* », « *Je ne comprends pas.* ». Au fur et à mesure, situer chaque pays sur la carte.

Écriture des noms de pays et classement dans le tableau selon le genre et le nombre de l'article défini.

Activité à faire collectivement. On réécoute l'enregistrement en s'arrêtant à chaque nom de pays. Un étudiant reproduit ce qu'il a entendu. On identifie l'article. Le professeur écrit le nom du pays au tableau. Les étudiants l'écrivent à leur tour.

Variante : les étudiants épellent le nom des pays par rapport à ce qu'ils ont entendu ainsi qu'à la graphie sur le planisphère.

le	la	l'	les
Le Sénégal	La Suisse	L'Algérie	Les Comores
Le Canada	La Martinique	L'île de la Réunion	
Le Maroc	La Nouvelle-Calédonie		
Le Liban	La Guyane française		
	La Tunisie		
	La Réunion		

Observation de la carte et identification de quelques pays connus des étudiants.

Le professeur prononce le nom d'un pays et pose les deux questions : « *La Chine ... Vous comprenez ? ... Vous connaissez la Chine ?* ».

Selon les réponses des étudiants, introduire la forme négative du verbe « connaître ».

Activité 3

Exercice d'écoute. Nom des lieux en photo sur le document.

Écoute du document. À chaque nom de lieu, poser la question : « Vous comprenez, etc. ». Les étudiants associent les noms de lieu avec la photo. Faire produire des énoncés de localisation :

« Le parc de Yellowstone est aux États-Unis. ».

Pour chaque nom, **faire remarquer l'article : « *le* », « *la* », « *les* », « *l'* »).** On peut visualiser par un dessin l'opposition *la / les* : « *la pyramide du Louvre / les pyramides d'Égypte – la Tour de Londres / les tours de Shanghai* ». On peut aussi visualiser le « *l'* » devant voyelle. En revanche, il est impossible de donner une explication de l'opposition masculin / féminin, sauf à dire dans une langue connue des étudiants que l'attribution masculin / féminin pour les noms de chose est arbitraire (cf. leçon 0, p. 15).

Activité de systématisation :

Objectifs : retenir le vocabulaire étudié et mémoriser le genre des mots.

Modalités : Diviser le groupe en équipes égales de 5 à 8 étudiants. Les équipes doivent être de niveau hétérogène afin qu'aucune ne soit avantagée.

Durée : 5 minutes.

Les équipes sont en file indienne devant le tableau. Chacun son tour, un étudiant va écrire au tableau le nom d'un parc, musée, monument. Ils ont 2 minutes. S'ils sont rapides, chacun repasse.

Une fois les deux minutes écoulées, on fait le point ensemble : est-ce que c'est correctement orthographié, le genre est-il bon, ce lieu existe-t-il, y a-t-il un problème de vocabulaire etc. Pour cette étape, il est conseillé de demander aux étudiants de retourner à leur place, surtout si le groupe classe est important.

Calcul des points : 2 points par réponse correcte. 1 point si la réponse a été proposée par une autre équipe. 0 point s'il y a une erreur.

Exemples : le Parc Guell à Barcelone, la Tour de Londres...

À savoir

Les photos illustrant la carte du monde ont été choisies parce qu'il s'agit de lieux universellement connus et pour permettre le travail de sensibilisation grammaticale et de prononciation.

Dans la cour du musée du Louvre, on pourra observer la célèbre pyramide conçue par l'architecte Peï en 1989 dans le cadre de la rénovation du musée. C'est un bel exemple d'harmonisation de l'art classique et de l'art moderne (lui-même inspiré par une forme ancienne).

Les tours de Shanghai, symbole du développement de la Chine, comptent parmi les plus hautes tours du monde.

Les Pyramides d'Égypte : elles sont un héritage de l'Égypte antique. La plus célèbre, la grande Pyramide de Gizeh, construite par Khéops, fait partie des sept merveilles du monde antique. Les pyramides étaient les tombeaux des rois, des reines et des grands personnages de l'État.

La forêt d'Amazonie. C'est l'une des plus grandes forêts au monde. Même si 63% de la forêt se trouve au Brésil, elle se situe sur les territoires de 9 pays.

Le Parc de Yellowstone est situé aux États-Unis, dans l'état du Wyoming. Il a été créé en 1872, c'est le plus ancien parc national du monde. Il s'étend sur 8 983 km^2 et l'une des figures emblématiques du parc est le « Old Faithful » (photo page 20), le deuxième geyser le plus important au monde après le Strokkur qui se situe en Islande.

Tahiti est une île de la Polynésie française (collectivité d'outre-mer) située dans le sud de l'océan Pacifique.

Pages 22–23
Outils

Objectifs

● **Grammaire :**
• Vue d'ensemble de la conjugaison des verbes au présent
• Interrogation par l'intonation
• Négation simple
● **Prononciation :**
• « Je » et « Tu »
• Courbe intonative de l'interrogation

Conjuguer les verbes

Prise de conscience du changement de la forme du verbe selon la personne. Début de systématisation. Suite de la sensibilisation à l'emploi de « *tu* » et de « *vous* ».

Exercice 1

Le professeur introduit la conjugaison des verbes par une gestuelle (« *je* » : index pointé sur lui-même ; « *tu* » : index pointé vers un étudiant ; « *il* » : désignation d'un étudiant ; « *elle* » : une étudiante, etc.).

Observer le dessin. Retrouver les formes indiquées par la gestuelle, les personnes qui parlent, à qui l'on parle, de qui l'on parle.

Observer les formes toniques « *moi* » et « *toi* ». On introduira plus tard les autres formes.

Observer la forme négative (paroles de la petite fille)

Faire réemployer les questions à diverses personnes afin de systématiser les questions mais aussi les réponses « *oui* », « *non* ».

Exemple : (en montrant une étudiante du doigt) « *Elle parle anglais ?* ».

Exercice 2

Écoute des quatre mini-dialogues. Retrouver le dessin correspondant à chaque forme. Transcrire ce que l'on entend au tableau ou sur le TBI.

Corrigé : *1 → b – 2 → c – 3 → a – 4 → d*

Observer dans quels cas le « *tu* » et le « *vous* » sont employés :
– emploi du « *tu* » : adulte qui s'adresse à un enfant, entre amis ;
– emploi du « *vous* » : personnes qu'on ne connaît pas.

Leçon 1 — Tu comprends ?

Exercice 3

Observer les cinq verbes conjugués dans le tableau. Noter les similitudes à l'écrit et à l'oral.

Corrigé :
– **Verbes en «–er»** (parler, habiter) → 3 formes à l'oral (terminaisons [ə], [ɔ̃], [e]), 5 formes à l'écrit ;
– **Verbes connaître et comprendre** → 4 formes à l'oral (terminaisons [ɛ] , [ɔ̃], [e], [ə]), 5 formes à l'écrit ;
– **Verbe «être»** → 5 formes à l'oral, 6 formes à l'écrit.

Exercice 4

Exercice de systématisation des conjugaisons.

Corrigé : *Vous **êtes** française – je **suis** espagnole – Monica **est** italienne – nous **comprenons** – tu **es** français – j'**habite** – nous **connaissons**.*

Interroger – répondre

Sensibilisation à la question (par intonation) et à la négation simple.

Exercice 1

Lire les bulles du dessin puis compléter le texte. Selon la phrase, il faut rajouter les éléments de la négation. Faire observer la modification graphique et l'enchaînement sonore de « n' » devant une voyelle ou « h ».

Corrigé : *Elle ne s'appelle pas Maria Monti. – Elle ne parle pas italien. – Elle ne connaît pas Maria Monti. – Elle n'habite pas à Rome. – Elle est secrétaire. – Elle est française.*

Exercice 2

Les étudiants répondent par écrit aux cinq questions selon leur situation. Lecture des réponses et correction.

Activité facultative de préparation à l'exercice

Proposer aux étudiants des vignettes avec les questions et les réponses possibles.

Par paires ou par groupe de quatre maximum (car il n'y a que 5 questions pour le moment), associer chaque question à une réponse.

Possibilité de proposer des vignettes avec les mots des questions mélangés.

Comment vous vous appelez ?	Je m'appelle Gabrielle.
Vous êtes chinois ?	Non, je suis espagnole.
Vous parlez français ?	Oui, je parle un peu.
Vous êtes actrice ?	Non, je suis étudiante.
Vous habitez à Marseille ?	Oui, 27 rue de la Liberté.

Exercice 3

Dialogue avec le voisin ou la voisine. Les étudiants se posent les questions de l'exercice 2.

À l'écoute de la grammaire

Exercice 1

Il s'agit d'éviter dès le début une mauvaise prononciation de « *je* ». Notamment :

– « *dje* » → séparer les deux sons initiaux en faisant dire « *déjà* », « *des jours* », etc.

– « *ze* » ou « *che* ».

Écouter l'enregistrement puis faire prononcer chaque mot séparément.

Exercice 2

Dès le début de l'apprentissage insister sur la prononciation correcte de [y] qu'on trouve dans « *tu* » et dans des mots constamment utilisés (« *salut* », « *rue* », « *musée* », etc.).

Exercice 3

Différenciation des intonations interrogatives (i) et affirmatives (a).

Corrigé : *1 → a – 2 → a – 3 → i – 4 → a – 5 → i – 6 → i*

Faire noter les phrases de l'exercice lors de la correction.

Travail sur l'intonation :

Distribuer / faire faire aux étudiants deux papiers : l'un avec un point d'interrogation (?), l'autre avec un point final (.). On peut également décider d'un code avec les étudiants : main gauche = interrogation ; main droite = affirmation.

Ensuite, chaque étudiant lit une phrase de son choix et la classe doit voter (phrase interrogative ou affirmative) en levant le papier correspondant (ou en faisant le signe choisi). Cela fait pratiquer l'écoute ainsi que la prononciation. Si la classe vote « interrogation » alors que l'étudiant lisait une affirmation, c'est qu'il y a un problème d'intonation ou d'écoute.

Pages 24–25
Échanges

Objectifs

● **Savoir-faire (situations orales) :**
- Reprise des savoir-faire introduits dans les pages « Forum »
- Aborder quelqu'un (« *Excusez-moi* » – « *Pardon* »)
- S'excuser (« *Excusez-moi* » – « *Je suis désolé(e)* »)
- Apprécier (« *Pas mal, bon, très bon, excellent* » – « *Tout va bien* »)
- Remercier (« *Merci* »)
- Demander (« *S'il vous plaît* » – « *Je peux ?* »)

● **Vocabulaire :**
- Renseignements sur les personnes : *nom, prénom, profession, nationalité, adresse, rue, boulevard, avenue*
- Inscription à un stage : *fiche, inscription, accueil, secrétaire*

● **Prononciation :**
- Rythmes des groupes sonores
- Enchaînement des groupes sonores

L'histoire

Un stage international de comédie musicale, le stage « Musiques et danses », a lieu à Paris au mois de juillet. Au cours de ce stage, les participants prépareront la comédie musicale « Notre Dame de Paris ». Ces participants sont logés à la Cité internationale. L'un des stagiaires, Lucas, originaire de Toulouse, est déjà arrivé. Il accueille deux autres participants, Mélissa et Florent, qui arrivent ensemble des Antilles.

La scène 2 nous montre une quatrième stagiaire, Noémie, qui vient du Québec. La scène 4 se situe le lendemain, à la cafétéria. Sarah, la professeure de chant, salue les stagiaires réunis pour le petit déjeuner.

Scène 1

1. Observation des images et de la photo.

Le professeur présente la situation. Il peut faire produire des phrases simples comme : « *C'est la Cité internationale. Il y a un stage de comédie musicale. C'est le stage Musiques et Danses.* ».

2. Écoute fragmentée du document (livre fermé ou en cachant le dialogue).

a. Noter le nombre de questions entendues (révision exercices sur l'intonation).

b. Répondre aux questions posées dans le livre.

Corrigé : a. → *Oui, Lucas est français. Mélissa est française aussi. (Les Antilles sont des îles françaises.)* – b. → *Non, Lucas n'habite pas à Paris. Il habite à Toulouse.* – c. → *Oui,*

Mélissa connaît Florent. – d. → *Ils sont à la Cité internationale à Paris.*

3. Expliquer :
- « *super* » par l'intonation et la gestuelle ;
- « *chanson* » : Lucas chante une chanson ;
- « *pas mal* » : se contenter d'une signification générale ;
- « *Toulouse* » : montrer sur la carte ;
- « *ensemble* » : par la gestuelle.

4. Faire jouer le dialogue. Bien insister sur l'intonation et la prononciation.

Scène 2

1. Faire imaginer la scène par les étudiants.

Faire observer le dessin et les fiches d'inscription : Qui sont les personnes sur le dessin ?

Où sont-elles ?

Rechercher en commun les questions du secrétaire : « *Vous vous appelez ? Vous habitez où ? Vous êtes française ? Vous êtes étudiante ?* »

Avec des étudiants faux débutants, on pourra préciser : « *Quel est votre nom, votre prénom, etc.* »

2. Travail en autonomie. Les étudiants se partagent les tâches suivantes :
- Jouer l'inscription de Florent ou de Noémie à partir de sa fiche ;
- Imaginer la fiche d'inscription de Mélissa et de Lucas et jouer la scène.

Scène 3

1. Faire écouter le dialogue en observant le dessin, transcription cachée (éventuellement). Faire reconnaître les intervenants.

2. Expliquer :
- « *prof* » → « *professeur* »
- « *bon* », « *très bon* », « *excellent* » → Utiliser un plat ou une boisson connue des étudiants. Exemple : « *Les pizzas, en Italie, c'est excellent !* » / « *Les pizzas, en France, c'est bon ?* »
- « *au revoir* » et « *à bientôt* » : par la gestuelle, puis à réutiliser en situation de classe
- « *Je peux ?* » → Noémie ne connaît pas Lucas, Mélissa et Florent. Pour s'asseoir à leur table, elle dit : « *Je peux ?* ».

Jeux de rôle

Présenter des photos pour faire trouver les situations et déclencher le jeu de rôle. Les étudiants se mettent par deux ou plus et choisissent une situation. Selon l'image choisie, les étudiants peuvent se tutoyer ou se vouvoyer.

Indiquer qu'on peut s'inspirer des scènes 1 et 2 pour la première situation.

Laisser cinq à dix minutes de préparation puis faire jouer les élèves.

Prononciation

Exercice 1 – Texte « Au téléphone ». Il s'agit d'un travail sur le rythme des groupes sonores. Se succèdent des groupes à un temps, à deux temps, à trois temps, etc. La difficulté augmente à chaque groupe. Bien faire prononcer « *un étudiant* », « *il comprend l'anglais* » en une seule émission de voix.

Exercice 2 – Travail sur l'enchaînement à l'intérieur des groupes sonores. Écrire au tableau les premières phrases du texte pour pouvoir visualiser les lettres non prononcées et les enchaînements. Faire écouter et répéter.

Ne pas hésiter à faire corriger les étudiants au tableau et à leur demander d'indiquer les enchaînements et lettres non prononcées (utiliser les feutres/craies de couleur). Demander aux autres étudiants de valider les propositions ou de les corriger le cas échéant.

À savoir

La Cité internationale universitaire de Paris. Située boulevard Jourdan, dans le 14e arrondissement, au sud de la capitale, elle a été construite à partir de 1925 dans le contexte pacifiste de l'Entre-deux guerres. Des mécènes, des industriels ou des gouvernements étrangers ont participé à la construction de ces bâtiments, chacun ayant son style et son architecture. Parmi les plus typiques, on trouve la Maison du Japon, celles de l'Italie, du Maroc et le Collège franco-britannique. La cité accueille 5 600 personnes (étudiants, chercheurs, stagiaires). C'est aussi un lieu important de vie culturelle.

La comédie musicale. Ce genre venu des pays anglo-saxons a pris en France la succession de l'opérette, qui a commencé à décliner à partir des années cinquante. Il est en train de devenir très populaire avec des réalisations comme « Starmania » (années 70), « Émilie jolie » (spectacle pour enfants) et plus récemment « Les Misérables », « Notre Dame de Paris » ou « Le Roi soleil ».

La chanson Belle-Île en Mer. Cette chanson, écrite par Alain Souchon et composée et interprétée par Laurent Voulzy, est un grand succès des années 1980 : « *Belle-Île en mer, Marie-Galante, Saint-Vincent, Loin Singapour ...* »

Pages 26–27 Découvertes

Objectifs

- **Savoir-faire :**
  - Épeler un mot
- **Prononciation :**
  - Présentation du système phonologique du français
- **Orthographe ::**
  - Graphies les plus courantes des sons du français

NB : il n'est pas nécessaire de faire toutes les activités de cette double page à la fin de la leçon 1. Certaines peuvent être faites au cours de la leçon suivante.
La page 27 est une page à laquelle on pourra se référer dès qu'un problème de prononciation surviendra.

Exercice 1

a. Observer les images et demander aux étudiants de lire les mots qu'ils connaissent.

b. Écoute fragmentée de l'enregistrement. S'arrêter à chaque mot et le faire prononcer. Retrouver les sons difficiles dans le tableau de la page 27.

Exercice 2

Chercher les sons difficiles dans le tableau de la page 27.

Le travail à faire dépend évidemment beaucoup des difficultés propres à chaque groupe linguistique et à chaque étudiant.

Procéder par groupe de sons, par exemple, les voyelles fermées. S'arrêter aux sons qui sont difficiles à prononcer. Préciser le point d'articulation : en avant ou en arrière de la bouche.

Pour les consonnes, opposer les sourdes et les sonores. Faire entendre aux étudiants que ces consonnes marchent par paires et que la seule chose qui les différencie et le fait qu'elles soient voisées ou sourdes.

Faire prononcer ces lettres en opposition et faire remarquer la quantité d'air qui sort de la bouche (plus d'air pour les sourdes).

Tous ces sons seront progressivement travaillés tout au long de la méthode. L'objectif est ici d'en donner une vue d'ensemble car les étudiants vont devoir tous les prononcer au cours des activités orales.

Faire remarquer que certains sons peuvent être transcrits par différentes graphies. Par exemple [o], transcrit par « o », « au » et « eau ».

Exercice complémentaire

Rallye des sons

Objectif : pratiquer l'opposition consonne sourde/consonne sonore.

On vient de faire remarquer aux étudiants que certaines consonnes ont la même « valeur » et que ce qui les différencie est le fait qu'elles soient voisées ou silencieuses (k/g – t/d – p/b – ...). Ces oppositions n'existent pas dans de nombreuses langues et les différencier peut constituer une difficulté pour certains étudiants.

Modalités : deux équipes (ou deux fois deux équipes)

Matériel : tableau – feutres / craies.

Durée : 5-7 minutes

Le tableau est séparé en deux dans la largeur (un coté pour chaque équipe). Dans chaque partie le professeur écrit les lettres suivantes : p / b – t / d – k / g – ch / j – s / z – f / v

Les étudiants de chaque équipe se placent en file indienne devant le tableau. Chacun leur tour, les deux étudiants en tête de file iront entourer au tableau la lettre entendue.

C'est le professeur qui annoncera les mots. Les étudiants doivent être rapides et attentifs.

Un point pour la première équipe qui a la bonne réponse. Si le premier entoure la mauvaise lettre, la partie continue. Le professeur peut répéter le mot plusieurs fois. Les étudiants ne peuvent pas s'aider entre eux.

Liste de mots à proposer (étant donné qu'il s'agit d'une activité basée sur les sons, il importe moins que ces mots soient connus) : **toi – je – chat – faire – vous – boule – dans – pull – oiseau – faux – vrai – cours – gomme – dur**

Exercices 3, 4 et 5

Dernières activités pour la prise de conscience de la spécificité du rapport son / graphie en français.

3. Écoute de la prononciation de certains mots étrangers ou d'origine étrangère. Remarquer la façon de prononcer à la française.

4. Les étudiants essaient de trouver l'origine des mots proposés.

Corrigé : *allemand : hamburger, strudels – anglais : bagel, cookies, muffins – arabe : kebab – espagnol : paëlla – italien : spaghetti, tiramisu – japonais : sushi*

5. Recherche en groupe des mots français utilisés dans la langue maternelle de l'étudiant.

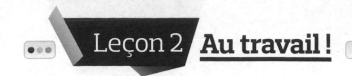

Leçon 2 · Au travail !

Pages 28-29
Forum

Objectifs

● **Savoir-faire :**
- Identifier une personne (« *Qui est-ce ? – C'est ...* ») ou un objet (« *Qu'est-ce que c'est ? – C'est ...* »)
- Demander / donner des précisions sur une personne ou un objet : existence (« *Est-ce qu'il y a ?* »), nom (« *Quel est le nom ... ?* »), lieu (« *Où est ... ?* »)

● **Vocabulaire :**
- *les pays, la capitale, la frontière, la région, la ville, un habitant, le drapeau, les gens, un homme, une femme, un artiste, un chanteur, un écrivain, les choses, un avion, un journal, une montre, un parfum, une voiture*
- *beau, célèbre, grand, national, politique, sportif*
- *aimer, avoir, compléter, il y a*
- *avec*

● **Grammaire :**
- Interrogation avec la forme « *Est-ce que (...) ?* »
- Interrogation avec « *quel* » (« *quelle, quels, quelles* »)
- Sensibilisation à l'opposition article défini, article indéfini

Est-ce que vous connaissez la France et les pays francophones ?

Activité 1 : Faire le test

Ce test est un prétexte à une activité interactive au cours de laquelle seront introduits les moyens linguistiques permettant l'expression de l'identification des personnes et des objets et la demande de précisions.

Il ne s'agit pas de réussir le test en donnant les réponses justes mais de réussir une activité d'apprentissage visant à s'approprier des moyens d'expression nouveaux.

Déroulement de l'activité

Le professeur mène le jeu. Pour chacune des dix questions du test :
- Il lit la question et explique les mots nouveaux ;
- Les étudiants proposent des réponses ;
- Le professeur donne la bonne réponse et les étudiants se notent ;
- Le professeur vérifie la compréhension des éléments introduits en posant une question parallèle.

Question 1 : expliquer « capitale » → « *Washington est la capitale des États-Unis.* » Donner la structure question / réponse : « *Quelle est la capitale des États-Unis ? – C'est Washington.* »

Revenir à la question 1 du test. Faire produire « *La capitale de la France est Paris.* », etc.

Question 2 : pour expliquer « frontière », observer la carte de la page 144. Se contenter d'une compréhension approximative du verbe « avoir ».

Question 3 : expliquer « habitant ». Le rapprocher du verbe « habiter » déjà vu. Proposer les trois réponses possibles : « *À Paris, il y a 1 / 3 / 10 millions d'habitants.* ».

Question 4 : faire identifier l'origine des drapeaux et faire produire « *C'est le drapeau français, etc.* ».

Question 5 : présenter « *Qui est-ce ?* » à partir d'un exemple pris en classe. Présenter « *un* », « *une* ». L''opposition défini, indéfini se précisera dans les pages « Outils ».

Questions 6 : présenter « *Qu'est-ce que c'est ?* » à partir d'un exemple pris en classe (« *C'est un livre.* » – « *C'est le livre de français.* »)

Questions 7 : se contenter de relier la marque et le produit sans chercher à faire produire de phrase. Présenter l'article « *des* » pluriel.

Poser des questions : « *Vous connaissez des voitures italiennes, des montres suisses, etc. ?* »

● **Utiliser le corpus du test pour :**
- conceptualiser l'opposition articles définis / indéfinis (voir pages « Outils ») ;
- récapituler les moyens qui permettent de poser des questions (voir tableau de la page 29).

Corrigés :

1. France → Paris ; Belgique à Bruxelles ; Lille et Marseille sont deux grandes villes de France.

2. La France a une frontière avec l'Espagne, l'Allemagne et la Suisse.

3. Paris → 10 millions ; Montréal → 3 millions ; Marseille → 1 million.

4. a. → 2 ; b. → 3 ; c. → 1 ; d. → 4.

5. David Guetta → un DJ – Marie Curie → une scientifique – Victor Hugo → un écrivain – Louis de Funès → un acteur.

6. la tour Montparnasse → d – le mont Blanc → b – le stade de France → a – la cathédrale de Reims → c.

7. Renault → des voitures ; L'Oréal → des cosmétiques ; Airbus → des avions ; Rolex → des montres ; Bic → des stylos.

À savoir

David Guetta est un DJ français, compositeur et réalisateur de musique. Sur l'ensemble de sa carrière, il a vendu plus de 3 millions d'albums et 15 millions de singles, soit 18 millions de CD. En 2011, il est élu meilleur DJ du monde par le classement TOP100 du magazine britannique DJ Mag.

Marie Curie est une physicienne française d'origine polonaise. Elle et son époux, Pierre Curie, partagent avec Henri Becquerel le prix

Nobel de physique 1903, pour leurs recherches sur les radiations. En 1911, elle obtient le prix Nobel de chimie pour ses travaux sur le polonium et le radium. Elle est la seule femme à avoir reçu deux prix Nobel.

Victor Hugo est un poète et dramaturge romantique considéré comme l'un des plus importants écrivains de langue française. Il est aussi une personnalité politique et un intellectuel engagé qui a compté dans l'Histoire du XIXe siècle.

Louis de Funès est un acteur français d'origine espagnole. Il est l'un des acteurs comiques les plus célèbres du cinéma français de la seconde moitié du XXe siècle et le champion incontesté du box-office français des années 60-70, attirant plus de cent cinquante millions de spectateurs dans les salles.

Le mont Blanc est le point culminant de la chaîne des Alpes. Avec une altitude de 4 810,45 mètres, il est le plus haut sommet d'Europe occidentale.

La tour Montparnasse est un gratte-ciel situé dans le 15e arrondissement de Paris. Sa hauteur, de 209 mètres, en a fait pendant longtemps l'immeuble le plus haut de France. Depuis 2011, c'est la Tour First, situé dans le quartier de la Défense, à côté de Paris, qui occupe cette position.

Le stade de France est le plus grand stade de France avec 81 338 places en configuration football/rugby. Il se situe au nord de Paris.

La cathédrale de Reims est une cathédrale du XIIIe siècle. Il s'agit de l'une des réalisations majeures de l'art gothique en France, tant pour son architecture que pour sa statuaire, qui ne compte pas moins de 2 303 statues. Elle est inscrite, à ce titre, au patrimoine mondial de l'UNESCO depuis 1991.

Activité 2 : imaginer un test

1. Les étudiants se mettent en petits groupes de deux ou trois. Chaque groupe prépare cinq questions en utilisant les structures du tableau de la page 29 et les questions posées dans le test.

Exemples : « *Quelle est la capitale de l'Équateur ? – C'est Quito.* » / « *Qui est John Lennon ? ... ».*

2. Chaque groupe pose ses questions à un autre groupe.

3. Chaque groupe fait le compte de ses bonnes réponses.

Possibilité de faire des tests sur son propre pays, si les membres du groupe sont de nationalités différentes.

Pages 30–31
Outils

Objectifs

● **Grammaire :**
- Emploi des articles indéfinis : classement dans une catégorie ou définition (*C'est un musée.*) – expression de l'existence (*Il y a un musée de peintures à Avignon.*)
- Emploi des articles définis : objet unique (*Le musée Picasso*) – nom suivi d'un complément déterminatif (*Les tableaux du musée*)
- Le complément déterminatif « de » et sa construction avec l'article défini (« *du, de la, de l', des* »)
- Masculin et féminin des noms et des adjectifs
- Conjugaison des verbes en « -er » et des verbes « avoir », « lire », « écrire »
- « On » pronom sujet

● **Vocabulaire :**
- *un ami, une cathédrale, un peintre, une salle, un tableau, une équipe, le football, l'histoire*
- *écouter, écrire, regarder, lire*

● **Prononciation :**
- Marques orales du féminin – opposition « un », « une »
- Marques orales du pluriel

Nommer – Préciser

Exercice 1

À faire collectivement. Le professeur fait observer les différentes façons de nommer les personnes et les choses.

a. Lorsqu'on identifie la personne ou la chose (après des questions comme « *Qu'est-ce que c'est ? Qui est-ce ?* »)

b. Lorsqu'on nomme une chose précise. Expliquer l'opposition : « *C'est un CD.* » (on identifie) → « C'est le CD de Grégoire. » (on précise).

Faire ensuite la liste des noms qui sont déterminés par un complément déterminatif et analyser la structure « de + nom ». Observer les contractions « de + le = du », « de + les = des » et la forme « de l' » devant voyelle.

Exercice 2

Corrigé : *une belle ville – un beau musée – une grande université – la ville de Paul Cézanne, le célèbre peintre – j'ai des amis – la fille – le fils.*

Exercice 3

Corrigé : *lors de la correction, faire prendre conscience de l'opposition article défini / article indéfini aux étudiants.*

- *La pyramide **du** Louvre.* → *Elle est définie, il n'y en a qu'une.*
- *Le cinéma **de la** rue Champollion.* → *Le cinéma et la rue sont définis. Il y a une rue Champollion et un seul cinéma dans cette rue.*
- *Un professeur **de l'**université de Mexico.* → *Il y a une seule université de Mexico mais il y a plusieurs professeurs.*
- *Le nom **de l'**étudiant.*
- *Un tableau **de** Monet.*

Accorder les noms et les adjectifs

Exercice 4

Écouter l'enregistrement. Faire porter l'attention sur :

a. Les marques du féminin

À l'écrit : le « e » final, le doublement de la consonne (italien, italienne), les transformations « -eur → -euse » ; « -teur → -trice ».

À l'oral : l'article est la seule marque du féminin (*un ami, une amie*), la terminaison (*chanteur/chanteuse*).

b. Les marques du pluriel

À l'écrit : le « s » ou le « x » final, la modification (*journal à journaux*).

À l'oral : l'article est la seule marque du pluriel, l'article et la liaison (*des artistes*), la terminaison (*international, internationaux*).

Faire remarquer la transformation « des » → « de » quand l'adjectif pluriel est devant le nom (***des** artistes internationaux / **de** grands artistes*). Il n'est pas nécessaire de donner cette précision si les étudiants sont en difficulté.

Exercice 5

Corrigé : *un Brésilien – une étudiante – une actrice – un artiste.*

Exercice 6

Corrigé : *les bons restaurants – les grandes voitures – les belles femmes célèbres (les femmes belles et célèbres) – les hôtels internationaux.*

Conjuguer les verbes

Retrouver dans le tableau les régularités que l'on a observées dans la leçon 1.

Présenter la conjugaison des verbes « avoir », « lire », et « écrire ».

Introduire « on », qui sera utilisé fréquemment en classe.

Exercice 7

Présenter le petit dialogue proposé dans le livre pour travailler la conjugaison du verbe « aimer ».

Les étudiants se mettent par deux et choisissent un des verbes déjà introduits (*connaître, comprendre, être, avoir, lire, écouter, regarder, parler, habiter*).

Ils écrivent un petit dialogue qu'ils lisent ou jouent devant la classe.

À l'écoute de la grammaire

Exercice 1

Différenciation « un » « une ». Faire écouter par fragments et répéter le petit texte.

Exercice 2

Noter si le mot est masculin ou féminin.

Corrigé : *1) masculin – 2) féminin – 3) masculin – 4) masculin – 5) féminin – 6) féminin – 7) féminin – 8) masculin – 9) masculin – 10) féminin.*

Exercice 3

Noter si le mot est singulier ou pluriel.

Corrigé : *1) singulier – 2) pluriel – 3) singulier – 4) pluriel – 5) singulier – 6) pluriel – 7) pluriel – 8) pluriel – 9) singulier – 10) singulier.*

Pages 32–33
Échanges

Objectifs

● **Savoir-faire :**
- Donner des instructions
- Apprécier une action (ça va / ça ne va pas)
- Identifier une personne ou une chose
- Demander quelque chose (je voudrais…)

● **Grammaire :**
- Impératif des verbes connus
- Emploi des formes interrogatives vues précédemment

● **Vocabulaire :**
- *un copain, un garçon, un musicien, une stagiaire, une école, un livre, une pause, une répétition, un texte, le rythme, une nouvelle*
- *curieux, difficile, professionnel, seul*
- *arrêter, répéter, travailler, vouloir*
- *après, beaucoup, bien, comme, juste, mais*

● **Prononciation :**
- Rythme des enchaînements sonores
- Opposition « *je / j'ai / j'aime* »

L'histoire

Les participants du stage « Musique et danses » commencent à travailler. Au cours des pauses, ils font connaissance. Mélissa se trouve des affinités avec Lucas. Quelques jours plus tard, Noémie rencontre Florent, qui se promène seul au bord de la Seine où a lieu l'animation Paris-Plage.

Scène 1

1. Écouter le début et trouver à quelle image la scène correspond : il s'agit de l'image située à droite du dialogue. Seul le début de la scène est transcrit.

Écouter la scène en observant le dessin.

Repérer le lieu, les personnages, l'activité.

Repérer des mots connus dans l'enregistrement (écouter, regarder, etc.)

2. Expliquer :

– « *un garçon* » → *introduire le mot « une fille »* (s'appuyer sur les étudiants).

– « *le rythme* » (d'après la musique qui accompagne le dialogue).

– « *difficile* » (la conjugaison du verbe « parler » n'est pas difficile / la conjugaison du verbe « avoir » est difficile).

Exercice 1 : Transcrire les ordres du professeur.

Scène 2

1. Faire une écoute globale en regardant seulement le dessin. Identifier le personnage, le lieu.

Questions : « *Qui est-ce ? Où ils sont ?* ».

2. Réécouter en quatre étapes.

a. La chanson de Lucas. Seuls les noms de lieux et « comme » ne sont pas connus. Écrire les noms de lieux au tableau et les montrer sur une carte.

Expliquer :

– « *comme* » : Mélissa vient de Guadeloupe **comme** Florent.

b. Les questions de Mélissa : l'identification de la chanson de Lucas.

Expliquer :

– « *beaucoup* » : J'aime Charles Aznavour, j'aime beaucoup Céline Dion, je n'aime pas...

– « *chanson* » : d'après le mot « chanteur ».

c. Les activités de Lucas. Vérifier la compréhension du nom de famille de Lucas (Lucas Marti).

Expliquer :

– « *juste la musique* » : dans une chanson, il y a le texte et la musique. Lucas écrit juste la musique, il n'écrit pas les textes.

d. Les activités de Mélissa.

Expliquer :

– « *je voudrais* » : l'étudiant voudrait parler français.

Exercice 2 : Indiquer si les énoncés sont vrais ou faux.

Corrigé : *a) vrai – b) fau – c) vrai – d) faux.*

Scène 3

Exercice 3 : Écouter le dialogue et compléter les phrases.

Corrigé :

Mélissa et Lucas sont au café.
Ils sont avec les stagiaires (les étudiants du groupe).
Sur le boulevard, Mélissa voit Florent.
Il est avec Noémie.

Images

Faire décrire les images qui peuvent être le déclencheur du jeu de rôle (exercice 4).

Pour le jeu de rôle, bien insister sur l'intonation, le niveau de la voix, les expressions. Ne pas hésiter à encourager les étudiants à « surjouer » dans un premier temps.

Autres propositions de jeux de rôle :
– Commander une boisson dans un café.
– Retrouver des amis au café.
– Aller dans un café et présenter une personne à un groupe d'amis.

Prononciation

Exercice 1. Travail sur le rythme. Faire reconnaître le nombre de temps. Montrer que l'accent tonique est sur le dernier temps. Faire répéter les groupes du texte.

Exercice 2. Avant de faire l'exercice, noter au tableau « je », « j'ai », « j'aime » et faire observer l'ouverture progressive de la voyelle.

Corrigé : *1) j'aime – 2) j'ai – 3) je – 4) je – 5) j'ai – 6) j'aime – 7) j'ai – 8) je.*

À savoir

Le café « Les deux magots » (photo) : il fait partie des célèbres cafés de Saint-Germain-des-Prés, où se réunissaient les artistes surréalistes puis existentialistes au début du XXe siècle. Parmi les clients célèbres, on relève : Jean Paul Sartre, Simone de Beauvoir, Ernest Hemingway, Pablo Picasso.

La spécialité est le chocolat chaud, toujours fait « à l'ancienne », à partir de tablettes de chocolat.

Leçon 2 | Au travail !

Pages 34–35
Découvertes

Objectifs

● **Savoir-faire :**
- Se présenter
- Parler de ses goûts

● **Vocabulaire :**
- *un jeu télévisé, une chanson, une ville, un village, un lycée professionnel, un voyage, une langue étrangère*
- *un pharmacien, un élève, un agriculteur, un interprète*
- *je voudrais*
- *célibataire, marié*
- *chanter, jouer, accueillir, aimer, adorer, préférer*
- *aussi*

Lecture de l'article

Exercice 1

Repérage des informations à l'écrit. Commencer à remplir le tableau avec les informations écrites.

Exercice 2

Écoute. Compléter le tableau. Cette activité peut se faire en sous-groupe ou individuellement. Les étudiants doivent développer des stratégies d'écoute :
- se partager la recherche d'information s'ils sont en sous-groupes.
- le professeur insiste sur le fait qu'il n'est pas nécessaire de tout entendre / comprendre, il faut focaliser son écoute sur les informations demandées.

Exercice 3

Suivre les consignes du manuel. On peut également demander aux étudiants de citer les prénoms préférés dans leur pays.

Exercice 4

Lecture du texte « La population en France ».

Laisser les étudiants lire le texte individuellement puis le lire à toute la classe (on peut proposer à un étudiant d'assurer la lecture, mais il lui sera difficile de prononcer les nombres). Lors de la lecture, bien insister sur les chiffres (se référer ensuite à l'encart « compter »).

Pour pratiquer les chiffres, on peut demander aux étudiants : le nombre d'habitants, le nombre de communes, le nombre d'immigrés, etc.

Ensuite, demander aux étudiants de comparer avec leur pays.

Exercice 5

Production écrite. Les étudiants pourront réutiliser les structures vues lors de l'activité 1 mais aussi se référer à l'unité 0.

Laisser environ 15 minutes. Correction individuelle. On pourra proposer aux étudiants de lire leur présentation à la classe et faire deviner aux autres de qui ils parlent.

Une fois l'activité finie, noter au tableau les éléments importants ou ceux qui ont causé des difficultés.

Pages 36–37
Forum

Objectifs

● Savoir-faire :
- Parler de ses loisirs
- Exprimer ses goûts et ses préférences
- Prélever des informations dans un document publicitaire

● Vocabulaire :
- *Les loisirs (voir tableau p. 37)*
- *une activité, une association, un atelier, un club, une salle, un parc, une journée*
- *une randonnée, le ski, un VTT, le tennis, le volley-ball, la gymnastique, la musculation, le judo, le billard, le babyfoot, l'aventure, la danse classique, moderne, le hip hop, le rap*
- *aller, faire du sport, venir, rester*
- *un peu*

NB : les étudiants vont rencontrer beaucoup de vocabulaire nouveau dans cette double page et notamment des verbes à la conjugaison complexe (aller, venir). L'objectif n'est pas de mémoriser ce vocabulaire ni à plus forte raison de connaître la conjugaison de ces verbes mais d'habituer les étudiants à évoluer dans un environnement verbal relativement riche. *Les verbes introduits ici seront sans cesse repris dans la progression. Les étudiants s'en approprieront petit à petit le sens et les formes.*

Activité 1

Travail en petits groupes.

Les étudiants se répartissent les autres documents et doivent les présenter selon un questionnaire qu'on peut écrire au tableau :
– le nom de l'association ;
– les activités : utiliser « faire + du » (masculin) / « faire + de la » (féminin).

Mise en commun et correction. Explication du vocabulaire grâce à des mimes ou à des images.

Activité 2

1re **écoute :** découverte du document. Laisser les étudiants écouter, sans rien noter, de façon à se concentrer sur le document de façon globale.

2e **écoute :** si l'on dispose d'un TBI présenter des images d'activités (mentionnées dans le dialogue + d'autres activités), et demander aux étudiants de sélectionner celles qu'ils ont entendues. Sinon il est également possible de préparer une feuille pour les étudiants ou bien de présenter des photos ou des cartes-images.

3e **écoute :** noter les activités et les jours où elle les pratique (cf livre de l'élève).

Correction et mise en commun. Noter ce qu'Emma aime et ce qu'elle n'aime pas.

Activité 3 :

L'interview

Modalités : groupes de 3 étudiants.

Durée : 15 minutes

Les étudiants sont par groupes de 3. Tour à tour, ils seront le journaliste, le script et l'interviewé.

Pendant les 5 premières minutes, un étudiant pose les questions, l'un répond et le troisième note les réponses. Une fois fini, on change les rôles. Chaque étudiant doit tenir les 3 rôles. On accorde 5 minutes maximum par interview. À la fin de l'activité, on demande aux étudiants de présenter la personne pour laquelle ils ont été scripts.

Cette activité permet de travailler la compréhension orale, ainsi que la production orale et écrite.

Activité 4

1. Travail en sous groupes hétérogènes. La consigne doit être bien comprise des étudiants. Toutes les publicités de la double page sont des publicités de clubs de loisirs.

Les étudiants imaginent un type de club de loisirs (nom, lieu, type d'activités, etc.). Le professeur corrige individuellement chaque groupe, qui réalise ensuite une affiche publicitaire pour son club.

2. Présentation des affiches par groupes. Il est possible de réaliser cette activité en salle informatique le cas échéant.

À savoir

Les associations en France. On compte en France de très nombreuses associations. Il peut en exister plusieurs milliers dans une ville de 100 000 habitants. Ce sont des groupements de personnes qui n'ont pas d'intérêts commerciaux mais dont le but est l'éducation, les loisirs, l'assistance aux personnes malades, âgées, en difficulté, etc., la protection et la défense de la nature, des animaux, etc.

Pour ne prendre que le domaine de la musique, on pourra trouver des associations qui se consacrent au chant, à la pratique d'instruments de musique, à l'organisation de sorties pour assister à des concerts, etc.

Pour la majorité des Français, l'association reste le principal moyen de se rencontrer en dehors des milieux familiaux, amicaux et professionnels.

Pages 38–39
Outils

Objectifs

- ● **Savoir-faire :**
- Parler d'une activité (verbes faire, aller, venir)
- Parler d'un projet
- Négation simple

- ● **Grammaire :**
- Constructions des compléments des verbes :
  - aller (à... au... à la... aux... chez...)
  - faire (du... de la...)
- Emploi des pronoms toniques (moi, toi, lui, etc.) après une préposition
- Emploi de la forme « aller + verbe à l'infinitif » (futur proche)
- Conjugaison des verbes faire, aller et venir

- ● **Vocabulaire :**
- la *plage*, le *poker*, un *roman*
- *fatigué, super*
- *chez, ici*

- ● **Prononciation :**
- Opposition « je fais » / « je vais »
- Rythme des constructions verbe + verbe à l'infinitif

Parler de ses activités

Découverte : Observation des bulles du dessin. Pour chaque verbe, trouver l'infinitif et faire induire le reste de la conjugaison.

Exercice 1

Observer les constructions des verbes :
- « *aimer (adorer)* **le VTT**, **la randonnée** ».
- « **faire du VTT**, **de la randonnée** ».
- « *aller* **à la** plage, **à la** piscine, **au** village, **chez** Tony ».

Retrouver et compléter ces constructions avec le tableau.

Exercice 2

Corrigé : *Je* **vais** *faire du ski. – Tu* **viens** *avec moi ? – Je* **vais** *dans les Vosges. – D'accord, je* **viens**. *– Elle peut* **venir** *avec nous ?*

Exercice 3

Corrigé : *de la natation – chez des amis – au concert – à Recife – au Brésil – elle adore la musique – en France – à la piscine – du tennis.*

Les pronoms « moi », « toi », « lui », etc.

Observer le dessin. Visualiser le sens des pronoms par une gestuelle. Associer les pronoms sujets et les pronoms toniques correspondants.

Exercice 4

Corrigé : *elle fait du tennis avec* **eux** *– elle habite chez* **elle** *– elle vient avec* **vous** *– elle vient sans* **lui**.

Faire un projet

Il est préférable de couvrir cette partie à la suite de la scène 1 des pages « Échanges ».

Compréhension du dessin. Introduction du futur proche.

Observer le dessin. Expliquer « *demain* » et « *aujourd'hui* » en utilisant un calendrier ou la date écrite au tableau.

Écrire les deux phrases : « *Aujourd'hui je travaille, demain je vais faire du tennis.* ».

Faire souligner la construction verbale qui marque le futur proche et vérifier avec l'encadré « parler du futur ».

Exercice 5

Corrigé : *je vais faire – nous allons regarder.*

Pratique de l'expression du futur proche en situation de classe.

Faire un tour de table : « *Qu'est-ce que vous allez faire (ce soir, demain, ce week-end) ?* ».

Exercice 6

Systématisation. À faire par groupe de deux. Il s'agit de produire le plus possible de phrases pour décrire les activités des quatre personnages : « *Mélissa va faire du tennis avec Lucas ... Florent va écouter un concert ...* ».

À l'écoute de la grammaire

Exercice 1

Faire entendre l'opposition entre la consonne sonore [v] et la sourde [f]. Quand on prononce la sonore, il y a une vibration particulière dans la gorge (cf. Unité 0, page 10, activité sur les consonnes sourdes et sonores).

Faire lire aux étudiants. On peut également leur proposer d'imaginer d'autres phrases avec [v]/[f].

Exercice 2

Travailler l'enchaînement des groupes à l'intérieur de chaque phrase. L'accent est toujours en finale du groupe. Exemple : « *Il voudrait aller / au cinéma.* ».

Pages 40–41
Échanges

Objectifs

● **Savoir-faire (situations orales) :**
- Donner ses goûts et ses préférences
- Proposer à quelqu'un de faire une activité
- Accepter une proposition et remercier
- Refuser une proposition et s'excuser

● **Grammaire :**
- Futur proche

● **Vocabulaire :**
- faire un jogging, un rôle, un cours
- seul, désolé
- apprendre, proposer, avoir envie
- dommage, encore

● **Prononciation :**
- Rythme des groupes sonores
- Rythme de la phrase négative

L'histoire

La préparation de la comédie musicale « Notre-Dame de Paris » se poursuit. Lucas et Florent sont en compétition pour le rôle de Quasimodo. Et c'est finalement Florent qui l'emporte.

Pendant leur temps libre, les stagiaires ont des activités de loisirs. On s'aperçoit que Mélissa et Lucas ont des goûts communs et que Noémie est prête à consoler Florent.

Scène 1

Écoute directe du dialogue après avoir regardé l'illustration. Celui-ci ne présente pas de difficulté.

Expliquer :
- « entrer » : mime en classe.
- « le rôle de Quasimodo ».
- « apprendre » : le vocabulaire, les conjugaisons.

Activité 1. Compléter les phrases.

Mélissa et Noémie vont faire un jogging. Elles invitent Lucas. Lucas reste à la Cité universitaire. Il reste pour travailler. Il voudrait apprendre le rôle de Quasimodo.

Faire jouer la scène.

Scène 2

Écoute progressive et transcription du dialogue.

Expliquer :
- « proposer » : « Lucas et Pedro veulent aller dans la forêt pour faire de l'accrobranches. Il propose de faire de l'accrobranches. »
- « encore » : en situation de classe, à partir d'une répétition → « Répétez ! Répétez encore ! ».

Activité 2

Corrigé : a. → *faux (c'est demain)* – b. → *vrai* – c. → *faux (il est fatigué)* – d. → *vrai.*

Scène 3

Activité 3

1. Dévoiler progressivement le dialogue en faisant chaque fois des hypothèses sur la réplique suivante. Expliquer « *dommage* » par l'intonation.

2. Répondre aux questions du livre de l'élève.

Corrigé : *Florent – oui – Quasimodo.*

3. Avec des étudiants faux débutants, on peut faire imaginer d'autres versions de la scène.

a. Avec un Lucas jaloux de Florent. Dialogue avec Mélissa : « *Alors, tu as le rôle de Quasimodo ? – Non, Sarah préfère Florent. Ce n'est pas un bon chanteur. Moi je sais bien le rôle, etc.* »

b. Avec un Lucas triste que Mélissa vient consoler.

Activité 4

Production orale : suivre les consignes du livre de l'élève. Vérifier que tout le monde a compris. Travail en groupe de 3 ou 4.

Répertorier les moyens linguistiques utilisés pour proposer de faire quelque chose. Accepter ou refuser. Compléter avec le vocabulaire du tableau.

Pour faire pratiquer la conversation téléphonique dans un contexte plus réaliste, on peut installer les étudiants d'un même groupe dos à dos. Un(e) étudiant(e) du groupe va téléphoner aux autres pour leur proposer une activité. Les trois refusent et donnent une excuse.

Présentation des jeux de rôles.

Prononciation

Les deux exercices portent sur le rythme des groupes sonores.

À savoir

Notre-Dame de Paris est la cathédrale de Paris. C'est aussi un roman de Victor Hugo dont l'action se passe au Moyen Âge, autour de cet édifice. Esméralda, une jeune bohémienne, danse et prédit l'avenir sur le parvis de la cathédrale. Elle inspire un amour passionné au prêtre

.../...

Claude Frolo et à Quasimodo, le sonneur de cloches, bossu et difforme mais doté d'une force colossale. Frolo charge Quasimodo d'enlever Esméralda. Mais la jeune fille est sauvée par Phoebus, un jeune capitaine, qui voit en elle la possibilité d'une aventure sans lendemain.

L'accrobranche est une activité de pleine nature qui consiste à grimper aux arbres à l'aide des branches, de câbles et de fils, en toute sécurité (harnais, casques).

La chanson « _Je m'voyais déjà_ ». c'est une chanson de Charles Aznavour (1960), dans laquelle un jeune chanteur ambitieux raconte ses débuts.

Pages 42–43
Découvertes

Objectifs

● **Savoir-faire :**
• Comprendre et rédiger une carte postale ou un message :
– d'invitation
– de réponse à une invitation

● **Prononciation :**
• _une amitié, le golf, une invitation, un objet (message Internet), un programme_
• _cher (cher ami), magnifique, sympathique_
• _découvrir_
• _pour_

Juillet en France

Exercice 1

Lecture du texte. Repérer les quatre centres d'intérêt du texte (montagne, mer, histoire, spectacles). Pour chaque sujet, relever les lieux qui sont cités et les trouver sur la carte.

Selon les connaissances des étudiants, compléter avec d'autres exemples. Utiliser aussi la carte de la page 144 pour expliquer certains mots nouveaux (_côte, département, commune,_ etc.).

Il est possible de compléter le vocabulaire descriptif du paysage et des lieux touristiques si les étudiants le souhaitent (en préparation à l'activité suivante).

Demander aux étudiants de trouver sur la carte les endroits où l'on peut pratiquer les activités présentées en bas de page.

Activité optionnelle. Temps de préparation : 7 minutes.

En petits groupes hétérogènes (4-5 étudiants), faire rédiger un petit questionnaire sur la France à partir du texte, de la carte et des connaissances des étudiants.

Ensuite chaque groupe se pose des questions.

Exercice 2

Suivre les consignes du livre de l'élève. Pour les étudiants en difficulté, leur proposer d'utiliser la même trame que le texte « Juillet en France ».

Exemple : « _(...) est un pays très varié / n'est pas un pays très varié. Vous aimez (...) ? Allez (...)_ ».

Si les étudiants sont de nationalités différentes, on peut les regrouper selon leur nationalité.

Exercice 3

Lire le courriel et répondre aux questions.

Corrigé : a. Jérémy Bonal – b. Sylvain Pesquet – c. Les Vieilles Charrues – d. (message de Sylvain) : Salut Jérémy ! Je vais au festival des vieilles Charrues le 28 juillet, tu veux venir ? Le programme est super ! À bientôt, Sylvain. – e. Il ne peut pas, il est invité à une fête.

Exercice 4

Les étudiants imaginent et rédigent une invitation (à ce niveau, on ne peut attendre des étudiants qu'une brève production).

À savoir

Le festival des Vieilles Charrues : Festival de musique et de chansons qui a lieu en juillet à Carhaix (Bretagne).

Pages 44–45
Forum

Objectifs

● **Savoir-faire (situations orales) :**
- Donner quelques éléments de la biographie d'une personne (naissance, activités marquantes, incidents marquants, mort)
- Parler des horaires d'ouverture

● **Grammaire :**
- Découvrir et utiliser le passé composé pour dire ce qu'on a fait (voir les objectifs de la partie « Outils »)

● **Connaissances culturelles :**
- Le musée Grévin et quelques personnalités célèbres

● **Vocabulaire :**
- *un chien, un château, la cire, la coupe (du Monde), la lune, un médecin, une pièce (de théâtre), un rendez-vous, un souvenir, les vacances*
- *scolaire, férié*
- *naître, jouer (au cinéma), gagner, ouvrir*

Activité 1 : lecture du document « Musée Grévin »

A. Compréhension du document à l'exclusion de la partie horaire.

Faire reconnaître le type de musée en faisant appel aux connaissances des étudiants ou en le rapprochant d'un musée connu. Par exemple, Madame Tussaud, à Londres.

Peut-être certains reconnaîtront-ils des célébrités ? La compréhension du document devrait être plus facile. Pour aider les étudiants à entrer dans le texte, poser les questions :

« *Qu'est-ce qu'il y a au musée Grévin ?* » (3 000 personnages de cire).

« *Qu'est-ce qu'on peut faire ?* » (Découvrir, faire des rencontres, prendre des photos).

Expliquer :

« *La cire* » : Les personnages du musée Grévin sont en cire.

B. Compréhension de la partie horaire.

Les étudiants font des hypothèses sur le sens des mots. Observer un calendrier, compléter la liste « Les jours de la semaine ».

Expliquer :

– « *ouvert* » : ouvrir la porte ;
– « *tous les jours* » : lundi – mardi – mercredi – jeudi – vendredi – samedi – dimanche
– « *Vacances scolaires* » : Le mot « vacances » est connu. Rapprocher « scolaire » de « école ».

– « *Jour férié* » : jour de fête, jour où on ne travaille pas. Éventuellement, montrer sur un calendrier (p. 50).

Activité 2 : jeu « Qui est qui ? »

1. Montrer les huit phrases et les huit photos. Dire qu'il faut associer chaque phrase à une photo. Il est possible de faire cette activité par groupes de deux ou trois.

Corrigé : *1. Georges Clooney – 2. Victor Hugo – 3. Madonna – 4. Antonio Banderas – 5. Marie-Antoinette – 6. Zinedine Zidane – 7. Tintin – 8. Monica Bellucci.*

2. Mise en commun et analyse de chaque phrase. Les étudiants indiquent les mots qui leur ont servi à reconnaître le personnage dont il est question. On s'assure ensuite de la compréhension des autres mots de la phrase.

Dans chaque phrase, faire observer les verbes. Les étudiants auront compris que l'on parle du passé. Il suffit de faire observer la formation du passé.

Au fur et à mesure de la découverte des phrases, on note au tableau la forme verbale et son infinitif sur deux colonnes (construction avec « avoir » et avec « être »). On fait remarquer la construction.

Construction avec « avoir »	Construction avec « être »
j'ai joué (jouer)	je suis née (naître)
j'ai été (être)	je suis allée (aller)
j'ai gagné (gagner)	

Expliquer :

– « *le monde entier* » : montrer la totalité de la carte du monde page 6.
– « *gagner* » : à partir d'un exemple, comme la dernière Coupe du Monde.
– « *pièce de théâtre* » : roman, livre de philosophie. Donner des exemples.

Activité 3. Observer la conjugaison du passé composé page 47 et notamment la forme avec « il » et « elle ».

Ensuite les étudiants se mettent en petits groupes homogènes et choisissent 5 personnes importantes pour eux (on peut proposer aux étudiants en difficulté de n'en choisir que 3).

Les étudiants préparent leur liste et la présentent à la classe.

« *Gandhi. C'est un grand homme politique indien. Etc.* »

Corriger la construction du passé composé.

Activité ludique pour pratiquer le passé composé et la description de personnes.

Matériel : post-it

Modalités : en petits groupes (4 ou 5 personnes)

Durée : 15 minutes

But du jeu : deviner le nom du personnage que l'on a sur le front en posant des questions au groupe.

Leçon 4 **Raconte-moi**

Déroulement : distribuer un post-it à chaque étudiant. Leur demander d'écrire le nom d'un personnage pour leur voisin de gauche (Attention à bien cacher les post-it). Une fois que chacun a écrit, il colle son post-it sur le front de son voisin de gauche. Chacun leur tour, ils poseront une question fermée (= à laquelle on répond oui ou non) au groupe pour deviner qui ils sont. Si la réponse est oui, ils peuvent reposer une question, si c'est non, on passe au suivant.

À savoir

Le musée Grévin : Musée de cire situé à Paris, créé en 1882 sur le modèle du musée de Mme Tussaud à Londres. Alfred Grévin fut le premier sculpteur des personnages de cire qui sont actualisés régulièrement.

Monica Belluci. Mannequin et actrice italienne qui a joué dans de nombreux films français (**Le Pacte des loups, Astérix et Obélix mission Cléopâtre, Le Concile de pierre**).

Tintin. Personnage de bande dessinée créé en 1929 par le dessinateur belge Hergé. Les BD de Tintin sont toujours très populaires.

Zinedine Zidane. Joueur de football vedette de l'équipe de France dans les années avant et après 2 000.

Marie-Antoinette (1755-1793). Fille de l'empereur germanique et épouse du roi de France Louis XVI. Sa vie romanesque a inspiré des biographies, des films et des romans.

Antonio Banderas est un acteur et réalisateur espagnol.

Madonna est une chanteuse, actrice, danseuse et productrice américaine.

Victor Hugo est un poète et dramaturge romantique considéré comme l'un des plus importants écrivains de langue française. Il est aussi une personnalité politique et un intellectuel engagé qui a compté dans l'Histoire du XIXᵉ siècle.

Georges Clooney est un acteur, réalisateur, scénariste et producteur de cinéma américain. Il est devenu célèbre grâce à son rôle du docteur Doug Ross dans la série télévisée *Urgences*. Puis, il a mené une importante carrière au cinéma à travers des films comme *Ocean's Eleven, Good Night and Good Luck* et *Syriana* (qui lui a valu l'Oscar du meilleur acteur dans un second rôle).

Pages 46–47
Outils

Objectifs

● **Savoir-faire :**
- Dire ce qu'on a fait
- Présenter un événement passé
- Demander / Donner l'heure

● **Grammaire :**
- passé composé (relation d'un événement passé). Construction avec « *avoir* » et « *être* ». Nous introduisons très tôt le passé composé pour qu'il soit utilisé dans la communication courante de la classe (*Je n'ai pas compris – Vous avez appris le vocabulaire ? – Qu'est-ce que tu as fait pendant le week-end ?*)
- Emploi des prépositions qui permettent d'indiquer l'heure

● **Vocabulaire :**
- *les jours de la semaine, les mois de l'année, les moments de la journée : matin, midi, après midi, soir, nuit, minuit*
- *prochain – dernier*
- *quand – en avance – en retard*

● **Prononciation :**
- Marques orales du féminin – opposition « un », « une »
- Marques orales du pluriel

Présenter des événements passés

Exercice 1

Observation du dessin. Qui sont les personnes ? Réponses possibles : « *Ce sont deux lycéens, le frère et la sœur, des amis. Ils sont avec leur père, leur grand-père ... ».*

Où sont-ils ? → « *Ils sont à la maison / chez eux... »*

Lire le début du programme du week-end à Paris.

Lire les phrases des bulles en remarquant comment l'information indiquée dans le programme est relatée.

6 h : départ de Marseille → *Nous sommes partis à 6 heures.*

Trouver de quel verbe il s'agit : partis → partir, etc.

Observer les deux modes de formation du passé composé.

*Nous **sommes partis**. / Nous **avons visité**.*

Lecture de l'encadré **Le passé composé**, page 47 : Au fur et à mesure de la lecture, faire les exercices correspondants.

Exercice 2

Cet exercice permet d'observer l'accord du participe passé avec « être » et « avoir ». À ce niveau de l'apprentissage, on n'envisage pas l'accord du participe passé avec l'auxiliaire « avoir » dans le cas où le verbe est précédé d'un complément antéposé. On attendra l'introduction des pronoms compléments antéposés.

Exercice 3

Corrigé : *Qu'est-ce que tu **as fait** ? – Je **suis allé** – Nous **avons vu** – Nous **avons fait** une promenade – Je **suis rentré(e)** (l'orthographe dépend de la personne qui parle) – J'**ai fait**.*

Exercice 4

Il s'agit de préparer un répertoire de questions et de réponses qui seront utilisées dans la communication courante de la classe.

Envisager les situations suivantes et faire trouver les formules aux étudiants.

a) les demandes du professeur : « *Vous avez fait votre travail ? Vous avez fini l'exercice ?* ».

a) les demandes des étudiants au professeur : « *Je n'ai pas compris.* ».

a) les questions qu'on se pose avant le début du cours : « *Tu as appris le vocabulaire ? Qu'est-ce que tu as fait hier soir ? Tu as vu le film à la télévision ?* ».

Préciser l'heure

Lecture de l'encadré ou présentation par le professeur. Faire remarquer les différences avec la façon de dire l'heure dans la langue des étudiants.

Exercice 5

a) Corrigé : *3h10 (15.10) – 5h15 (17.15) – 7h40 (19.40) – 9h30 (21.30).*

b) Lecture de l'heure à haute voix.

c) Écouter chaque document sonore. Trouver le document écrit auquel il correspond et compléter celui-ci.

Corrigé : *Cinéma Forum, « Le Jour d'après » : 14h30 – 18h15 / Bibliothèque André Malraux, ouverte de 10h à 18 h du mardi au samedi.*

À l'écoute de la grammaire

Exercice 1

Corrigé : *Présent (1 – 4 – 7) ; Passé (2 – 3 – 5 – 6).*

Exercice 2

Il est possible d'imaginer individuellement ou collectivement une suite à l'histoire : simple succession de verbes au passé composé : « *Je suis rentré chez moi. J'ai lu. J'ai regardé la télé-*

vision. J'ai dormi. Le matin j'ai appelé Marie, une amie ... ».

Idée : on peut faire travailler les étudiants sur le poème de Jacques Prévert, *Le déjeuner du matin* (à l'écrit comme à l'oral, car il existe en version enregistrée par Serge Reggiani).

Pages 48–49
Échanges

Objectifs

● **Savoir-faire :**
- Demander / Donner l'heure
- S'excuser pour être arrivé en retard
- Féliciter quelqu'un
- Faire un projet avec des indications de temps
- Porter un toast

● **Grammaire :**
- Employer le passé composé
- Répondre (moi aussi / moi non plus)

● **Vocabulaire :**
- *l'amour, les félicitations, un téléphone portable, un SMS, la santé, un jardin, un casting*
- *bizarre, génial*
- *arriver, continuer, dormir, rentrer, voir, répéter*
- *jusqu'à, puis*

● **Prononciation :**
- L'enchaînement (l'heure – les groupes adjectifs + noms)

Scène 1
Activité 1.

Observer le dessin, dialogue caché. Écouter le dialogue séquence par séquence.

a. Jusqu'à la réplique de Sarah : « *On a un problème.* ». → Quel est le problème ? Florent n'est pas là et il doit jouer Quasimodo.

b. Jusqu'à « *Je sais Lucas.* ». → Que propose Lucas ? Il propose de jouer le rôle de Quasimodo à la place de Florent.

c. Jusqu'à « *On va voir.* ». → Qu'on fait Noémie et Florent ? Ils sont allés au jardin des Tuileries, ils ont mangé un sandwich, ils sont rentrés à 17 h, Florent est allé dans sa chambre.
À votre avis, est-ce qu'ils vont retrouver Florent ? Où est-il ? Qu'est-ce qu'il s'est passé ?

d. Jusqu'à la fin. Vérification : Florent est arrivé. Il a dormi jusqu'à 8 h, il est désolé.

Scène 2
Activité 2.

Transcrire le dialogue et noter les expressions qui permettent de féliciter (« *bravo, félicitations, tu as été génial* »).

Noter aussi l'intonation des phrases de félicitations et des phrases où on porte des toasts.

À la suite de la dernière réplique de Mélissa, lire les SMS qu'elle et Lucas ont reçus. Qui a écrit ces SMS ? Qu'est-ce qu'ils proposent ?

– Maxime propose de visiter Paris avec Mélissa.

– Élise propose à Lucas d'aller faire du surf sur la Côte Basque avec elle.

Lire le tableau « Moi aussi / moi non plus » et faire pratiquer ces réponses à partir de quelques exemple (« *Tu fais de la musique ? – Oui / non – Et toi ? – Moi aussi / Moi non / Moi non plus / Moi si* »).

Scène 3

1ʳᵉ écoute : s'arrêter après Florent à « Qu'est-ce que ça veut dire ? ». Demander aux étudiants d'imaginer le sens de l'expression. Vérification par l'écoute.

Activité 3 :

Écouter la fin de l'enregistrement et dire si les affirmations sont vraies ou fausses. Si c'est faux, corriger.

Lire l'encadré « donner une explication ».

Faire produire de petites saynètes sur le thème de l'incompréhension.

Hypothèses sur la suite de l'histoire.

Activité 4.

Les étudiants se mettent par groupes homogènes. Chaque groupe choisit un personnage de l'histoire et imagine l'avenir de ce personnage. Utiliser le futur proche (*Lucas va partir en vacances avec Élise. Il va faire du surf. Puis il va téléphoner à Mélissa. Il va aller aux Antilles ...*).

Prononciation

Dans les deux exercices, bien faire observer et reproduire les liaisons. Attention à la liaison « deux heures » : prononcer [z] et non [s].

Bien insister sur la prononciation.

À savoir

Le jardin des Tuileries. Jardin public situé à l'ouest du Louvre, au centre de Paris. Construit au XVIᵉ siècle et réaménagé au XVIIᵉ, c'est un bon exemple de jardin classique « à la française ». Il a été le théâtre de nombreux épisodes de l'histoire de Paris.

La chanson « Aux Champs Elysées ». Chanson de Pierre Delanoé interprétée par Joe Dassin, créée en 1969.

La côte basque : région située au Sud-Ouest de la France, au bord de l'océan Atlantique, à la frontière espagnole.

Pages 50–51 Découvertes

Objectifs

● **Connaissances Culturelles :**
- Le calendrier en France
- Connaître quelques rythmes de vie : journées et année scolaires, heures d'ouverture des magasins et des services, journée de travail

● **Savoir-faire :**
- Comprendre des précisions sur les horaires et un emploi du temps

● **Vocabulaire :**
- *un horaire – la poste – le supermarché – une réunion – un dentiste*
- *dîner*

Les rythmes de vie en France

Exercice 1

Le calendrier : faire retrouver les mois de l'année, les jours de la semaine, faire rechercher les fêtes et les indications de saison.

Les étudiants se partagent les documents. Ils doivent noter tout ce qu'ils trouvent différent des réalités de leur pays. Faire ensuite une mise en commun.

- Les affichettes des heures d'ouverture : comparer avec le même type de magasins et de services dans le pays de l'étudiant.
- Les documents sur l'école.
- Les journées de vendredi et de lundi de l'agenda de Paul. Faire oraliser le déroulement des activités de Paul.

Exercice 2

Compléter et corriger l'emploi du temps de Léa.

Corrigé : *Vendredi : géographie de 11 h à 12 h. – 13 h : 2 heures d'espagnol – pas de cours d'anglais. 17 h-19 h : danse*
Samedi : pas de tennis mais devoirs l'après-midi.
Dimanche : grasse matinée jusqu'à midi. Tennis avec Louis l'après-midi.

Exercice 3

Exercice de compréhension écrite et de production orale à faire en sous-groupes.

Pour les classes avec des étudiants d'origines diverses, il est intéressant de mélanger les nationalités afin que chacun apprenne des autres.

Laisser les étudiants échanger pendant 5-7 minutes (selon la taille des groupes – 5 étudiants maximum par groupe) et mettre en commun.

À la suite de cette activité, on peut faire rédiger un petit texte sur les rythmes scolaires du pays d'origine des étudiants.

Exercice 4

Suivre les consignes du livre de l'élève. Activité à faire individuellement avec correction collective. Bien insister sur les différentes prépositions ou articles à utiliser selon les cas.

Avec une seule date :

Avec une année : « *en* » → *Je suis né en 1997.*

Avec un mois : « *en* » → *Je suis parti en vacances en mars.*

Avec une date : « *le* » → *Il est né le 17 mars 1996.*

Avec deux dates :

Avec deux années : « *de ... à* » → *J'ai habité en Suisse de 2008 à 2010.*

Avec deux mois : « *de ... à* » → *Elle a fait un stage de mai à août.*

Avec deux dates : « *du ... au* » → *Il a été absent du 14 septembre au 06 octobre.*

Activités complémentaires :

S'il y a du temps, il est possible de faire un calendrier illustré avec les différentes fêtes (françaises, francophones, des pays des étudiants).

On peut également étudier les principales fêtes en France et dans les pays francophones.

À savoir

Le calendrier. Il témoigne :
- de l'histoire religieuse de la France. Chaque jour correspond à un saint ou à une fête religieuse. Ces repères culturels sont toujours vivants. On fête la Saint-Valentin, la Saint-Patrick ou la Saint-Jean et certains se souhaitent « Bonne fête » ;
- de son histoire politique. Voir les fêtes civiles : la fête nationale (14 juillet), le 1er mai, le 8 mai.

L'année scolaire
- Juillet et août sont les grandes vacances ou vacances de fin d'année scolaire.
- 15 jours de vacances début novembre, pour Noël, à la mi-février et à Pâques.
- Le mois de mai comporte plusieurs jours fériés (1er mai, 8 mai, jeudi de l'Ascension). Quand tous ces jours tombent un jeudi on « fait le pont » ce qui fait trois longs week-ends de 4 jours.

La journée à l'école. De 8 h 30 à 11 h 30 et de 13 h 30 à 16 h 30 pour les écoles élémentaires (jusqu'à 11 ans). De 8 h à 12 h et de 13 h 30 à 16 h 30 pour les collèges et les lycées.

Les heures de bureau. On travaille de 9 h à 18 h avec une heure de pause pour le déjeuner (mais 35 h par semaine). Les banques et les administrations ouvrent du lundi au vendredi de 9 h à 17 h. Quelques banques sont ouvertes le samedi matin. Les magasins sont ouverts au moins de 10 h à 19 h. Les supermarchés de 8 h à 21 h.

Projet

Début de la rédaction du journal en français.

Cette activité sera l'occasion de faire un bilan de l'Unité 1. Le journal en français est un document personnel, il est donc bien de laisser les étudiants choisir leur support. Ainsi, ils se l'approprieront plus aisément et auront davantage envie d'y écrire. Il ne doit pas être confondu avec le cahier d'exercices. On peut proposer aux étudiants d'amener des cahiers, de les décorer, de faire un blog, de publier des podcasts si c'est possible. Ce journal sera tenu à jour en dehors des cours.

A. Présentation

1. La première page sera consacrée à une présentation de l'étudiant, sous forme de fiche ou sous forme de texte (selon le niveau).

Exemple de fiche :

Nom :		Prénom :	
Age :	ans	Nationalité :	
Adresse :			
Classe :			
Mes loisirs :			
J'aime :		Je n'aime pas :	
-		-	
-		-	
-		-	
-		-	
-		-	
-		-	
-		-	

2. La deuxième page présentera le parcours en français de l'étudiant, et éventuellement son parcours scolaire. Pour ce texte, il faudra utiliser les dates, le passé composé, les matières scolaires.

a. L'étudiant présente : son parcours scolaire (brièvement).
Exemple : « *Je suis en 1re au lycée français de Budapest. J'étudie le français, les mathématiques, ...* »

b. Il retrace son « historique » avec le français. En quelle année il a commencé, est-il déjà allé dans un pays francophone, lequel ? A-t-il des amis, des correspondants français ?

3. La troisième partie est consacrée à la classe de français.

L'étudiant y présente son établissement.

« Mon école/lycée s'appelle (...) Elle / il est situé (e) à ... (ville) en ... (pays).

Mon professeur de français s'appelle (...). C'est un homme / une femme.

Dans ma classe, il y a (...) étudiants. Ils s'appellent (...).

Il y a (...) filles et (...) garçons. Ils sont de nationalités diffé-

rentes : il y en a qui viennent de ... (pays). / Tout le monde a la même nationalité : nous sommes ... (nationalité). ».

La partie présentation est maintenant terminée. On peut toutefois décider selon les profils de classe, le travail effectué d'ajouter d'autres parties : une présentation de son pays, un texte sur une célébrité, par exemple.

B. Le journal

Maintenant, on peut commencer la rédaction du journal (qui se fera à la maison). Le rythme peut être quotidien (un petit article par jour) ou hebdomadaire (bilan de la semaine). Le professeur devra régulièrement corriger les productions des étudiants.

En fonction des points vus en cours, on pourra proposer aux étudiants d'écrire dessus.

Il n'est pas facile de réussir à faire perdurer ce projet, qui doit toutefois rester un « plaisir ». L'important est que l'étudiant écrive en français, on peut donc le laisser choisir les sujets qu'il traite.

Le professeur explique le but de ces pages « Entraînement ». Six exercices sont proposés. Les exercices peuvent être corrigé par le professeur ou par les étudiants entre eux (grâce au livre et aux notes prises).

Avant chaque exercice, le professeur lis la consigne et vérifie que tout le monde a bien compris ce qu'il faut faire (« *compléter, répondre, écouter, cocher, etc.* »).

Exercice 1

Proposition de corrigé : a. → *Où est le musée / le cinéma s'il vous plaît ? – b.* → *Bonjour, tu vas bien ? / Comment ça va ? Comment tu vas ? – c.* → *Rendez-vous / À demain ! – d.* → *Toutes mes félicitations. / Tu as gagné ! – e.* → *désolé.*

Exercice 2

Proposition de corrigé : a. → *Excusez-moi, je n'ai pas compris. Qu'est-ce que ça veut dire ? – b.* → *Vous pouvez répéter s'il vous plaît ? – c.* → *Je ne comprends pas. Vous pouvez m'expliquer s'il vous plaît ? – d. Excusez-moi, je n'ai pas fait l'exercice. / J'ai oublié de faire l'exercice. / Je n'ai pas compris l'exercice.*

Exercice 3

a. Deux écoutes seront proposées pour cet exercice.

Laisser 30 secondes aux étudiants pour lire la fiche. Procéder à la 1re écoute. Laisser une pause de 30 secondes pour compléter les réponses. Puis procéder à la 2e écoute.

Corrigé : *a.* → *7 – b.* → *2 (ou 1-2) – c.* → *10 – d.* → *5 – e.* → *9.*

b. Même démarche que pour la partie a.

Corrigé : *a.* → *8 – b.* → *6 – c.* → *3 – d.* → *2 – e.* → *4.*

Exercice 4

a. – Le document parle de quel événement ? 1) La fête de la musique ; 2) Une journée sportive ; 3) Une soirée techno.

– Où se passe l'événement ? 1) Dans toute la ville ; 2) Dans la forêt de Fontainebleau ; 3) Au Saturne.

– Quel jour ? À quelle heure ? 1) le 21 juin ; 2) le 26 octobre, de 8 h à 19 h ; 3) Le 31 décembre, au soir.

b. Bien indiquer aux étudiants qu'ils peuvent/doivent s'aider des documents originaux.

Propositions de corrigé :

Pour le document 1 : *Salut ! Tu vas bien ? Tu veux venir à la fête de la Musique avec moi le 21 juin ? C'est toute la journée, ça va être génial !! On peut jouer de la musique si on veut ! Je vais prendre ma guitare !*

Pour le document 2 : *Coucou !! Dimanche 2 octobre, le club forme organise une journée sportive dans la forêt de Fontainebleau ! On peut faire de l'escalade, du volley et aussi une randonnée ! Ça va être super cool, tu dois venir !!*

Pour le document 3 : *Salut ! Le 31 décembre, il y a une soirée techno au Saturne, c'est un super club. Tu viens ? C'est toute la nuit, on va danser, s'amuser ! Tu vas adorer ! À plus !*

Exercice 5

Rappeler aux étudiants qu'il faut utiliser le passé composé pour faire cet exercice.

Proposition de corrigé : « *Avec mes parents, nous sommes allés trois jours dans les Alpes. Nous sommes partis le vendredi matin. L'après-midi, nous avons visité Annecy, j'ai adoré, c'est beau !!! Le samedi, nous avons fait du VTT et du canyoning. Et le dimanche soir, nous sommes rentrés. J'ai adoré !* »

Exercice 6

Pour faire cet exercice, il faut utiliser le futur proche.

Proposition de corrigé : « *Ce week-end, je vais jouer aux jeux vidéos, je vais faire de la peinture. Samedi, je vais faire du skate-board avec mes copains. Dimanche, je vais jouer au football et, le soir, je vais faire mes devoirs.* »

JE ME DÉBROUILLE.

Objectifs généraux de l'unité

Préparer les étudiants à un bref séjour dans un pays francophone pour qu'ils puissent se débrouiller dans les actes courants de la vie quotidienne.

- préparer un voyage (s'adresser à une agence de voyage, faire des réservations de transports et d'hôtels, prendre contact avec des organismes ou des personnes qui assureront l'hébergement) ;
- utiliser les moyens de transport ;
- se nourrir (aller au restaurant, acheter de la nourriture) ;
- se loger (à l'hôtel, en location, etc.) ;
- s'orienter (demander sa route, comprendre une carte ou un plan, comprendre des indications touristiques) ;
- résoudre les problèmes quotidiens propres aux situations ci-dessus.

L'histoire des pages « Échanges »

« Vacances à la montagne »

Antoine, Malik, Julie et Clara viennent d'obtenir leur bac. C'est le début des vacances d'été, ils décident de partir en vacances ensemble chez les cousins d'Antoine, à Cambo, dans le sud-ouest de la France.

Les quatre amis partent en train direction Bayonne. À leur arrivée, ils découvrent la maison des cousins, une maison basque typique, perdue dans une jolie campagne vallon-née. Les garçons installent une tente pour dormir car la maison est trop petite pour accueillir tout le monde.

Tous les ingrédients sont réunis pour que les quatre amis passent des vacances formidables. Mais nos jeunes citadins vont être bientôt confrontés aux réalités de la vie à la campagne...

Leçon 5 — Bon voyage !

Pages 56–57
Forum

Objectifs

● **Savoir-faire :**
- Comprendre un document publicitaire d'agence de voyage
- Parler d'un voyage (destination, moyens de transport, type de voyage, avantages et inconvénients)
- Exprimer une opinion à propos d'un voyage

● **Grammaire :**
- Emploi des formes comparatives et superlatives

● **Vocabulaire :**
- *Les voyages :* un office du tourisme, un *séjour*, un circuit, une formule, une découverte, la nature, un paysage, une tente
- *Les moyens de transport :* en avion, en car, en pirogue, à pied
- *Les activités :* une randonnée, les sports nautiques
- intéressant, loin, près, meilleur, mieux, cher, intéressant, fatigant, tranquille
- plus, moins

Découverte du document

Laisser les étudiants observer le document et les interroger.

Qu'est-ce que c'est ? - Une affiche ? Une publicité ? Un article de presse ? → C'est une publicité.

Pour quoi ? → Des voyages, des séjours organisés par l'office du tourisme étudiant.

Pour qui ? → pour des étudiants.

Faire observer le document, faire deviner le vocabulaire grâce aux images.

Image 1 : le lac, les animaux sauvages (la baleine, sur la photo, est un animal sauvage).

Image 2 : une randonnée (les personnes font une randonnée), la nature.

Image 3 : une pirogue, la forêt.

Image 4 : la plongée, les sports de mer.

Activité 1

Travail en petits groupes hétérogènes.

a. Chaque petit groupe explore le document de l'office du tourisme étudiant et note les informations demandées. Mise en commun. C'est l'occasion pour l'enseignant de faire une mise au point sur la compréhension du vocabulaire du document. On présentera notamment :
- le type de voyage (séjour, circuit, etc.) ;
- la destination (situer sur les cartes) ;
- les lieux visités (le Lac St Jean, les Pyrénées, la Guyane, la Corse.) ;
- les activités (découvrir, se détendre, visiter, rencontrer, etc.).

b. Expliquer : *plus, moins, cher, intéressant, fatigant* (gestuelle). Faire répondre les étudiants.

c. Chaque groupe présente le voyage qu'il a choisi et dit pourquoi. On peut à ce moment introduire le vocabulaire des transports en faisant appel aux préférences des étudiants : *« Pour aller de ... à ..., je préfère prendre le train. »*.

Activité 2

Réaliser la page d'accueil d'un site internet d'une agence de voyages.

Il s'agit d'imiter le document qu'on vient d'étudier en proposant d'autres séjours et destinations. Les étudiants travaillent par groupes. Suivre les consignes données dans le livre.

À savoir

Le lac St Jean : c'est un grand lac au Québec (région francophone du Canada). Le lac St Jean est entouré de montagnes et il fascine par la beauté et la richesse de ses paysages.

Les Pyrénées : chaîne de montagnes séparant la France et l'Espagne. À la différence des Alpes, les Pyrénées ont des vallées profondes et encaissées avec de nombreux lacs.

La Guyane (les Wayanas) : ancienne colonie française devenue département d'outre-mer, située au nord du Brésil, sur la côte atlantique. C'est là que se trouve Kourou, la base de lancement de la fusée Ariane. Seule la partie côtière est peuplée, le reste est un parc naturel où les habitants (notamment les Wayanas) ont pu conserver leur mode de vie traditionnel.

La Corse : c'est une île française située dans la mer méditerranée, à 177 km des côtes de la métropole. La Corse offre des paysages sauvages et magnifiques (montagnes, plages, forêts, petits villages pittoresques). L'île est traversée du nord au sud par le GR 20, un grand chemin de randonnée.

Pages 58–93
Outils

Objectifs

● **Savoir-faire :**
- Comparer des voyages ou des séjours de vacances
- Proposer, accepter, refuser
- Montrer quelque chose

● **Grammaire :**
- Les constructions comparatives et superlatives avec les adjectifs
- Les adjectifs démonstratifs
- La conjugaison des verbes « *devoir* », « *pouvoir* », « *vouloir* » et « *prendre* »

● **Prononciation :**
- L'opposition entre [u] et [y]
- Le son [ɛ]

Comparer

Exercice 1

Les étudiants observent la BD. Poser les questions :

C'est un voyage où ? → En Égypte.

Combien ça coûte ? (mimer avec les mains) → 500 €

C'est cher ?

Lire ensemble l'encadré « comparer » et demander aux étudiants d'associer les symboles + / – / = avec : « *plus* », « *moins* », « *aussi* ».

Expliquer « *meilleur* » : « *plus bon* ».

Utiliser la liste des prix pour introduire les formes comparatives.

Corrigé : *le voyage en Italie est moins cher – le voyage en Russie est plus cher – le voyage en Égypte est aussi cher – le voyage en Italie est le moins cher de tous les voyages – le voyage en Russie et le voyage au Mexique sont les plus chers (sont aussi chers).*

Interroger les étudiants : « *Quel est le voyage le plus cher, le moins cher, etc.. ?* ».

Introduire « *trop* » et le différencier de « *très* » : « *Le voyage en Italie n'est pas très cher mais il est trop cher pour moi car je n'ai pas d'argent* » (On peut aussi attendre la scène 1 des pages Échanges pour introduire ce mot).

Exercice 3

Proposition de corrigé : Johnny Depp est célèbre. Leonardo di Caprio est aussi célèbre. – Marion Cotillard est jeune. Catherine Deneuve est moins jeune. – « Pirates des Caraïbes 2 » est bon. « Pirates des Caraïbes 3 » est moins bon. – Angelina Jolie est belle. Angela Merkel est moins belle. – Georges Clooney joue des rôles comiques. Jean Dujardin joue des rôles plus comiques. – Le cours de géographie est intéressant. Le cours de français est plus intéressant. – Le cours de sport est fatigant. Le cours de maths est plus fatigant.

Proposer, accepter, refuser

Demander aux étudiants d'observer la BD et les interroger afin de leur faire comprendre le sens de « proposer », « accepter », « refuser » (écrire au tableau, au TBI ou préparer les questions sur des feuilles à part).

Qu'est-ce que le garçon propose ? Un voyage ? Une randonnée ? Une sortie sportive ?

La fille accepte. (oui) / Elle refuse. (non) - Pourquoi ?

Donner des exemples pour être sûr que tout le monde ait compris. Observer les conjugaisons des quatre verbes et compléter l'exercice 4.

Exercice 4

Corrigé : *tu veux / je prends / je dois / je ne peux pas / je dois.*

Lors de la correction, faire remarquer aux étudiants que « *devoir* », « *vouloir* » et « *pouvoir* » sont suivis d'un verbe à l'infinitif.

Activité complémentaire en prolongement de l'exercice 4 : « Cadavre exquis »

Modalité : en groupe classe

Matériel : un quart de feuille de papier par étudiant

Durée : 5 minutes

Le jeu du « cadavre exquis » est un jeu littéraire inventé à Paris, au 54 rue du Château, dans une maison où vivaient Marcel Duhamel, Jacques Prévert et Yves Tanguy. Le principe de ce jeu était que chacun des participants écrive à tour de rôle une partie d'une phrase, dans l'ordre sujet-verbe-complément, sans savoir ce que le précédent a écrit. La première phrase qui résulta et qui donna le nom à ce jeu fut : « *Le cadavre – exquis – boira – le vin – nouveau* ».

Dans cette activité, il s'agit de reprendre le principe du « cadavre exquis » afin d'employer les nouveaux verbes dans un contexte ludique et créatif.

Chaque étudiant inscrit un début de phrase sur son papier : « *Je veux* + infinitif » et replie le papier afin de cacher ce qui est écrit et le passe à son voisin.

L'étudiant suivant inscrit « *mais* + un pronom personnel, une personne ou un nom de son choix + le verbe *devoir* conjugué à la bonne personne + infinitif ». Il replie son papier et le passe à son voisin.

Une fois, les deux étapes passées, chaque étudiant déplie son papier et lit sa phrase à voix haute. La classe estimera si les phrases sont acceptables ou non selon les critères suivants :

- la correction grammaticale (le plus important) ;
- la logique de la phrase (en effet, il est fort probable que certaines phrases soient absurdes, ne veulent rien dire ou soient d'une grande poésie !).

Exercice 5

Les deux verbes sont de la même famille, il s'agit de « *comprendre* » et « *apprendre* ».

Faire observer et déduire la conjugaison de ces verbes.

Exercice 6

Suivre les consignes du livre de l'élève.

Activité de production

Objectif : s'entraîner à proposer, accepter, refuser. Révision : saluer, remercier

Leçon 5 **Bon voyage !**

Modalités : travail individuel à l'écrit et/ou à l'oral

Durée : 15 minutes

Déroulement :

Chaque étudiant rédige une invitation (voyage, sortie) pour un autre étudiant (tirer les noms au sort). Pendant la rédaction, le professeur passe pour aider individuellement les étudiants.

Les invitations sont ensuite distribuées aux étudiants qui doivent y répondre (par écrit ou à l'oral). Ils doivent au minimum accepter et remercier ou refuser et justifier (« *c'est trop cher, trop loin...* »).

Bien rappeler aux étudiants d'utiliser ce qui a été vu aux leçons précédentes concernant les formules de politesse.

Montrer

Découverte

Faire observer le dessin. Transférer à la situation de classe en désignant des objets : « *ce stylo, cette table...* ». À partir de tous ces exemples, demander aux étudiants de deviner la différence entre « *ce* », « *cet* », « *cette* » et « *ces* ».
ce = masculin singulier.
cet = masculin singulier (devant une voyelle ou h muet).
cette = féminin singulier.
ces= pluriel (masculin et féminin).

Corriger et vérifier en lisant le tableau.

Exercice 1

Corrigé : *ces* personnages / *cet* acteur / *cette* chanteuse / *ce* personnage.

À l'écoute de la grammaire

Exercice 1

Prononciation de [y], qui a tendance pour certains étudiants à être rapproché de [u] ou de [i].

Faire écouter le document « Déclaration ». Souligner les [y] et entourer les [u]. Faire relire plusieurs étudiants lors de la correction et bien veiller à la prononciation.

Proposer aux étudiants de continuer la déclaration (travail en petits groupes).

Exercice 2

Écouter les phrases et souligner les [ɛ].

Bien faire noter l'opposition entre [ɛ] (bouche très ouverte, lange vers l'avant) et [e] (bouche serrée, ouverture latéral, langue vers l'avant).

Proposer aux étudiants de lire le dialogue. Ne pas hésiter

à demander aux étudiants d'être attentifs et d'évaluer les prestations de leurs camarades.

Activité de pratique de l'écoute et de la prononciation des sons [ɛ] / [e].

Le code

Placer les étudiants en cercle ou en U pour pratiquer cette activité de « bouche à oreille ».

Avant le début de la partie, le professeur décide d'un code uniquement composé de [ɛ] et de [e] (il est possible de les écrire è / é). Il est important d'avoir une trace écrite de ce « code ».

Le professeur chuchote le code à l'oreille du premier étudiant, qui le répète à son voisin et ainsi de suite. Le dernier étudiant doit donner le code (éventuellement l'écrire au tableau). Si le code correspond à l'original, la classe a gagné.

Cette activité d'apparence très ludique permet en réalité de travailler sur l'écoute, la prononciation et l'articulation. Il faut d'ailleurs bien insister sur ces points, si l'étudiant n'articule pas bien ou ne prononce pas clairement, le message ne sera pas correctement transmis.

Pages 60–61 Échanges

Objectifs

● **Savoir-faire :**
• Exprimer une opinion
• Exprimer l'appartenance
• Demander/donner une explication (pourquoi/parce que)
• Donner des instructions

● **Vocabulaire :**
• *le baccalauréat (le bac) – une mention – une rivière – le VTT (vélo tout terrain) – dangereux*
• *faire la fête – fêter (un anniversaire, une réussite) – attendre – regarder*
• *ensemble – pourquoi – parce que*

● **Prononciation :**
• sons [b], [v], [f]
• Enchaînement des groupes sonores

L'histoire

C'est la fin de l'année scolaire ! Malik, Antoine, Julie et Clara, tous en terminale, prennent connaissance des résultats du bac. C'est la fête, ils ont tous les quatre réussi.

Les vacances sont donc arrivées et les amis font des projets et propositions de voyage. Le coût élevé des vacances à l'étranger les poussera à choisir une destination moins exotique : Le sud-ouest de la France, chez les cousins d'Antoine.

Scène 1

Écoute du dialogue livre fermé. Demander aux étudiants si les personnes sont contentes ou tristes. Grâce à l'intonation on comprend qu'elles sont joyeuses.

1. Suivre les consignes mais demander aux étudiants de corriger si la phrase est incorrecte.

Corrigé : *a. vrai – b. vrai c. vrai d. faux. Clara est la meilleure. (Occasion de revoir le point sur la comparaison – p. 58)*
Faire remarquer et imiter les intonations : enthousiasme, étonnement.

Scène 2

2. Faire écouter le dialogue et noter les propositions.

Scène 3

Faire écouter le début du dialogue et faire deviner collectivement la réponse d'Antoine (en utilisant le vocabulaire vu aux pages précédentes).

Expliquer :

« *C'est pas beau ?* » => phrase rhétorique. On dit que l'on trouve beau tout en demandant son avis à l'autre. Ce type de phrase est différent de « *Est-ce que c'est beau ?* » et de « *Ce n'est pas beau ?* » (où l'on demande seulement son avis à l'autre).

3. Faire écouter la scène et compléter le tableau comme indiqué dans le livre de l'élève. Corriger avec la transcription (p. 140).

Faire observer les réponses aux questions négatives : « si » = réponse positive (« *C'est pas beau ? – Si, mais qu'est-ce qu'on va faire ?* ») / « non » = confirmation du contenu de la question.

Images

4. Suivre les consignes du livre de l'élève.

Jeu de rôle

5. Faire travailler les étudiants par 2 ou 3. Créer des groupes homogènes afin qu'il n'y ait ni frustration, ni complexes. Inciter les étudiants à réutiliser les structures vues dans les scènes 2 et 3, ainsi que dans la rubrique « Outils » p. 58.

Prononciation

Exercice 1 – Faire observer la façon de prononcer les trois sons :
[b] → petite explosion sonore sur le devant de la bouche (lèvres avancées) ;
[v] → lèvres rétractées, consonne sonore ;
[f] → même articulation, consonne sourde.

Corrigé : *1. [v] – 2. [b] – 3. [b] – 4. [b] – 5. [v] – 6. [f] – 7. [b] – 8. [v] – 9. [b] – 10. [f] – 11. [v] – 12. [f].*

Exercice 2 – Lire les phrases proposées. La classe peut écouter et corriger collectivement la prononciation de chacun.

À savoir

Strasbourg (425 000 habitants pour l'agglomération) : ville de l'est de la France située sur les bords du Rhin. Elle présente de nombreux lieux touristiques, notamment sa cathédrale et son quartier de la Petite France. C'est aussi le siège du Conseil de l'Europe, organisation européenne chargée des questions éducatives, culturelles et sociales et des Droits de l'homme.

Le Baccalauréat (le bac) : c'est le diplôme de fin d'études secondaires en France. Les lycéens le passent à la fin de l'année de Terminale.

Pages 62–63
Découvertes

Objectifs

● **Savoir-faire :**
- Réserver un billet de transport / confirmer, annuler, acheter
- Demander un renseignement concernant le voyage (horaires, prix, etc.)
- Comprendre des indications concernant un voyage (lieu, moyen de transport, mouvements, changement)
- Résoudre un problème concernant un voyage (par exemple : un problème de place)

● **Connaissances culturelles :**
- Avoir une idée des différents moyens de transport utilisés en France
- Les noms spécifiques relatifs aux transports (TGV, SNCF, etc.)
- Les départs en vacances

● **Vocabulaire :**
- *Les transports : un avion, un train, un tramway, un métro, un autocar, un car*
- *un réseau, une route, une autoroute, un aéroport, une compagnie aérienne, un vol, un quartier, une destination, un festival.*
- *une place, un billet, un ticket*
- *bas, préféré, nouveau-nouvelle*
- *réserver, annuler, confirmer, passer ses vacances, accueillir, apprécier, oublier*

Voyager en france

Observation de la page.

Quel est le thème ? Le point commun ? → Les transports, les voyages, les vacances.

Leçon 5 — Bon voyage !

Où sont les personnes ? → À l'aéroport (1), dans le train (2-3), dans une station de métro (4).

Exercice 1

Lecture du texte et réponse aux questions **a.** Le professeur peut prendre le temps d'expliquer les sigles et les acronymes et surtout leur prononciation.

Ainsi, les sigles se prononcent en épelant les lettres (S.N.C.F – T.G.V) mais les acronymes se lisent comme des mots (SAMU – CAF).

Corrigé : *l'avion – le train – le RER – le métro / le bus.*

b. Il s'agit là d'un exercice de production orale qui peut se faire en groupe classe ou en sous-groupes. Si les étudiants ont tous le même pays d'origine, il sera plus pertinent de réaliser cette activité en groupe classe.

Pour donner son opinion sur les transports, inciter les étudiants à chercher dans leur manuel les structures vues précédemment.

Pour préparer les prises de parole, mettre au tableau des adjectifs connus : rapide, agréable, cher, pas cher, moderne, ancien, fatigué, à l'heure...

Exercice 2

On peut proposer cette activité sous forme de compétition à aller faire au tableau. Les étudiants sont divisés en deux équipes (hétérogènes) et, deux par deux, ils viennent au tableau. Le professeur annonce un mot et, le plus rapidement possible, ils doivent trouver 2 ou 3 mots liés. Il peut s'agir d'un travail d'équipe (toute l'équipe coopère) ou individuel (ceux qui sont au tableau doivent répondre seuls).

Il est bien évidemment possible de proposer cette activité en travail individuel ou bien en sous-groupes.

Exercice 3

Première écoute du document. Demander aux étudiants d'associer un dialogue à une image et de justifier : « *C'est dans un train, c'est dans un avion...* ».

Deuxième écoute. Présenter la consigne. Lire les titres, éventuellement, expliquer les mots : *oubli, réservation, annulation, renseignement, place.*

Associer une situation à une scène.

Doc 1, b et c : réservation, photo 1. Expliquer « *place* » et « *vol* ».

Doc 2, e : problème de place, photo 2. Expliquer « *voiture* » lorsqu'il s'agit d'un train.

Doc 3, a : oubli de compostage de billet, photo 3.

Doc 4, d : demande de renseignement, photo 4. Expliquer « *métro* » et « *RER* ».

Troisième écoute. Mettre en commun et noter au tableau les structures importantes. Dans le tableau de vocabulaire, relever les mots qui n'ont pas encore été introduits. Les expliquer.

Activité de production orale

Proposer aux étudiants de se mettre par deux, de choisir un dialogue et de s'en inspirer pour présenter une petite saynète à la classe. On peut également proposer aux étudiants de jouer une réservation / un achat de billet (cf. encadré « utile en voyage »).

Exercice 4

Suivre les consignes du livre de l'élève.

Prendre le temps de bien expliquer les chiffres aux étudiants. Leur faire comprendre que s'ils sont mal dits ou compris, le message ne passera pas (on ratera son train, son avion...).

Faire pratiquer la compréhension et la production des heures et des chiffres à l'aide d'horloges, de cartes avec des chiffres, de jeux de loto.

Activité complémentaire : Rendez-vous à la gare !

Objectif : pratiquer la compréhension des heures et des chiffres

Matériel : des vignettes (à photocopier) – un tableau – du scotch

Modalités : deux ou quatre équipes de 7, selon la taille du groupe.

Durée : 10 minutes

Déroulement : deux équipes se mettent en file indienne face au tableau. Sur une table, on a posé les mots en petits tas (de 1 à 7), en respectant l'ordre indiqué sur le tableau.

Le professeur va dicter à la classe toutes les informations concernant un voyage (date, lieu, heure, prix...). Les uns après les autres, les membres de chaque équipe devront aller chercher sur la table l'information qu'ils ont entendue puis coller dans l'ordre la vignette correcte au tableau.

Texte à lire :

*Vous prenez le **train** numéro 2847, en gare de **Biarritz**. Le train part à 6 h 15 et il arrive à **Paris** à 12 h 40. Le prix du billet est de **63 euros**.*

train	avion	car	voiture	bateau
1847	2847	2245	2845	1845
Fiarritz	Parritz	Biarritz	Darritz	Miarritz
6h15	10h15	6h05	10h05	10h50
Paris	Maris	Baris	Poris	Boris
12h40	10h40	2h40	12h04	2h04
63€	73€	53€	90€	54€

Exercice 5

Suivre les consignes du livre de l'élève. Cette activité peut se faire d'abord en collectif à l'oral, puis la partie (b) peut être rédigée individuellement dans le cahier.

Indiquer aux élèves que la réponse à la question « *Pourquoi* » est « *Parce que ...* ».

Exemple : « *Dans quel pays tu voudrais voyager et pourquoi ? – Je voudrais aller en Inde parce que c'est beau et intéressant.* »

Activité de production écrite

1. À faire par petits groupes de quatre ou cinq étudiants. Si les membres du groupe connaissent le même pays ou la même région, ils mènent leur enquête à partir de différents lieux de ce pays ou de cette région, comme dans l'article. Si ce n'est pas le cas, ils choisissent différents points de départ dans le monde, des lieux qu'ils connaissent bien.

2. Chaque étudiant imagine l'interview d'un voyageur ou groupe de voyageurs. Il l'interroge sur sa destination, les raisons de son choix, son moyen de transport, etc. Il rédige ensuite son interview, soit sous forme de dialogue soit sous forme de texte comme dans l'article.

3. Les enquêtes sont regroupées dans un article auquel le groupe donne un titre.

À savoir

Le réseau SNCF : la Société Nationale des Chemins de fer Français a, en France, le monopôle des transports ferroviaires.

Le RER (réseau express régional) assure des liaisons rapides entre le centre de Paris et la banlieue. Il est interconnecté avec le métro.

L'avion en France : jusque dans les années 1990, le réseau aérien français était en plein développement. La plupart des villes de plus de 100 000 habitants avaient leur aéroport et étaient reliées à Paris. Aujourd'hui, le TGV (train à grande vitesse) concurrence l'avion car il est moins cher et permet d'accéder au centre de la capitale plus rapidement. Les liaisons entre les villes de province et les pays étrangers se développent et sont assurées par des compagnies à bas coût.

Les transports dans les grandes villes. Lyon, Marseille, Lille, Toulouse, Rennes ont leur métro. D'autres villes se dotent de lignes de tramway (plus économique et moins polluant que le bus)

Leçon 6 — **Bon appétit !**

Pages 64–65
Forum

Objectifs

- **Savoir-faire :**
  - Comprendre un menu (en le lisant ou en demandant des explications et en s'appuyant sur un vocabulaire minimal)
  - Exprimer des goûts et des préférences
  - Rédiger un courrier simple
- **Connaissances culturelles :**
  - Quelques plats français et de différents pays
- **Vocabulaire :**
  - L'alimentation (voir tableau p. 65)
  - Les types de pain, les sauces
  - *composer, ajouter, choisir, manger, boire*

Découverte du document : observation, images, thème.

Demander aux étudiants où on peut trouver ce genre de document : « Dans un snack ? À la cafétéria du lycée ? Dans un fast food ? ».

Expliquer le vocabulaire à l'aide d'images. Demander aux étudiants de repérer les étapes de la fabrication du sandwich : 1) On choisit le pain. – 2) On choisit la viande ou le poisson. – 3) On choisit l'accompagnement. – 4) On ajoute une sauce. – 5) On choisit un dessert et/ou un « petit plus ».

Exercice 1

Écouter et remplir le tableau dans le cahier. Faire remarquer aux étudiants que les noms masculins s'utilisent avec « *du* », « *de l'* » et « *un* » et les féminins avec « *de la* », « *de* » et « *une* ».

Exercice 2

On peut proposer cette activité en jeu de rôle. Les étudiants joueront le vendeur avec la carte et le client. Pour le vocabulaire, ils pourront réutiliser celui du document (« *choisissez, ajoutez* ») ainsi que les structures vues précédemment : « *je voudrais...* ».

Exercice 3

Il s'agit d'un exercice d'enrichissement du vocabulaire. Pour illustrer « sucré », « salé », « chaud », « froid », ne pas hésiter à montrer des images d'aliments caractéristiques et à les nommer en français (afin d'éviter d'avoir recours à la traduction).

Si la classe ne dispose pas de dictionnaire ou si le professeur préfère éviter de les utiliser, le recours aux images d'ali-

ments est très pratique et efficace. Les étudiants reconnaî-tront les aliments et le professeur les nommera en français.

On peut proposer des images des aliments présentés dans l'encadré « pour parler de nourriture ». En amont, il est aussi possible de demander aux étudiants d'apporter des photos de leurs aliments favoris, des spécialités de leur région/pays.

Exercice 4

Exercice de production écrite. Penser à revoir avec le groupe les formules de politesse et de salutation.

Proposition de corrigé : *Bonjour et merci pour votre lettre. J'aime / j'adore les légumes et les fruits. Mon plat préféré est la salade de fruits exotiques. Mais je déteste la viande et le chocolat. J'aime boire du café, mais je n'aime pas le thé.*

Pages 66–67
Outils

Objectifs

- **Savoir-faire :**
  - Identifier des choses perçues comme indifférenciées ou non comptables
  - Interroger quelqu'un
  - Exprimer la possession
- **Grammaire :**
  - Les articles partitifs (« du », « de la », déterminant des choses ou des groupes de personnes perçus comme indifférenciés ou non comptables)
  - L'article défini déterminant des catégories de personnes ou de choses (« *J'aime le cinéma.* »)
  - La forme possessive : les adjectifs possessifs / « *à + moi, toi, lui, elle, etc.* »
- **Prononciation :**
  - Prononciation des possessifs : les sons [o] et [ɔ̃]
  - Rythme des phrases négatives

Nommer les choses

Exercice 1

Observation du dessin et classement des articles dans le tableau.

a. Selon la langue maternelle des étudiants, il faudra faire comprendre les trois catégories de la colonne de gauche.

Pour conceptualiser le sens de l'article partitif on pourra :
– l'opposer à l'article défini puis à l'article indéfini ;

– l'opposer à la pluralité (*J'achète **du** pain / **des baguettes de** pain*).

Les dessins du tableau « Emploi des articles » pourront permettre de visualiser ces oppositions.

b. Classer les formes du dessin dans le tableau. Rechercher des exemples pour compléter les cases vides. Observer que devant une voyelle « *du* » et « *de la* » deviennent « *de l'* ».

	masculin	féminin	pluriel
On parle de personnes ou de choses différenciées ou comptables.	*un* sand-wich *un* verre d'eau	*une* bière	*des* tranches *de* tomates
On parle de choses indiffé-renciées ou non comptables.	*du* poulet	*de la* salade *de la* mayon-naise *de l'*eau	✕
On parle de personnes ou de choses en général.	*le* ...	*la* bière	*les* ...

c. Observer les phrases négatives. Noter la transformation : « *Je veux **du** gâteau.* » → « *Je ne veux pas **de** gâteau.* ».

L'article partitif

● Comme l'article indéfini, il détermine une chose indéfinie. Il s'oppose donc à l'article défini.

Qu'est-ce que c'est ? → *C'est **un** cahier. /C'est **le** cahier de Pierre.*

Qu'est-ce que c'est ? → *C'est **du** papier. / C'est **le** papier à lettre de Pierre.*

● L'article partitif donne une vision continue de la chose. L'article indéfini en donne une vision discontinue. On utilise donc l'article partitif quand on perçoit la chose comme indifférenciée : « *Je voudrais **de la** glace.* ».

On utilise l'article indéfini quand on perçoit les choses de manière différenciée : « *Je voudrais **une** glace.* ».

● La définition de « *du* » et « *de la* » par « *une certaine quantité de* » peut aider à conceptualiser le partitif mais cette quantité s'oppose à la pluralité : « *J'ai de la bière. / des bouteilles de bière.* ».

● On rencontrera l'article partitif lorsqu'on abordera les thématiques suivantes :

– la nourriture : « *Je voudrais **du** pain.* » ;
– la matière : « *C'est **du** bois.* » ;
– le climat : « *Il y a **du** vent.* » ;
– les activités : « *Je fais **du** vélo.* ».
· Il faudra veiller à l'automatisation des formes :
– « *J'aime **le** thé.* » – « *Je voudrais **du** thé.* »
– « *J'aime **la** musique.* » – « *Je fais **de la** musique.* »

Exercice 1

Corrigé :

Avant le repas : un apéritif – du whisky – du Martini – pas d'alcool – un jus d'orange – pas de sucre – j'ai de l'eau miné-rale – un verre – des olives – des chips – des olives.

Après le repas : du thé / un thé – le thé – le café – un café – du lait – du sucre – un morceau de sucre.

Exprimer la possession

Découverte : observation de la BD (suite de la scène précédente de repas).

Interroger les étudiants :

Qu'est ce qui s'est passé ? → *L'ours est arrivé pour manger, ils ont eu peur, l'ours a tout cassé/dérangé. Pierre a perdu ses affaires.*
Qu'est-ce que Pierre a perdu ? → *Il a perdu ses lunettes, sa montre, son portable.*

Reformuler :

Ils ont perdu les lunettes de qui ? → *Les lunettes de Pierre. Etc.*

Mise en relief des deux formes pour exprimer la possession. Introduire les possessifs en situation de classe avec des objets appartenant au professeur et aux étudiants. Montrer que le possessif change :

a. Selon le genre et le nombre de l'objet possédé.

b. Selon la personne ou les personnes qui possèdent. Distinguer un seul possesseur plusieurs possesseurs.

Exercice 1

À partir de ces observations, construire collectivement le système des possessifs et compléter l'exercice. Vérifier grâce à l'encadré « Les possessifs ».

Exercice 2

Corrigé : *mon appartement – ma rue – mon université – la maison de mes parents – leur jardin – leur voiture – mon amie – son chien – ton petit ami – son nom – sa profession – ses goûts.*

Exercice 3

S'aider de l'encadré pour réaliser l'exercice.

Corrigé : *il est à lui – ils sont à nous – à elle – il est à moi.*

Faire observer la réponse à la question négative « *Si* », comme vu à la page 61.

Leçon 6 — Bon appétit !

À l'écoute de la grammaire

Exercice 1

Faire prendre conscience de l'opposition entre le son [o] et le son nasalisé [ɔ̃] (Résonances dans les fosses nasales).

Exercice 2

Rythme de la phrase négative avec « pas de ». Noter l'élision du « e » de « de » devant une consonne et l'enchaînement « Pas d'vin ».

En petits groupes faire produire aux étudiants un petit texte sur le même modèle.

Suggestion de thèmes : *Il travaille beaucoup. C'est un grand sportif. Il est paresseux (il n'aime pas travailler). Elle est malade.*

Pages 68–69
Échanges

Objectifs

● **Savoir-faire :**
• Commander un repas
• Signaler une erreur
• S'excuser quand on a commis une erreur
• Caractériser un objet en exprimant la ressemblance ou la différence
• Accueillir quelqu'un

● **Connaissances culturelles :**
• Bayonne

● **Vocabulaire :**
• *une voiture (pour le train), une valise, la panique, une tente, une serviette, des affaires*
• *le même, pareil, différent, minéral, gazeux*
• *aider, ranger*

● **Prononciation :**
• le « e » muet : [ə]

L'histoire

Clara, Malik, Antoine et Nicolas prennent le train pour aller chez les cousins d'Antoine. Ils arrivent à Bayonne et installent leur tente dans le jardin. Là, commencent quelques problèmes de cohabitation et d'organisation.

Scène 1

Observer les dessins de la page 68.
Où est-ce qu'ils sont ?

Où est-ce qu'on peut trouver le menu ?

Activité 1

Suivre les consignes. Expliquer :
– *pareil / différent* : en montrant des objets de la classe et en utilisant l'encadré p 69.
– *eau gazeuse / eau minérale* : en citant des marques d'eau connues, en comparant les sodas (gazeux) aux jus de fruits (non gazeux) et en opposant l'eau des montagnes (minérale) à l'eau de source ou du robinet.

Corrigé : *a) vrai – b) vrai – c) faux. Le sandwich club est plus gros. – d) faux. Il y a de l'eau gazeuse.*

Activité 2

Par deux, faire imaginer la suite de la scène. Dire aux étudiants de s'appuyer sur le menu (p. 68).

Correction collective au tableau afin d'établir un corpus de phrases à utiliser pour passer une commande. Ce corpus peut être agrémenté des suggestions des étudiants.

Corpus de base : *Qu'est-ce que vous prenez / voulez ? – Je voudrais ... – Désolé, il n'y a pas de ... – Vous voulez autre chose ?*

Activité 3

Sujet 1 : Réemploi des structures pour commander.

Sujet 2 : Pour faire pratiquer la partie « *pareil / différent* », faire également utiliser les comparatifs vus à la leçon 5.

Faire choisir un thème aux étudiants et leur laisser 5 minutes de préparation (afin de garder un peu de spontanéité lors de la présentation). Le premier sujet sera plus simple car le thème viendra d'être traité.

Scène 2

Faire écouter la scène. Compréhension globale : s'aider du dessin pour répondre.
Où sont-ils ? → *De retour à leur place. – Qu'est-ce qui se passe ?* → *Il y a un problème de place.*

Activité 4

Compléter le texte proposé.

Scène 3

Trouver l'image qui correspond. Demander aux étudiants d'imaginer par groupe de deux la scène de l'arrivée chez les cousins. Les étudiants jouent ensuite leur dialogue devant le reste de la classe.

Prononciation

Exercice 1 : écrire les deux premières phrases au tableau pour marquer les lettres non prononcées et les enchaînements.

Exercice 2 : écouter et barrer les « e » non prononcés (Sur le livre, si ce dernier appartient aux étudiants ; sinon projeter / écrire le texte au tableau ou au TBI).

À savoir

Bayonne est une ville située dans le département des Pyrénées Atlantiques. Elle est proche de la frontière avec l'Espagne. Bayonne est célèbre pour son jambon et aussi pour ses ferias. Les ferias sont de grandes fêtes qui ont lieu tous les étés, avec lâchers de taureaux, corridas, bodegas (bars en plein air ou caves où l'on joue des musiques festives), bandas (orchestres qui animent les ferias).

Pages 70–71
Découvertes

Objectifs

● **Savoir-faire :**
● Comprendre des informations sur l'alimentation
● **Connaissances culturelles :**
● Habitudes alimentaires en France (horaires, repas, menus)
● **Vocabulaire :**
● *Les aliments :* une tartine, le pain, le beurre, les céréales, la charcuterie, la confiture, les crudités, une pâtisserie
● *Les repas :* le petit déjeuner, le déjeuner, le dîner, un menu, une entrée, un plat, un dessert
● *Les lieux de repas :* le lieu de travail, la cantine, la cafétéria
● complet, composé, léger
● commander, vérifier
● en premier, en dernier, toujours, régulièrement

Comment mangez-vous ?

Découverte des documents. Lecture du questionnaire et du menu. Expliquer le vocabulaire (décrire ou montrer des images). Proposer aux étudiants de choisir leur menu du 24/01/2012.
« *Je voudrais... Je veux prendre... Je vais prendre... Je choisis* ».
Observer la photo et dire ce qu'ils mangent.

Corrigé : *des carottes – des petits pois – de la viande – de la baguette – des oranges – des bananes.*

Exercice 1

Écoute fragmentée du document (en 2 parties). Les étudiants notent sur le questionnaire ou sur un tableau les habitudes alimentaires des deux Français.

Corrigé :

	Petit déjeuner	Déjeuner	Dîner
Le jeune homme	Un café (au café)	Entrée, plat de viande ou de poisson, dessert (à midi, à la cantine)	Pizza à la maison ou dîner au restaurant
La femme	Thé, céréales avec du lait, jus d'orange	Salade au poulet, au fromage ou au jambon, un café (à midi, au restaurant)	Vrai repas : entrée ou soupe, plat principal, fromage, fruit, à la maison

Repas : les habitudes des Français et des Européens

Exercice 2

Suivre les consignes du livre.

a) Corrigé : *Petit déjeuner en France : café, jus d'orange puis pain, beurre, confiture ou céréales, lait. – Petit déjeuner en Allemagne : œufs, fromage, charcuterie. – Déjeuner en France : entrée (soupe ou crudités), plat (viande ou poisson + légumes, pâtes ou riz), dessert (fruit, produit laitier). – Dîner en France : comme au déjeuner + vin.*

b) Corrigé :

Quantité déterminée : **un** *café –* **un** *jus d'orange –* **un** *petit déjeuner –* **une** *entrée –* **un** *plat –* **un** *dessert –* **deux** *desserts –* **un** *sandwich.*

Quantité indéterminée : *beaucoup de Français –* **du** *pain –* **du** *beurre –* **de la** *confiture –* **des** *céréales –* **des** *œufs –* **du** *fromage –* **de la** *charcuterie –* **du** *vin.*

Exercice 3

Les étudiants lisent le texte et individuellement ou par petits groupes.

a. Ils font la liste des particularités françaises en matière d'habitudes alimentaires (à partir des activités 1 et 2.)
– horaires
– importance des repas
– lieu où on prend les repas
– type de plats, d'aliments, de boisson

b. Ils comparent ensuite avec les autres pays d'Europe (activité 2).

c. Finalement, ils présentent les habitudes de leur pays. (Cette activité peut faire l'objet d'une production écrite pour le journal en français.)

Mise en commun et mise au point par l'enseignant.

Leçon 6 Bon appétit !

Exercice 4

Compléter le questionnaire. Il est possible de faire travailler les étudiants par deux : un journaliste qui pose les questions et l'autre qui y répond.

À savoir

Les Français et la nourriture

Les habitudes alimentaires des Français s'internationalisent et se diversifient. On peut toutefois relever certaines constantes générales.

■ **Le petit déjeuner.** Entre 7 et 8 h Les Français prennent un petit déjeuner très léger comparé à celui des Allemands ou des Britanniques : café au lait, biscottes ou tartines, beurre ou confiture pour 70 % d'entre eux. Mais certains se contentent d'un café, d'autres (en particulier les enfants) optent pour un petit déjeuner plus copieux avec céréales et jus d'orange.

■ **Les deux autres repas de la journée** sont en général assez équilibrés. Mais avec des variantes. Certains mangent léger, à la cantine ou au café à midi et font un repas plus copieux en famille, le soir. Pour d'autres, au contraire, le principal repas de la journée est celui de midi. Le repas de midi se prend généralement entre midi et 13 h 30. Celui du soir entre 19 h et 20 h.
Les habitudes varient aussi selon les régions. Dans le sud, en été, on dîne plus tard sans toutefois adopter les habitudes espagnoles.

■ **La consommation de pain et de vin** a considérablement baissé au cours des 40 dernières années. Le pain est toujours présent sur la table mais pas toujours sous la forme de la traditionnelle baguette.

Quant au vin, il est de plus en plus réservé à certaines occasions. On débouche une bouteille parce qu'on a des invités, qu'on fête quelque chose, qu'on a cuisiné un plat un peu élaboré ou tout simplement pour se faire plaisir.

Projet

En guise de révision de la leçon, les étudiants vont devoir organiser une fête et en prévoir tous les détails. Diviser la classe en deux groupes (en mélangeant les niveaux, les nationalités). Chaque groupe devra préparer une fête et y inviter l'autre partie de la classe.

À certaines étapes les étudiants seront guidés par l'enseignant, à d'autres ils travailleront en autonomie.

Comme pour chaque projet, il convient avant tout de motiver les étudiants, de leur donner envie de créer quelque chose ensemble. On peut mettre à profit un événement réel (fête, commémoration, anniversaire d'un étudiant) ou inventé pour la circonstance (l'anniversaire du professeur, l'invitation du directeur, etc.).

On procède ensuite étape par étape. Nous en profiterons pour donner quelques techniques d'animation orale de la classe.

À noter : les deux équipes travailleront indépendamment. Dans chaque équipe on pourra faire des sous groupes, mais la partie « collective » n'arrivera qu'à la fin du projet. Le professeur devra donc intervenir dans chaque équipe.

1. Choix du lieu de la fête

Distribuer aux étudiants des petits papiers. Sur chaque petit papier, ils écrivent un nom de lieu pour la fête et les avantages que présente ce lieu. Ensuite, écouter les propositions et voter.

2. Choix de la date

Prendre le calendrier et décider en commun d'une date. Il est possible d'utiliser les structures vues dans l'unité 1 (« *je ne peux pas ...* , *je dois ...* »).

3. Choix des invités

À tour de rôle, chaque étudiant désigne un invité et le présente brièvement (nom, prénom, profession, etc.). On peut laisser la fantaisie s'installer et désigner des personnes lointaines ou imaginaires. Selon le nombre d'étudiants, faire un ou plusieurs tours de table.

Quand les étudiants travaillent en petits groupes, ils peuvent négocier entre eux la liste de leurs invités.

4. Organisation du programme de la fête

Même quand la démarche est collective, les étudiants peuvent ici se mettre en petits groupes. Chaque groupe réfléchit à un programme (horaires et activités) et la classe choisit le plus intéressant.

Choix de la musique : là aussi il faudra se mettre d'accord. Il est également possible de faire un tirage au sort.

5. Menu du buffet

Se mettre d'accord sur un menu qui convienne à tous. À ce stade, on peut rajouter des « handicaps » : un invité est au régime, un autre est végétarien, etc. Faire travailler les étudiants en petit groupe et voter pour le meilleur menu.

6. L'invitation

Une fois que tous les détails sont arrêtés, chaque étudiant rédige une invitation suivie du programme à donner à un étudiant de l'autre équipe.

Leçon 7 / Quelle journée !

Unité 2

Pages 72-73
Forum

Objectifs

● **Savoir-faire :**
- Parler des activités quotidiennes
- Situer ces activités dans le temps
- Exprimer des préférences

● **Grammaire :**
- Verbes à conjugaison pronominale (introduction)

● **Vocabulaire :**
- *une douche – un projet – la tête – une terrasse – une question – une réponse – un moment – un magasin – une glace (miroir)*
- *agréable – court – difficile – gentil – loin – plein*
- *Les activités quotidiennes (voir tableau des verbes p. 73) – commencer*
- *tout de suite – quelque – quelqu'un – quelque chose – devant*

Le forum questions-réponses

Découverte :

Identification du document : un forum sur Internet. Repérer la question et les différentes réponses.

Activité 1

Les étudiants se mettent par deux. Chaque paire d'étudiants choisit un message et imagine la personne auteur du message. Les étudiants complètent le questionnaire écrit au tableau par le professeur :
Nom de l'auteur du message :
Son meilleur moment de la journée :
Pourquoi :
Âge :
Activité (à imaginer) :

Mise en commun. Classer par ordre chronologique les différents verbes d'action de la journée.
Compléter à l'aide du tableau de la p. 73.

Expliquer :
– « *plein* » (familier) = « *beaucoup* » ;
– « *court* » (par opposition à long) ;
– « *glace* » (« *miroir* » ; à partir de l'expression « *se regarder dans la glace* ») ;
– « *quelqu'un* », « *quelque chose* » (se contenter d'une compréhension approximative : une personne, une chose.) ;
– « *gentil* » = « *sympathique* ». Présenter un personnage « *gentil* » célèbre (cinéma, littérature).

Activité 2

Les étudiants répondent à la question du forum. Chacun

rédige une réponse et la justifie en utilisant « *parce que* ». Lecture collective des productions.

Activité 3

Faire observer l'encadré en haut à droite de la page 73 (« *Consultez les autres forums du même type.* »). En petits groupes, les étudiants répondent par écrit ou oralement à ces questions.

Activité 4

La classe se partage les trois photos de la double page. Chaque groupe imagine l'emploi du temps de la personne qui est sur la photo. Chaque groupe produit ensuite un petit texte qui permet de présenter les activités de la journée (« *Le petit garçon se lève à 7h30. Il se lave puis ... La comédienne se lève tard ...* »).

Pour faire cette activité, il est possible de regarder la page 74 (outils) afin de voir les conjugaisons, car dans le forum toutes les personnes parlent à la première personne du singulier et ici il faudra s'exprimer à la troisième personne du singulier.

Activité 5

Chaque étudiant raconte ensuite l'emploi du temps de sa journée idéale (peut se faire en travail personnel à la maison).

Pages 74-75
Outils

Objectifs

● **Grammaire :**
- La conjugaison pronominale.
- L'impératif

● **Vocabulaire :**
- *un examen – un stylo – un papier – un sandwich – un bonbon*
- *se dépêcher – s'endormir*
- *tôt*

● **Prononciation :**
- « *Je* » et « *Tu* »
- Courbe intonative de l'interrogation

Les verbes du type « se lever »

Exercice 1

Observation du dessin. Faire une liste des verbes utilisant la conjugaison pronominale et qui ont déjà été vus dans les pages « Forum ».

Exercice 2

On fera remarquer que, dans chaque première phrase, l'action a un effet sur quelqu'un d'autre que le sujet. Dans chaque deuxième phrase, l'action porte sur le sujet lui-même.

On pourra aussi rappeler le sens réfléchi.

Marie regarde Pierre. Marie se regarde dans la glace.

Exercice 3

Corrigé : *Je me couche tard – Vous vous levez tôt – Je ne me lève pas avant 9 h – Qui s'occupe des enfants ? – Ils savent se préparer tous seuls – Vous vous voyez quand ? – Nous nous levons et nous nous couchons normalement.*

Exercice 4

À faire comme exercice de vérification de l'emploi des formes pronominales.

Exercice 5

Étudier la conjugaison des verbes pronominaux au passé composé dans l'encadré avant de faire l'exercice.

Attendre que les étudiants aient bien intégré la formation des verbes pronominaux aux présent avant de proposer cet exercice. On peut par exemple le faire après la partie Échanges.

Activité de systématisation
Le suspect

Objectifs : faire pratiquer les verbes pronominaux au présent ou au passé composé (vocabulaire et conjugaison).

Modalités : selon la taille du groupe, deux ou quatre équipes de 5 personnes.

Matériel : une fiche à photocopier.

Scénario : Deux personnes sont suspectées d'avoir commis un crime, deux équipes de policiers sont postées devant leur immeuble et épient leurs actions.

Déroulement : les étudiants sont répartis en équipes. Dans chaque équipe, on nomme un mime.

Chaque mime vient récupérer sa liste. Il devra ensuite mimer les actions indiquées à son équipe qui les notera sur une feuille.

Une fois terminé, le professeur valide les « rapports » (orthographe, correction). Ensuite, un membre de chaque équipe est nommé « rapporteur ». Il doit faire le rapport de la journée du suspect. La classe écoute les deux rapports et vote pour le suspect.

Variante :

On ne propose qu'une seule liste d'activités pour les deux équipes. Dans cette variante, tous les étudiants seront mimes à tour de rôle. Un mime de chaque équipe vient regarder (au bureau, ou sur l'ordinateur) la phrase qu'il doit mimer et le plus rapide gagne un point. Attention, dans cette version de l'activité, le professeur doit être très attentif à la correction des réponses proposées et n'accepter que celle qui correspond exactement à la phrase inscrite. Une fois toutes les phrases mimées, les étudiants doivent se les rappeler et faire un rapport. Le rapport le plus proche de l'original gagne.

Exemple de fiches

1)
Elle se lève.
Elle va dans la cuisine.
Elle se lave.
Elle lave tous ses vêtements.
Elle s'habille.
Elle téléphone pendant une heure.
Elle fait sa valise.
Elle part de chez elle.

2)
Elle se réveille.
Elle se lève.
Elle se lave.
Elle s'habille.
Elle fait du sport.
Elle prend son petit déjeuner.
Elle regarde la télévision.

Exemple de fiche pour la variante

Elle se réveille.
Elle se lève.
Elle prend son petit déjeuner.
Elle s'habille.
Elle part travailler (elle va travailler).
Elle mange une pomme.
Elle se promène.
Elle fait des courses.
Elle rentre chez elle.
Elle regarde la télévision.
Elle dîne.
Elle se brosse les dents.
Elle va se coucher.

On peut bien sûr changer les actions (en choisir des plus humoristiques), modifier le scénario, etc.

La conjugaison pronominale

Les étudiants connaissent déjà le verbe « s'appeler » et ont donc été sensibilisés à la conjugaison pronominale.

Il est important de ne pas laisser penser que la conjugaison pronominale modifie le sens du verbe de manière toujours identique. En effet on rencontrera plusieurs cas de figures :

a. *Pierre se regarde.* → sens réfléchi.

b. *Pierre et Marie se regardent.* → sens réciproque.

c. *La porte s'ouvre.* → sens passif.

d. *Pierre appelle Marie. / Mon professeur s'appelle Paul.* → une partie du sens du verbe est conservé dans les deux conjugaisons.

e. *Pierre rend le livre à Marie. / Pierre se rend à Paris.* → la conjugaison pronominale change complètement le sens du verbe.

Donner des instructions et des conseils

La forme impérative aura déjà été introduite en situation de classe. On l'appliquera ici à la conjugaison pronominale.

Découverte :

Observer le dessin. Retrouver l'infinitif des verbes à l'impératif. Aider à la compréhension en établissant des équivalences : « *Tu dois te lever.* » → « *Lève-toi !* ».

Exercice 1

Corrigé : *b. Prépare-toi ! – c. Réveillons-nous ! – d. Ne vous couchez pas tard ! – e. N'oublions pas.*

Exercice 2

Présenter la tâche à effectuer. Dans chaque situation, il s'agit de donner des conseils aux personnes concernées.

Corrigé : *a. Couchez-vous tôt ! Mangez bien ce soir ! Ne vous fatiguez pas ! Détendez-vous ! – b. Pierre, réveille-toi ! Lève-toi ! Habille-toi ! Dépêche-toi ! N'oublie pas ton dossier ! – c. Arrêtons-nous dans le parc ! Asseyons-nous ! Reposons-nous ! Mangeons un sandwich !*

Activité de systématisation

Objectif : pratiquer l'impératif

Déroulement : on choisit un coach qui va donner des ordres à son groupe (« *Levez-vous ! Détendez-vous ! etc.* »). La classe doit effectuer ces actions. Celui qui se trompe a perdu.

À l'écoute de la grammaire

Exercice 1

Différenciation entre la conjugaison normale et la conjugaison pronominale.

Corrigé : *Conjugaison du type « lever » : a, c, e, h / Conjugaison du type « se lever » : b, d, f, g.*

Exercice 2

Production de phrases impératives.

Pages 76–77
Échanges

Objectifs

● **Savoir-faire :**
- Acheter quelque chose
- Donner des instructions
- Exprimer la peur

● **(situations orales) :**
- Aborder quelqu'un (« *Excusez-moi* » – « *Pardon* »)
- S'excuser (« *Excusez-moi* » – « *Je suis désolé(e)* »)
- Apprécier (« *Pas mal, bon, très bon, excellent* » – « *Tout va bien* »)
- Remercier (« *Merci* »)
- Demander (« *S'il vous plaît* » – « *Je peux ?* »)

● **Vocabulaire :**
- *quelqu'un – quelque chose – rien – personne*
- *un bruit – un ours – le père – une salle de bain – un tee-shirt – un foulard – un béret – une réduction – une demoiselle*
- *bizarre – blanc – rouge – sympa – gratuit*
- *entendre – s'occuper de quelque chose – avoir la monnaie*
- *combien*

● **Prononciation :**
- Rythme de la conjugaison pronominale

L'histoire

Malik, Nicolas et Antoine dorment sous la tente. Malik n'arrive pas à dormir : il entend des bruits et pense qu'il y a un ours dans le jardin. Le lendemain, tous doivent se dépêcher de se préparer pour aller à Bayonne. À la fête de Bayonne, ils achètent des foulards et des bérets comme le veut la tradition.

Scène 1

Découverte : avant d'écouter le dialogue, regarder le dessin et imaginer la situation.

Activité 1

Écouter deux fois le dialogue sans regarder la transcription et compléter l'exercice.

Corrigé : *a. vrai – b. vrai – c. vrai – d. faux. Antoine pense que c'est juste le père de Nicolas.*

Troisième écoute du dialogue pour vérification. Bien faire remarquer l'intonation.

Insister également sur l'opposition : quelque chose / rien – quelqu'un / personne. Puis lire l'encadré pour confirmer. On peut systématiser ce point par une série de questions auxquelles il faudra répondre négativement.

Exemples : « *Tu fais quelque chose ce soir ? Non, ... – Tu as entendu quelque chose ? Non, ... – Tu as invité quelqu'un ? Non, ... – Ils ont vu quelqu'un ? Non, ...* »

Activité 2

Imaginer une saynète à deux. Utiliser ce qui a été entendu précédemment pour pouvoir « jouer » la peur.

Scène 2

Première écoute : fractionner l'écoute. S'arrêter à la réplique de Malik : « Pourquoi ? ». Demander au groupe d'imaginer la réponse (en regardant les photos et images). Écoute de la suite du dialogue pour confirmer la réponse.

Expliquer :
– « Une salle de bain » : pour se laver ;
– « *Un foulard* » et « *un béret* » : utiliser la photo et le dessin pour illustrer ;
– « *Une réduction* » : afficher un prix au tableau, le barrer, écrire le prix réduit. « *Avant le chapeau coûte 18 euros, maintenant il coûte 14 euros. Il y a eu une réduction de 4 euros.* » ;
– « *Une demoiselle* » : une jeune fille.

Activité 3

Deuxième écoute, compléter les phrases.

Corrigé : *Il est **neuf** heures du matin. Nicolas réveille **Malik et Antoine** pour aller se préparer / aller à la fête de Bayonne. Malik et Antoine doivent se dépêcher parce qu'il **n'y a qu'une salle de bain**. Ils doivent **mettre un t-shirt** blanc parce que **c'est la tradition**.*

Scène 3

Observation du dessin. Faire présenter les éléments de la situation et nommer ce qu'elle achète.

Activité 4.

Écoute du dialogue jusqu'à la fin de ce qui est transcrit dans le livre et réponse aux questions.

Corrigé : a. 6 € – b. 4 € – c. Non. – d. Il offre les foulards aux filles.

Écoute de la fin du dialogue. Inscrire les mots suivants au tableau et faire compléter les étudiants avec les chiffres qu'ils auront entendus. Total / Prix par fille / Prix par garçon.

Expliquer :
– « *Avoir la monnaie* » : expliquer par la situation du dialogue. Clara doit payer 32 euros. Elle donne un billet de 50 euros. Le vendeur lui rend la monnaie (18 euros).
– « *C'est gratuit* » : ça coûte 0€.

Activité 5

S'inspirer de la scène 3 pour réaliser ce jeu de rôle (transcription p. 141). À faire par deux ou trois. Ce jeu de rôle peut donner des résultats amusants dans une classe détendue où on donne libre cours à son imagination.

Prononciation

Faire écouter et répéter les groupes verbaux à la forme pronominale. Faire remarquer l'élision du « e » du deuxième pronom dans certains cas ainsi que l'enchaînement du deuxième pronom avec le verbe commençant par une voyelle. Proposer aux étudiants de continuer la liste.

Pages 78–79 Découvertes

Objectifs

● **Savoir-faire :**
• Comprendre des informations écrites relatives aux prix des choses
Se débrouiller dans les situations d'achat (demande de prix, paiement) et dans les situations de change d'argent

● **Prononciation culturelles :**
• La monnaie et les modes de paiement
• Comportements en matière d'argent
• Les activités gratuites à Paris

● **Vocabulaire :**
• *pour acheter et payer (voir encadré p. 79)*
• *un patrimoine – un monument–– une bibliothèque - un tarif réduit –une note– un téléphone – un état*
• *historique – public*
• *payer – coûter – acheter - rendre - partager*

Paris pas cher

Découverte

Observation de la page 78 (nombre de rubriques, photo). Collectivement découvrir le thème de la page : → activités à prix réduit ou gratuites à Paris.

Quelles sont les activités toujours gratuites ? – Le musée du Petit Palais, les bibliothèques, certains journaux.

Quelles sont les activités gratuites quelques jours dans l'année ? – Les musées le premier dimanche de chaque mois, les concerts pour la fête de la musique.

Activité 1

À faire par deux. Lecture des rubriques et réponse. Les étudiants n'ont qu'à répondre « oui » ou « non » et ajouter des précisions.

Corrigé : a) – *C'est vrai mais seulement le premier dimanche de chaque mois.*

– *C'est vrai si on achète un billet tarif normal avant.*

– *C'est faux, mais il y a des concerts gratuits lors de la Fête de la musique.*

– *Faux, mais on peut trouver d'autres sports gratuits.*

b) – *On peut aller sur le site « bonplangratos.fr » ou bien aller dans les boutiques Kookaï Stock, Magenta Chaussures ou Abercrombie and Fitch.*

– *Sur le site de la ville de Paris, rubrique Paris Jeunes.*

À savoir

L'officiel des spectacles et **Pariscope** sont deux petits hebdomadaires qui présentent le programme des spectacles et des idées de sorties à Paris et en banlieue.

Les journaux gratuits (*Métro, 20 minutes*) : depuis 2002, à Paris et dans quelques grandes villes, des journaux présentent les informations essentielles sont distribués gratuitement aux entrées du métro et dans certains lieux publics.

Activité 2

Observer les photos. Associer chaque photo à un lieu. Écrire les noms de lieu au tableau : une boulangerie – une brocante – un vide grenier – un musée – un restaurant.

Corrigé : *1. un musée – 2. un restaurant – 3. une boulangerie – 4. une brocante, un vide grenier.*

a) Écoute du début des scènes. Associer chaque phrase entendue à une photo.

Corrigé : *a. 2 – b. 4 – c. 3 – d. 1.*

b) Transcrire les phrases et à partir d'elles et de l'encadré « Pour acheter, pour payer » avant de faire l'exercice.

Conseil : Les étudiants se partagent les quatre scènes. Chacun imagine un dialogue à partir de la photo et de la phrase qu'ils ont entendue. Lecture des dialogues à la classe.

Activité 3

Les étudiants comparent avec leur production. Vérifier la compréhension du détail.

Expliquer :

– « *pas question* » : forme d'insistance du refus ;

– « *partager* » : dessin au tableau ;

– « *rendre la monnaie* » : par le mime en classe) ;

– « *en bon état* » : à partir d'un objet, stylo, cartable, livre, en bon ou en mauvais état.

Mise en commun des structures qui permettent de négocier un prix, de demander, de payer (toute structure qui ne se trouve pas dans l'encadré « Pour acheter, pour payer »).

Activité 4

Écouter les phrases et les associer à une situation.

Corrigé : a. 4 – b. 5 – c. 1 – d. 3 – e. 2.

Projet

Rédiger un document inspiré de « Paris pas cher ».

Deux possibilités :

(1) Quand on peut faire des groupes de même nationalité. Chaque groupe est chargé de rédiger un document « C'est gratuit » dans lequel il indique aux touristes visitant son pays les activités gratuites ou à tarif réduit.

(2) Quand les étudiants sont de nationalités variées, faire rédiger un document dans lequel on indiquera pour chaque pays une ou deux activités gratuites. Par exemple, certains concerts gratuits aux États-Unis, etc.

Comme pour tous les projets, il est gratifiant et motivant d'aboutir à un document dactylographié, mis en page et si possible illustré qui sera distribué à tout le monde.

Pages 80–81
Forum

Objectifs

● **Savoir-faire :**
• Décrire son lieu d'habitation (logement et environnement)
• Situer un lieu sur un plan
• Comprendre la description d'un lieu d'habitation

● **Vocabulaire :**
• *Pour parler d'un logement* (encadré p. 81)
• *l'immobilier – un commerce – une offre – le soleil – une vue – une dépendance – un avantage (+) – un inconvénient (–)*
• *champ lexical du verbe louer : une location, une colocation, un locataire, un loyer*
• *animé –équipé – vieux – idéal*
• *vendre – situer*
• *au bord de – à côté de*

Découverte

Observation globale du document. « *De quoi s'agit-il ? – De petits annonces immobilières.* ».
Faire repérer les différentes parties : les offres, la publicité pour les villas du Parc, les curiosités.

Expliquer :

– « *Louer*» : on peut acheter un logement ou bien louer un logement. Montrer ensuite les sens actif et passif de « *louer* », qui correspondent peut-être dans la langue maternelle de l'étudiant à deux verbes différents. → « *Le propriétaire loue un appartement à Marie. – Marie loue l'appartement pour 500 euros par mois.* » / « *Quand on loue un logement, on paie tous les mois un loyer.* » Il est intéressant de voir les mots de la même famille à ce moment afin de facilité la compréhension de la suite.
– « *Une curiosité* » : faire comparer les maisons de la rubrique « *Curiosités* » aux autres. On voit qu'elles sont différentes, plus originales.

L'enseignant met les étudiants en situation : « *Vous vous installez en France avec votre famille. Vous recherchez un logement.* ».

Activité 1

En petits groupes, les étudiants lisent les annonces et complètent le tableau.

Expliquer au fur et à mesure les mots nouveaux :
– « *type de logement* » : cela peut être une maison, un appartement, un château...
– « *nombre de pièces* » : on compte toutes les pièces à l'exception de la cuisine, de la salle de bain, des toilettes, du garage et de la cave. Un appartement avec un salon, une chambre, une cuisine et une salle de bain est un deux-pièces ;

– « *un avantage* » (+) , « *un inconvénient* » (–) ;
– « *ensoleillé* » : il y a du soleil, si le mot n'est pas connu, dessiner un soleil au tableau ;
– « *animé* » : il y a des activités à faire, ce n'est pas calme ;
– « *au bord de* » : à côté d'une rivière ou de la mer ;
– « *équipé* » : cuisine équipée, par le dessin.

Corrigé :

	1	2	3	4
type de logement	apparte-ment	apparte-ment	maison	maison
situation	en centre ville	dans la vieille ville	au bord d'une rivière	à 15 min du centre, à côté d'un parc
pièces	2 pièces	5 pièces	7 pièces	5 pièces
avan-tages	ensoleillé, moderne, belle vue, parking	grand, confor-table	à côté des com-merces et transports, grand, jardin	grand, ensoleillé, calme
inconvé-nients	petit	bruyant	vétuste	loin du centre

Activité 2

Observer le plan de la publicité « Réservez votre maison ». On peut déjà faire l'hypothèse de certaines pièces ou parties de la maison.
Présenter le vocabulaire des localisations qui sera utilisé dans le document : « *à gauche – à droite – au milieu – devant* ».
Écoute du document et repérage des pièces sur le plan.

Activité 3

Par petits groupes, les étudiants choisissent le logement qu'ils préfèrent. Ils présentent et justifient leur choix devant la classe.

Activité 4

Certains étudiants exprimeront le souhait de travailler seul car le choix d'un logement est personnel. Le projet peut se faire individuellement ou en petits groupes.
Faire observer les photos de la rubrique « Nos curiosités ».
Faire appel aux connaissances des étudiants : « *Quels logements originaux connaissez-vous ? (un bateau, un phare, etc.)* ».
Les étudiants font la description de leur logement idéal en utilisant le vocabulaire étudié et celui de l'encadré.
Suivre les indications du livre de l'élève. Cette activité peut se faire en classe ou à la maison.

Activité supplémentaire

À partir des petites annonces et de l'activité 2, on peut proposer un jeu de rôle dans lequel un étudiant serait l'agent immobilier et un ou deux autres seraient les clients.

Pages 82–83
Outils

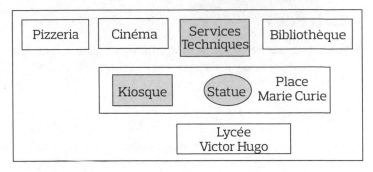

Objectifs

- **Savoir-faire :**
  - Comprendre et donner des informations pour s'orienter
  - Comprendre et décrire un trajet
- **Grammaire :**
  - Prépositions et adverbes de lieux
  - Adjectifs numéraux ordinaux
  - Conjugaison des verbes « partir » – « sortir » – « venir »
- **Vocabulaire :**
  - *un itinéraire – un formulaire – une aide – les services techniques – une bibliothèque – un kiosque à journaux – une statue – une pizzeria – un arbre – une porte – un mètre – le sommeil*
  - *il faut (falloir)* + verbes de l'encadré p. 83
  - prépositions et adverbes de lieux (voir encadré p. 82)

Situer

Découverte du vocabulaire de l'orientation et des mouvements

Lire collectivement la première bulle de la BD. Interroger les étudiants : « *Où est l'homme ? – Il est à la mairie.* » / « *Pourquoi ? – Il veut le formulaire 2042 bis.* » / « *La femme répond quoi ? – Elle donne le chemin, les indications, l'itinéraire.* » / « *C'est simple ou c'est difficile/compliqué ? – C'est assez compliqué. Il y a beaucoup d'informations.* »

Exercice 1

Trouver le sens des mots en gras. Les étudiants en connaîtront sûrement déjà certains, pour les autres, consulter l'encadré.

Activité complémentaire

Modalités : individuellement ou en petits groupes

Durée : 5 minutes

Matériel : une feuille, un stylo

Une fois la BD comprise, proposer aux étudiants (seuls ou en groupe) de dessiner le plan. Comparer et corriger les productions.

Corrigé : *il y a plusieurs possibilités car la gauche et la droite ne sont pas précisées. Cette activité peut être l'occasion de les introduire.*

Activité 2

Lire le texte et dessiner le plan. On peut faire aller les étudiants au tableau chacun leur tour pour dessiner une partie du plan. Idéalement, partager la classe et le tableau en plusieurs groupes de 7 étudiants (il y a 7 éléments à dessiner).

Activité 3

Faire pratiquer le vocabulaire du tableau avec des lieux et des itinéraires connus des étudiants : leur habitation, l'école de langues, chez leurs amis, etc. Travail individuel à réaliser à l'écrit.

Activité de systématisation.

Objectifs : compréhension et utilisation des prépositions de lieu

Déroulement : le professeur donne des indications aux étudiants pour les inviter à se déplacer dans la classe

Exemple : « *Marco, tu vas à droite du tableau, en face du bureau.* »

Une fois que tous les étudiants ont été déplacés, ils retournent à leur place. Pour ce faire, ils doivent dire où ils sont et où ils vont.

Exemple : « *Je suis devant la fenêtre, sous la lampe et je vais à droite de Pierre, sur la chaise, devant le tableau.* »

Pour faire cette activité, il faudra peut-être voir/revoir le vocabulaire de la classe.

Inciter les étudiants à être très précis de sorte qu'ils produisent le plus de phrases possibles (« *Je vais sur la chaise, sur le sol, sous le plafond, derrière la table.* »).

Décrire un trajet

Découverte : observer la première vignette de BD.

Questions (le professeur interroge les étudiants à l'oral) : « *Le formulaire se trouve où ? – Au bureau 372.* » / « *Comment on va au bureau 372 ? – Avec l'ascenseur.* ».

Vrai ou faux : « *Il faut traverser la cafétéria.* » (Vrai) / « *Il faut prendre le couloir de droite.* » (Faux, il faut prendre le couloir de gauche) / « *Le bureau 372 est la deuxième porte à droite.* » (Faux, c'est la troisième porte à droite).

Leçon 8 · On est bien ici !

Exercice 1

Maintenant que les étudiants ont bien compris le contenu de la première vignette, ils peuvent dessiner le plan d'accès au bureau 372.

Exercice 2

Faire observer la deuxième vignette et noter l'emploi du temps du personnage. On peut proposer aux étudiants de faire cette activité en utilisant le passé composé (plus simple car ils n'ont qu'à transposer du « je » au « il ») ou bien en nominalisant comme proposé dans le livre de l'élève (plus difficile).

Corrigé : *8 h : départ pour la mairie – 9 h : arrivée à la mairie – 9 h-12 h : attente à la mairie – 12 h-14 h : déjeuner – 14 h-16 h : attente à la mairie – 17 h : sortie de la mairie – 18 h : retour chez lui.*

Correction et retour sur le sens des verbes. Observation de l'encadré « *Décrire un itinéraire* » p. 83.

Expliquer :

– « *repartir* » : suppose qu'on soit allé quelque part, qu'on y soit resté quelque temps et qu'on quitte cet endroit ;
– « *rentrer* », « *retourner* », « *revenir* » sont quasiment synonymes. Seuls l'usage et la traduction permettront d'en préciser le sens.

Travail sur le sens des verbes : demander aux étudiants de proposer des phrases pour vérifier qu'ils aient bien compris.

Exercice 3

Exercice de vocabulaire et de conjugaison. Bien dire aux étudiants de faire attention au sens mais aussi à la construction (par exemple, après « *tu veux* » et « *tu voudrais* », il faut un infinitif).

Corrigé : *je* **vais** *dans les Alpes – Tu veux* **venir** *avec moi ? – Je* **vais** *en Grèce avec Marie – Je voudrais* **venir** *chez toi, dans ta maison de campagne – Tu* **viens** *quand ?*

Exercice 4

Pratique du vocabulaire : les verbes de mouvement

Corrigé : *je pars pour Paris – j'arrive dans le centre de Paris – je reviens (rentre, retourne) à Marseille dans l'après-midi et le soir je repars pour New York – tu reviens (rentres, retournes) quand à Marseille – Non, je repars (retourne) à New York à la fin du mois.*

Exercice 5

Les étudiants doivent dessiner l'itinéraire depuis la gare jusqu'à l'appartement de Marie.

a. Faire une première écoute globale en essayant de repérer les noms de lieu. Les écrire au tableau.

b. Faire une deuxième écoute en procédant par étape. Vérifier la compréhension à chaque étape.

Activité de production orale

L'aveugle

Modalités : activité par groupes de deux étudiants. Dans chaque couple, il y a aura un guide et un aveugle.

Matériel : une salle de classe

Durée : 10 minutes

Le but de l'activité est d'arriver à promener son aveugle sans qu'il se cogne.

Déroulement : Plusieurs couples se lèvent et vont au centre de la classe. Les aveugles ferment les yeux et les guides se mettent à côté sans les toucher. Maintenant les guides doivent « promener » leurs aveugles. Ils ne peuvent pas les toucher, ils ne peuvent que les guider par la voix (« *à droite, à gauche, etc.* »).

Au bout de quelques minutes, on change de couples (si la classe est nombreuse) ou on intervertit les rôles. Il est possible d'ajouter des obstacles (étudiants qui se postent au milieu du chemin, objets, meubles, etc.) C'est une activité très amusante à observer à condition que les « aveugles » jouent le jeu !

Activité de production écrite :

Modalité : travail individuel

Durée : 10 minutes

Objectifs : apprendre à donner un itinéraire

Consigne : « À partir des dialogues entendus, rédiger un itinéraire pour indiquer le chemin de chez toi à ton lycée (à ton centre de langues), à pied ou en transport. »

À l'écoute de la grammaire

Exercice 1

Opposition [s] / [z]

À travailler en particulier avec certains groupes linguistiques comme les hispanophones. Faire observer que l'enchaînement « s » en finale suivie d'un mot avec une voyelle initiale se fait toujours avec le son [z].

Exercice 2

Bien insister sur la prononciation ou non de la consonne finale et sur le fait que cela est important pour indiquer le genre.

Corrigé :

finales	masculin	féminin
[t]	*gratuit*	*petite – courte – différente*
[l]	*original*	*normale*
[k]	*public*	*publique*
[e] / [E]	*premier*	*dernière*

Pages 84–85
Échanges

Objectifs

● **Savoir–faire :**
- Exprimer l'obligation
- S'orienter / Demander son chemin
- Demander de l'aide / Exprimer un besoin, une nécessité

● **Vocabulaire :**
- *un chemin – un panneau solaire – un hiver*
- *interdit – sûr – large – perdu*
- *être mort (fig.) – avoir faim / soif / chaud / froid – avoir raison – installer – avoir besoin de*

● **Prononciation :**
- Opposition [a] / [ã]
- Le son [ʒ]

Découverte

Observation globale de la double page. « *Où sont-ils ? – À la montagne et chez les cousins.* » / « *Qu'est-ce qu'ils font ? – Une randonnée, ils se reposent, ils parlent.* ».

Scène 1

Découverte : Observation du dessin. Découverte progressive du dialogue par l'écoute.

Activité 1

Écouter la scène et dire si les phrases sont vraies ou fausses.

Corrigé : *a. vrai – b. faux. Nicolas veut aller à gauche et Pauline à droite. – c. faux. Le parking est à l'ouest. – d. On ne sait pas. – e. vrai.*

Expliquer :
– « *large* » : par le dessin, une route large ;
– « *avoir mal au pied / avoir chaud, etc.* » : par la gestuelle.

À ce stade, il est possible de proposer aux étudiants de mettre en scène le dialogue (en indiquant les directions avec les mains).

Activité 2

Imaginer et jouer une scène d'après la scène 1. Cette activité

peut donner lieu à des productions amusantes. Laisser les étudiants jouer et improviser (gestes, voix).

Scène 2, 3 et 4

Découverte : observer les dessins et écouter les deux dialogues. « *Quel est le point commun ? – Les lycéens doivent aider les parents de Nicolas et Pauline et c'est fatigant. Ils ne peuvent pas se reposer.* »

NB : on peut faire une pause après la première réplique de la scène 3 et laisser imaginer la suite aux étudiants, vu qu'elle n'est pas transcrite. En toute logique, on s'attend à ce que la mère propose aux filles de manger des prunes.

Activité 3

Corrigé :

– *Le père de Nicolas et Pauline doit mettre le bois dans le garage et installer les panneaux solaires. Ce n'est pas facile parce qu'il y a beaucoup de bois. Il demande à Antoine et Malik de l'aider à mettre le bois dans le garage et à installer les panneaux solaires.*

– *La mère de Nicolas et Pauline doit ramasser les prunes. Ce n'est pas facile parce que c'est lourd et qu'il y a beaucoup de prunes à ramasser. Elle demande de l'aide à Julie et à Clara.*

Écoute de la scène 4. Demander aux étudiants s'ils sont d'accord avec Pauline et Clara et pourquoi.

Expliquer : « *Je suis morte.* ». Au sens figuré, signifie : « *Je suis très fatiguée.* »

Activité 4

Relever dans les scènes 2 et 3, les expressions utilisées pour demander de l'aide et lire l'encadré « exprimer un besoin ». Ensuite, les étudiants se mettent par deux ou trois et préparent une scène. Pour les aider, on peut leur proposer de piocher un ou plusieurs mots (dans une liste préparée au préalable) pour leur donner des idées.

Idées de mots : la pluie – la neige – la montagne – la voiture – les vacances – Paris – un touriste – une vache – un éléphant – un vélo – une forêt – un supermarché.

On peut proposer toute sorte de mots qui ont été vus lors des unités précédentes, cela pourra créer des situations comiques.

Activité 5

Imaginer la fin de l'histoire. Guider les étudiants avec des questions : « *Ils vont faire quoi ? / Ils vont rester ? Partir ? / S'ils partent, ils vont aller où ? / Nicolas et Pauline vont penser quoi ?* ».

Cette activité peut être à réaliser en production écrite, individuelle ou collective, en classe ou à la maison.

Leçon 8 — **On est bien ici !**

Prononciation

Exercice 1

Faire sentir la différence entre [a] et [ã]. Comme vu dans la leçon 7 (avec [o] et [ɔ̃]), dans le deuxième son, il y a une résonance dans les fosses nasales.

Exercice 2

Différencier [ʒ] de [z] et [s]. Insister sur l'opposition [z] / [s] : voisée/non voisée. Puis les opposer au son [ʒ] : la différence entre [z] et [ʒ] est la position de la langue. Pour [z], la langue est en avant et pour [ʒ] la langue est au milieu de la bouche.

Pages 86–87
Découvertes

Objectifs

● **Savoir-faire :**
- Comprendre et rédiger un message ou une carte postale de vacances en donnant des informations sur le lieu, le temps qu'il fait, les activités
- Parler du temps qu'il fait

● **Connaissances culturelles :**
- Le climat en France
- Le Québec
- L'île de La Réunion

● **Vocabulaire :**
- *La météo* (voir le tableau « Pour parler du temps » p. 87)
- *un quad – la pêche – une soirée (une fête) – un orignal – un réseau – l'intérieur*
- *accueillant*
- *faire du camping – passer des vacances – pleuvoir – raconter*

Exercice 1

Suivre les indications du livre de l'élève.

Expliquer :
- « *la pêche* » : dessiner, mimer ;
- « *les randos* » : familier, diminutif de randonnées ;
- « *un quad* » : une sorte de moto à quatre roues ;
- « *un orignal* » : montrer une photo ou dessiner. Un des animaux emblématiques du Canada ;
- « *une soirée* » : une fête ;
- « *le réseau* » : pour que le téléphone ou internet fonctionne ;
- « *pleuvoir* » : dessiner un nuage avec la pluie ;

– « *accueillant* » : gentils ; content de vous voir dans leur maison, pays.

Corrigé :

a. *Oui. La ville (Trois Rivières/ L'Etang Salé) , le pays (le Canada, la Réunion).*

b. *Oui. Vincent → un lac, la nature, des animaux sauvages, un festival de musique. / Marion → de belles plages, des requins, le Piton de la Fournaise.*

c. *Oui. Ils sont sympas.*

d. *Oui. Il fait beau. À la Réunion : il fait chaud, il ne pleut pas.*

e. *Oui. Vincent → Il va à la pêche, il fait des randonnées, du quad. / Marion → Elle fait du surf, du kite-surf.*

f. *Oui. Vincent → Il a visité la ville de Québec. Il est allé au concert de Metallica. / Marion → Elle a fait de la plongée, elle a vu un requin.*

g. *Oui. Vincent → Il va aller à une soirée. / Marion → Elle va faire une randonnée.*

h. *Vincent → Oui, il rentre le 10 août. / Marion → Non.*

Exercice 2

Suivre les indications du livre. Regarder l'encadré « Pour parler du temps ». Expliquer le vocabulaire avec les dessins de la carte.

Exercice 3

À partir du vocabulaire vu lors de l'activité 2, faire écouter le document et faire faire la carte météo du jour. On peut distribuer aux étudiants des photocopies de la carte située en dernière page. Dans un premier temps, faire situer sur la carte les villes entendues, puis faire noter la météo.

Exercice 4

Activité de production écrite. Utiliser les deux cartes postales comme modèles. Faire remarquer les formules d'adresse et de salut ainsi que la façon de noter la date, l'adresse.

••• __Entraînement__

Bien faire attention à ce que les étudiants aient bien compris les consignes.

Exercice 1

Corrigé : *a. 3 – b. 2 – c. 4 – d. 5 – e. 1 – f. 7 – g. 2 – h. 6 – i. 9 – j. 8.*

Exercice 2

Corrigé : *a. poulet, côte de porc, rôti de bœuf – b. saucisson, jambon – c. salade verte, tomates, concombre, poireaux, champignons, haricots verts, pommes de terre – d. melon, fraises – e. tarte aux fraises – f. eau minérale, vin blanc/ rosé/rouge, bière.*

Exercice 3

Corrigé : *a–d–g–e–b–f–c–l–i–j–k–h.*

Exercice 4

On proposera 3 écoutes, avec 30 secondes de pause entre chacune des écoutes. Étant donné qu'il y a de nombreuses informations à noter, on peut éventuellement fractionner l'écoute.

Corrigé : *9 h → départ en car – 9 h 30 → arrivée au château de Salses – 11 h → départ – 12 h → pique-nique au bord d'un lac – 14 h → départ pour Carcassonne – 15 h → arrivée à Carcassonne – 15 h-17 h → visite de la ville – 17 h-20 h → temps libre – 20 h → dîner au restaurant – 22 h → feu d'artifice – 22 h-00 h → temps libre.*

Exercice 5

Corrigé : *ma – mon – un – ma – notre – les – cette – une – du – du – de l' – un.*

Exercice 6

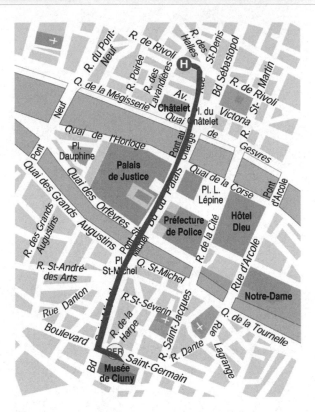

Exercice 7

Corrigé : *a. Les Ardennes, pour la randonnée et le kayak. – b. Bruxelles, Bruges, Gand, Liège. – c. Les promenades à vélo en bord de mer dans les Flandres. – d. Les tableaux de Breughel et Rubens à Bruxelles, Bruges, Gand, Liège. – e. La Belgique en général car c'est un pays réputé pour sa bonne cuisine. – f. Je vais en Wallonie.*

JE ME FAIS DES AMIS.

Objectifs généraux de l'unité

Cette unité prépare les étudiants à entrer en contact avec des francophones pour des motivations amicales ou dans le cadre de leurs études et à entretenir des relations avec eux. Ces relations peuvent s'établir de vive voix, par téléphone, par lettre, par Internet.

On apprendra donc à :

- utiliser ces canaux de communication ;
- sympathiser avec les autres ;
- donner des informations sur soi, se décrire, parler de sa santé ;
- évoquer des goûts, des souvenirs, exprimer des opinions ;
- parler de sa famille et de ses amis ;
- réagir à des événements heureux ou malheureux ;

L'histoire des pages « Échanges »

« Mon oncle de Bretagne »

Natif de Bretagne, François Dantec s'est installé il y a vingt-cinq ans en Nouvelle-Calédonie. Il est aujourd'hui à la tête d'une grande entreprise d'élevage de crevettes. Sa fille Camille, étudiante en sciences, découvre par hasard qu'un de ses oncles, Patrick Dantec, est un spécialiste du domaine qu'elle étudie. Elle reproche alors à son père d'avoir cessé toute relation avec sa famille et de ne pas lui avoir fait découvrir la France métropolitaine.

À la fin de l'année universitaire, elle décide d'aller continuer ses études en France. Elle s'inscrit à l'université de Rennes, tout près de Saint-Malo, où habite son oncle Patrick. Elle espère que celui-ci lui permettra de retrouver les membres de sa famille. Mais Patrick Dantec est en mission en Afrique. Camille lui écrit tout en menant son enquête auprès du voisinage. Petit à petit, le mystère s'éclaircit. Mais parviendra-t-elle, comme elle le souhaite, à réunir toute la famille le jour de Noël ?

Pages 92-93
Forum

Objectifs

● **Savoir-faire :**
- Évoquer un souvenir d'enfance ou de jeunesse
- Parler d'une habitude passée

● **Grammaire :**
- L'imparfait (évocation des souvenirs, des habitudes et des états passés)
- Sensibilisation à l'emploi de l'imparfait et du passé composé dans le récit

● **Vocabulaire :**
- *Les moments de la vie* (voir encadré p. 93)
- *un souvenir – un buffet – un bol – un bonbon – un lit – la récréation – un but – un spectacle – un jeu de société – une bêtise – un portable – une console de jeux – une bande – le CP.*
- *directement*
- *loger – offrir*

● **Connaissances culturelles :**
- Sensibilisation aux rapports formes écrite / forme orale
- Différence de prononciation de l'écrit français et de l'écrit dans les langues connues des étudiants
- Sensibilisation aux phonèmes difficiles du français

L'album des souvenirs

Découverte : observation globale du document. Expliquer le mot « *souvenir* ».

À la simple lecture des titres, demander aux étudiants d'essayer d'associer un texte à une image.

Exemple : « *Je pense que la photo (...) correspond à l'article (...)* ».

Activité 1

a. Vérification des hypothèses par la lecture des articles.

Corrigé : A → *Mon émission de télé préférée quand j'étais enfant* – B → *Ma première console* – C → *Mon plus vieux souvenir d'enfant* – D → *Mon meilleur prof.*

Lecture collective du premier souvenir. Repérer les circonstances (l'âge de l'enfant, lieu, etc.).

Expliquer :
- « *grands-parents* » : les parents de ma mère ou de mon père ;
- « *grand-mère* » : la mère de ma mère ou de mon père ;
- « *buffet* » : faire un dessin ;

b. En petits groupes, lire les autres articles et rassembler d'autres informations sur la personne qui parle. (10 minutes) Mise en commun. Au fur et à mesure, on vérifie la compréhension du détail.

Expliquer :
- « *album* » : livre où on colle des photos souvenirs ;
- « *chanter* » : mimer l'action ;
- « *jeu de société* » : un jeu auquel on peut jouer à plusieurs. Donner un exemple : le Monopoly.
- « *faire des bêtises* » : casser des objets par exemple ;
- « *malheureux* » : triste, pas content. Donner un exemple en situation.
- « *un portable* » : un téléphone mobile. Dessiner ou montrer.
- « *une console* » : une console de jeux. Donner un exemple : Playstation, Wii.

Donner les explications culturelles nécessaires (voir tableau « À savoir »).

Activité 2

Observer les verbes et essayer de retrouver l'infinitif. Faire remarquer que tous les verbes n'ont pas la même formation : « *j'avais* » (1 mot) est différent de « *ils m'ont offert* » (2 mots). On peut à ce stade faire une brève présentation de l'imparfait et se référer à la section « Outils ».

Activité 3

a. Classer les verbes dans le tableau.

Imparfait	Passé composé
j'avais – j'allais – il y avait – j'entrais – je prenais – j'étais – ma grand-mère lisait – nous jouions – les filles venaient – on mettait – elle était – on apprenait – on chantait, – on préparait – on logeait – ils étaient – on jouait – c'était – ils n'arrêtaient pas – mes copains avaient – je jouais.	*on est parti – mes parents m'ont offert*

b. À partir de ce relevé, faire identifier la conjugaison à l'imparfait.

Activité 4

Relire les titres des différents souvenirs de l'album. Rechercher d'autres types de souvenirs possibles (mon premier film, mon premier ordinateur).

Les étudiants rédigent en quelques lignes un ou plusieurs souvenirs inspirés par les titres qu'on vient d'énumérer. Ils peuvent poursuivre leur travail en dehors de la classe et, pour la séance suivante, rapporter des photos, des articles, etc. L'enseignant fait une correction individuelle des travaux. Ces textes pourront être rédigés dans le « journal » commencé à l'unité 1.

Activité 5

Présentation du vocabulaire (tableau de la page 87) puis écoute du document audio.

Corrigé : *1. enfance – 2. adolescence – 3. la naissance / parent – 4. mariage – 5. grand parent – 6. adulte – 7. la mort – 8. l'adolescence.*

Activité 6

Suivre les indications du livre de l'élève. Les étudiants lisent leurs souvenirs à la classe. On choisit un ou deux souvenirs par étudiant, on les classe, on les illustre afin de réaliser l'album souvenirs de la classe.

Activité supplémentaire

En petits groupes, les étudiants réalisent un questionnaire à poser aux autres étudiants de la classe. Ils posent des questions sur des moments importants de la vie.

Exemples de question : « *En quelle année / À quel âge tu as pris l'avion pour la première fois ? Tu as commencé l'école en quelle année ?* ».

À savoir

Le CP (cours préparatoire). C'est la première année de l'école primaire. En France les enfants vont à l'école primaire pendant 5 ans).

La fête des mères (dernier doimanche de mai). Un dimanche où l'on fête les mères. Les enfants offrent des fleurs, des cadeaux à leur mère. Il y a aussi la fête des pères (en juin) et la fête des grands-mères (en mars)

La Toussaint : le 1er novembre. C'est un jour férié en France. Ce jour là, beaucoup de personnes vont au cimetière fleurir les tombes des membres de leur famille décédés.

Les Razmokets : un dessin animé présentant des bébés malicieux. Populaire à la fin des années 90.

Une Rolls : une Rolls Royce, une voiture très chic et très chère. Quand on dit c'est la Rolls de..., ça veut dire que c'est le meilleur de sa catégorie.

Une Gameboy : une console de jeu portable créée par Nintendo, très populaire dans les années 90.

Pages 94–95
Outils

Objectifs

● **Savoir-faire :**
● Faire un bref récit au passé pour évoquer un souvenir

● **Grammaire :**
● L'imparfait dans l'expression des habitudes et des états passés
● Le passé composé et l'imparfait dans le récit
● L'expression de la durée (« *depuis* », « *il y a* »)

● **Prononciation :**
● Prononciation des verbes à l'imparfait, au présent, au passé composé
● Le son [j]

Parler des souvenirs et des habitudes

Sens et forme de l'imparfait : ces points auront déjà été largement abordés dans les pages FORUM.

Exercice 1

Observer le dessin. Quels âges ont les personnages ? De quelle époque parlent-ils ?

Corrigé : *Les personnages sont adultes, ils ont plus de 40 ans. Ils parlent de quand ils avaient 20 ans. Ils parlent de leurs souvenirs, de leur jeunesse.*

Exercice 2

Faire noter les verbes qui servent à décrire le souvenir. Demander aux étudiants de retrouver leur infinitif. Les étudiants notent ensuite les terminaisons selon la personne et reconstituent la conjugaison complète du verbe « parler ». Faire observer les terminaisons.

Corrigé : *Je parlais – tu parlais – il/elle/on parlait – nous parlions – vous parliez – ils/elles parlaient.*

Exercice 3

Suivre les consignes du livre.

Corrigé : *parler → je parlais – regarder → vous regardiez – connaître → elle connaissait – habiter → nous habitions – lire → je lisais – venir → je venais.*

Exercice 4

Corrigé : *tu habitais où quand tu étais jeune – j'avais une chambre – j'étudiais – c'était une belle époque – nous dansions – on allait – vous rencontriez.*

Raconter

Découverte : l'emploi du passé composé et de l'imparfait dans le récit. La maîtrise de ces emplois est difficile. On essaiera de donner une assise concrète aux deux aspects de l'action passée présentés par ces temps.

Passé composé ou imparfait ?

Le récit implique la combinaison de deux visions du passé :

1. Tantôt on se contente de noter qu'un événement s'est produit : « *Je me suis levé à 8 h.* ».

2. Tantôt on note cet événement et les circonstances qui l'accompagnent. Ces circonstances peuvent être physiques ou psychologiques. Il peut s'agir de réflexions ou de commentaires : « *Je me suis levé à huit heures. Il faisait beau. J'avais encore sommeil* ». Dans ce cas, l'événement est au passé composé et les circonstances à l'imparfait.

Pour aider à la conceptualisation de ces deux visions :

– On pourra utiliser une grille décomposant les moments du récit, dans une colonne on notera les événements (qu'on pourra aussi appelés action principale), dans l'autre les circonstances (qu'on pourra aussi appelés décor ou actions secondaires). Cette grille servira à analyser les textes au passé mais aussi à la production de textes au passé.

– – On pourra visualiser les scènes décrites par les actions.

Exemple : « *Pierre lisait le journal.* » (« *Pierre tient le journal ouvert. Il lit* ») / « *Pierre a lu le journal.* » (« *Le journal est replié. Pierre a fini sa lecture.* »).

Exercice 1

Événements (actions principales)	Circonstances
J'ai rencontré Zoé ...	C'était à la bibliothèque ...
	Je lisais des mangas ...
	Elle cherchait un roman japonais
Nous avons parlé du Japon ...	
Puis nous sommes allés nous promener...	Il faisait beau. Zoé était belle.

Exercice 2

Suivre les consignes du livre de l'élève.

Expliquer : – un commencement dans le passé : « *depuis* »
– une durée : « *il y a* ».

Exercice 3

Préparation : Pour bien faire saisir l'opposition passé composé/imparfait, lire le petit texte suivant à la classe : « *Hier, je me suis levé à 7 heures. Il faisait très froid. Ensuite je suis allé au cinéma parce que je ne travaillais pas. Quand je suis sorti, il pleuvait. Je suis rentré chez moi en bus.* ».

Distribuer les vignettes ci-dessous et demander aux étudiants de les classer par ordre chronologique.

En faisant ainsi, on verra qu'entre le passé composé et l'imparfait il n'y a pas de différence de temps, que les événements à l'imparfait se passent en même temps que ceux au passé composé. Ils ont même pu commencer avant, ils donnent des détails sur le décor, ils servent à décrire la situation.

je me suis levé	je ne travaillais pas
je suis sorti	Je suis rentré chez moi
je suis allé au cinéma	Il faisait très froid
il pleuvait	

Corrigé : « *Le week-end dernier nous sommes allés au bord de la mer. Il faisait chaud. Il y avait beaucoup de monde. J'ai* pris un bain puis, avec mon frère, nous avons fait du surf. Le soir nous étions fatigués* ».

Exercice 4

Corrigé : *(Les réponses sont proposées par rapport à l'année 2012) a. 2 ans – b. en 2005 – c. 1 an – d. en 2007* ».

Exercice 5

Suivre les consignes du livre. On peut laisser quelques minutes aux étudiants pour préparer leurs questions.

Variante : chaque étudiant écrit une ou deux questions sur un papier. Les papiers sont ensuite placés dans une boîte ou un chapeau. Ensuite, chacun leur tour, les étudiants tirent une question au sort et y répondent.

Activité ludique pour pratiquer l'imparfait et le passé composé et utiliser « *il y a* » et « *pendant* ».

Séparer la classe en 3 ou 4 groupes de 5 étudiants. Demander aux étudiants d'écrire chacun 3 anecdotes, moments importants et originaux de leur vie (en une phrase). Attention, parmi ces 3 phrases, seules 2 seront vraies.

Exemple : « Cet été, j'ai caressé un ours dans la forêt. (faux). – Il y a 2 ans, j'ai vu Britney Spears à Paris. (vrai) – Quand j'avais 5 ans, j'ai eu un accident de voiture. (vrai)

Afin de découvrir la vérité, les étudiants poseront des questions sur ces anecdotes et voteront.

À l'écoute de la grammaire

Exercice 1

Différenciation des terminaisons verbales

Présent	Passé composé	Imparfait
tu habites – tu aimes – nous pensons	je suis venu – nous sommes partis	tu aimais – tu habitais – Marie venait – nous habitions

Exercice 2

Différenciation du présent et de l'imparfait aux 1re et 2e personnes du pluriel. Faire lire et produire d'autres phrases.

Pages 96–97
Échanges

Objectifs

● **Savoir-faire :**
● Parler de sa famille
● Donner des précisions biographiques
● Féliciter quelqu'un

● **Grammaire :**
● Enchaîner des idées (« donc », « alors », « mais »)

● **Vocabulaire :**
● *les membres de la famille et les événements de la vie familiale*
● *un anniversaire – un professeur d'école – un accident – une sœur – un frère – un oncle – une tante – une barbe – le droit – une réussite – un roi – une crevette – une réussite*
● *compliqué – classe – fâché*
● *longtemps*
● *bon courage !*

● **Prononciation :**
● Les voyelles nasales

L'histoire

L'histoire débute à Nouméa, en Nouvelle-Calédonie, dans la famille Le Gall. Camille Le Gall regarde des photos avec son père. Elle apprend l'existence d'oncles et de tantes avec qui son père n'a plus de contact depuis qu'il a quitté sa Bretagne natale il y a 25 ans.

Quelques mois plus tard la jeune fille, qui vient d'obtenir sa licence de sciences, décide de continuer ses études à l'université de Rennes afin de retrouver ses racines.

Découverte

Observer les photos, lire le texte et essayer de deviner le thème de l'histoire. Situer la Nouvelle Calédonie et Saint Malo sur une carte.

Expliquer :

– « une crevette » : dessiner ou traduire ;

– « le roi » : citer un roi connu des étudiants ;

– « production » : expliquer à partir d'une réalité économique connue des étudiants.

Scène 1

Activité 1

Écoute de la scène 1. Faire une écoute progressive. À chaque réplique, noter ce que l'on apprend sur la famille de Camille et François. Faire compléter le texte de l'activité 1.

Corrigé : a. *François habite la Nouvelle-Calédonie depuis 25 ans. –* b. *C'est le directeur d'une entreprise de production de*

crevettes. – c. *Quand il était jeune, il habitait en Bretagne. Mais il s'est disputé avec ses frères et sa sœur. –* d. *Camille est la fille de François. Elle est étudiante.*

Activité 2

Commencer à compléter l'arbre généalogique. Certaines informations seront fournies au fil de l'unité. On peut présenter d'autres arbres généalogiques (de personnes connues des étudiants : un personnage historique, un chanteur...) pour montrer le fonctionnement.

Exemple d'arbre généalogique :

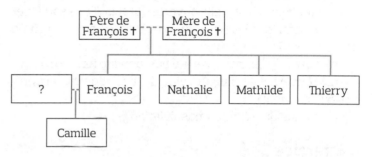

NB : on ne sait pas encore où placer la cousine Juliette et Patrick.

Activité 3

En s'inspirant du dialogue, faire jouer un jeu de rôle aux étudiants. Suivre la consigne du livre de l'élève. En prévision de cette activité, le professeur pourra demander aux étudiants d'amener une photo de famille.

Scène 1

Activité 4

Faire une écoute fragmentée afin de répondre aux questions de l'activité 4.

Corrigé : a. *Oui, car elle a réussi à sa licence de sciences. –* b. *Elle va continuer ses études à Rennes. Là-bas elle pense retrouver les membres de sa famille. –* c. *C'est assez difficile car elle ne connait personne. Elle connait seulement l'adresse de leur maison de famille à St Malo. –* d. *Réponse libre.*

Expliquer :

– « licence » : la 3ᵉ année d'université ;

– « c'est trop classe » : expression familière, particulièrement utilisée chez les jeunes, qui signifie « C'est très bien ; c'est super » ;

– « compliqué » : difficile, « Les conjugaisons du français sont compliquées. » ;

– « fâché » : Après une dispute on peut être fâché. On ne se parle plus, on ne se dit plus bonjour ;

– « Bon courage » : ce qu'on dit à une personne qui doit faire quelque chose de difficile.

Activité 5

Jeu de rôle à faire par deux. Demander aux étudiants de se projeter après leurs études et d'imaginer ce qu'ils voudront faire. Faire revoir les structures pour faire des projets (Unité 2). Le professeur peut à ce moment faire un point sur le système scolaire en France.

Prononciation

Exercice 1

Bien faire prendre conscience de l'opposition entre la voyelle fermée et la voyelle ouverte : [o] et [ɔ]. Faire souligner les « o » fermés et les « o » ouverts. Décrire la position de la bouche pour les produire :
– « o » fermé, [o] : langue vers le bas, bouche fermée ;
– « o » ouvert, [ɔ] : langue vers le bas, bouche ouverte (verticalement).
– [ɔ̃] : position du o fermé + nasalisation.

Exercice 2

Différencier ensuite les deux voyelles nasalisées :
– [ɑ̃] : bouche ouverte ;
– [ɔ̃] : bouche fermée.

Faire remarquer aux étudiants que c'est l'ouverture de la bouche qui conditionne le son qui sort. Si la bouche est fermée, ils ne pourront pas produire [ɑ̃].

À savoir

La Nouvelle Calédonie. Île de l'Océan Pacifique, située à l'est de l'Australie (voir carte, p. 6). Territoire français depuis 1853. Population (200 000 habitants) pour moitié Kanaks, pour moitié Européens. Ville principale : Nouméa (77 000 habitants).

La Nouvelle Calédonie est entrée dans un processus qui doit la conduire à l'autonomie. **Le centre culturel Tjibaou**, construit par l'architecte Renzo Piano, est destiné à promouvoir la culture Kanak. Il porte le nom du leader indépendantiste Jean-Marie Tjibaou, assassiné pour avoir signé des accords avec Paris.

Dans le langage de tous les Français qui vivent dans des territoires d'outre mer, l'Hexagone se dit la « Métropole »

Saint-Malo. Port de Bretagne qui a un riche passé. Dès le XVIᵉ siècle, c'est le point de départ des expéditions vers l'Amérique. La ville a vu naître de célèbres corsaires (Surcouf), est devenu port de guerre au XIXᵉ siècle, puis port de pêche. Elle garde de beaux vestiges de ce passé glorieux : remparts, château, rues pittoresques, hôtels particuliers.

Pages 98–99
Découvertes

Objectifs

● **Savoir-faire :**
• Comprendre un résumé de film
• Comprendre des informations sur les relations du couple et la vie familiale
• Présenter sa famille

● **Connaissances culturelles :**
• Deux films français ayant pour thème « la famille »
• Informations sociologique sur les couples et les types de familles

● **Vocabulaire :**
• *Vocabulaire du couple et de la famille* (voir p. 99)
• une aventure – un coup de foudre – un contrat – un journal intime – le PACS (pacsé) – un studio
• en cachette
• amoureux – infidèle – religieux
• avoir envie – oublier – tomber amoureux – se disputer

Exercice 1

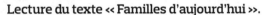

Lecture du texte « Familles d'aujourd'hui ».
Suggestion d'animation : dictée dynamique

Objectifs : pratiquer la prononciation et la compréhension d'informations générales. Révision des chiffres. Savoir travailler en équipe.

Modalité : Par deux

Matériel : une copie agrandie du texte « La famille change ».

Durée : 15–20 minutes

Déroulement : Le livre reste fermé. Le professeur écrit le titre de l'article au tableau : « La famille change ». Demander aux étudiants de faire des hypothèses sur le contenu de l'article. Mettre en commun au tableau.

Demander aux étudiants de se mettre deux par deux. Leur expliquer que, dans chaque équipe, il y a aura un dicteur/lecteur et un script. Préciser également que les rôles changeront en cours d'activité.

Il y a deux règles à préciser avant de commencer :
– le lecteur ne peut pas toucher le stylo ou modifier ce que le script a écrit.
– le script ne peut pas sortir pour voir le document.

Dès que les équipes sont formées, chaque lecteur sort de la salle et va dans le couloir lire le document (accroché à un mur par exemple, et suffisamment éloigné des scripteurs). Il retourne en classe et dicte à son partenaire.

Bien préciser que les lecteurs peuvent ressortir autant de fois qu'ils le souhaitent. S'ils sont en difficulté pour se faire comprendre, ils peuvent épeler ou répéter. À la fin du 1ᵉʳ paragraphe, les étudiants changent de rôle.

Ensuite, on peut attribuer des points pour la vitesse (5 points pour la première équipe, 4 points pour la deuxième, etc.). Mais il faut tout de même corriger les erreurs, car le but est d'être rapide mais efficace. Le plus important est d'insister sur les erreurs de compréhension (chiffre mal noté, confusion au niveau des sons) plus que sur celles de grammaire ou d'orthographe.

Une fois l'activité terminée, on vérifie dans le livre de l'élève. On relève le vocabulaire nouveau.

Expliquer :

– « *Le Pacs* » : voir encadré « À savoir » ;

– « *le divorce* » : la fin d'un mariage.

Production orale :

Demander aux étudiants de faire la liste de tous les types de famille et de contrats d'union (mariage religieux et civil, Pacs). Utiliser les comparatifs et le vocabulaire de l'arbre généalogique et de l'encadré (« le couple et la famille »).

Exercice 2

a. Corrigé :

	Personne préférée	Explications
1	Le grand-père maternel	Il habitait à la campagne et avait un jardin extraordinaire.
2	Un ami du père	Il parlait toujours de l'étranger. Sa vie était passionnante.
3	Une voisine	Elle était pianiste. Le goût de la personne interrogée pour la musique date de cette époque.
4	La grand-mère	Elle a appris à la personne à faire la cuisine. Il est devenu cuisinier.
5	Des voisins	Ils étaient sportifs. Tout le contraire des parents de la personne interrogée.

b. Les étudiants répondent à la question du journaliste. Cette activité peut se faire à l'écrit à la maison.

Exercice 3

Activité de production orale, à faire par deux ou en petits groupes.

Exercice 4

Les étudiants se partagent les deux résumés. Chaque groupe doit trouver :

a) les personnages, le type de famille présenté. (Cette activité permet de réviser les possessifs) ;

b) les problèmes posés. (Cette activité permet de revoir comment on raconte).

Film 1 :

Les personnages : Pierre (professeur, divorcé), son ex-femme, leurs enfants (Victor 14 ans et Thomas 9 ans), Jeanne (agent immobilier, divorcée), ses enfants (Camille 13 ans, Paul 9 ans).

Type de famille : famille recomposée.

La situation de départ : Pierre se sépare de sa femme et tombe amoureux de Jeanne. Ils décident de partir en vacances ensemble sur l'île de Ré.

Les problèmes rencontrés par les personnages : Pierre veut refaire sa vie avec Jeanne mais les enfants ne s'entendent pas.

Film 2 :

Les personnages : Lola (lycéenne de 16 ans), sa mère, son petit frère, son père, on copain Arthur, l'ami de son copain : Maël, un policier.

Type de famille : famille monoparentale.

La situation de départ : Lola, 16 ans, mène une vie heureuse avec sa mère et son petit frère. Mais elle va bientôt connaître son premier chagrin d'amour.

Les problèmes rencontrés par les personnages : Le petit ami de Lola a eu une relation avec une autre fille pendant les grandes vacances ; la mère de Lola voit son père en cachette et lit son journal intime...

Présentation de travaux à la classe et vérification de la compréhension.

Activité 5

Les étudiants évoquent des films qu'ils ont vus sur les mêmes sujets. Possibilité de montrer l'affiche du film ou un extrait. On peut même demander aux étudiants de rédiger le synopsis d'un des films.

À savoir

Le PACS : le **PA**cte **C**ivil de **S**olidarité est une forme d'union civile. Il s'agit d'un contrat. La loi instaurant le PACS a été votée en 1999 sous le gouvernement Jospin. C'est un partenariat contractuel entre deux personnes majeures (les « partenaires »), quel que soit leur sexe, ayant pour objet d'organiser leur vie commune.

Leçon 10 — On s'appelle ?

Pages 100–101
Forum

Objectifs

- **Savoir-faire :**
  - Parler de ses intérêts et de ses habitudes en matière de nouvelles technologies et de communication
- **Vocabulaire :**
  - un achat – un blog – un cybercafé –un réseau social – la santé – un sondage – une technologie –une webcam
  - accro – amusant – dangereux – électronique – facile – familial – personnel
  - chercher – enregistrer – éteindre – télécharger – utiliser
- **Grammaire :**
  - Expression de la fréquence et de la répétition (voir tableau p. 101)

Découverte

Observation de la double page : « *De quoi il s'agit ? – Un sondage. / Quel est le thème ? – Les nouvelles technologies.* ».

Les images : par petits groupes, les étudiants choisissent une image et la présentent à la classe. Ils expliquent ce qui est drôle dans l'image, ce qu'elle raconte.

Image 1 : c'est un couple dans un parc. Ils communiquent par ordinateur, ils ne se parlent pas. C'est amusant car ils disent qu'ils s'aiment.

Image 2 : des personnes sont à un repas, assez chic. L'homme ne sait pas où mettre son portable sur la table. Le portable a maintenant une place sur la table, comme les couverts.

Selon le niveau des étudiants, le professeur les guide avec des questions.

Activité 1

Travail collectif. Le professeur présente chaque point du sondage et vérifie la compréhension. Les élèves cochent la ou les réponses qui conviennent. Le vocabulaire des nouvelles technologies ne devrait pas poser de problème de compréhension.

Expliquer :
- « *accro* » : addict, on ne peut pas arrêter d'utiliser, de consommer quelque chose (donner des exemples) ;
- « *un cybercafé* » : un café avec des ordinateurs pour aller sur internet ;
- « *un réseau social* » : donner les exemples de Facebook et de Twitter.

À l'occasion de la question 3, présenter et expliquer les mots qui permettent d'indiquer la fréquence et la répétition. Seuls trois mots n'ont pas encore été introduits (encadré p. 101) :
- « *fois* » : une fois, deux fois, en tapant dans les mains ;
- « *quelquefois* » : deux ou trois fois ;
- « *jamais* » : il ne va jamais sur Internet car il n'a pas d'ordinateur.

Activités 2 et 3

Les étudiants comptent les points qu'ils ont obtenus et se regroupent selon le total de leurs points. Chaque groupe résume ses réponses et fait une liste de justifications : « *Pourquoi, dans le groupe A, on n'utilise jamais ou presque jamais Internet ? Pourquoi, dans le groupe C, a-t-on toujours son portable allumé ?* ».

Chaque groupe présente ses réflexions à l'ensemble de la classe.

Peut suivre une petite discussion dans la classe sur les nouvelles technologies. Le professeur lance le sujet. Les élèves qui le souhaitent répondent. On passe ensuite d'autres sujets : « *Peut-on vivre sans téléphone portable ? Peut-on vivre sans Internet ? Internet est-il dangereux pour les enfants ?* ».

Activité 4

Faire observer l'emploi des pronoms compléments pour préparer le point de grammaire des pages « Outils ».

Pages 102–103
Outils

Objectifs

- **Grammaire :**
  - Éviter des répétitions en utilisant des pronoms
  - Les pronoms compléments directs (personne et chose)
  - Interroger. (questions ouvertes / fermées) – les registres de langue
- **Vocabulaire :**
  - traduire – réserver – sortir (pour un film)
- **Prononciation :**
  - Rythme et enchaînement des groupes verbaux avec pronom complément antéposé

Utiliser les pronoms compléments directs

Exercice 1

Observation des phrases du dessin.

a. Les étudiants doivent retrouver quels mots représentent les mots en gras.

Exemple : « *Je la traduis.* » → « *Je traduis cette lettre.* »

b. Faire retrouver le système des pronoms objets directs dans le tableau. Faire remarquer :

– que le pronom se place avant le verbe ;

– que « *le* », « *la* » et « *les* » sont des pronoms (et donc pas toujours des articles) et qu'ils peuvent aussi bien remplacer une personne qu'une chose ;

– les constructions négatives et interrogatives.

Exercice 2

Corrigé : *je l'aime bien – tu la vois souvent – oui, je l'appelle – elle m'appelle – je l'invite au McDo – je ne la connais pas – je les adore.*

Exercice 3

Pour chaque question, faire formuler la réponse affirmative et la réponse négative.

Corrigé : *Oui, je la regarde. – Non, je ne les regarde pas. – Oui, je l'aime bien. – Oui, je la suis. – Non, je ne le regarde jamais.*

Pour continuer cet exercice, on peut proposer aux étudiants de poser d'autres questions.

Exercice 4

Corrigé : *Oui, je les fais. – Oui, je les comprends. – Oui, je l'écoute. – Non je ne la comprends pas.*

Cet exercice peut également être l'occasion de réviser les conjugaisons au présent.

Interroger

Découverte. Faire observer l'image : « *Où sont-ils ? Que font-ils ?* ».

Observer les types de questions et faire l'exercice 1.

Exercice 1

a. Forme avec « *Est-ce que ...* » → « *Est-ce qu'elle est là ?* ».

Forme avec inversion (verbe + sujet) → « *Quand sort votre prochain film ?* ».

Forme simple → « *Vous avez vu ?* ».

Proposer aux étudiants de choisir un type de question qui leur convient le mieux. **Il est important de toutes les comprendre mais il n'est pas indispensable de toutes les utiliser.**

Expliquer également, les différences de niveau de langue.

Question inversée : « *quand* » / « *qui* » / « *où* » / « *est-ce que* ».

b. Faire un brainstorming. Les étudiants doivent trouver d'autres mots pour poser les questions. Ils peuvent chercher dans le manuel ou dans leur cahier.

Corrigé : *quoi – comment – combien – pourquoi – à qui.*

Vérification en lisant le tableau.

Exercice 2

Pour les étudiants en difficulté, le professeur peut proposer dans le désordre les différentes questions à retrouver. Ainsi les étudiants pourront se concentrer sur les pronoms interrogatifs et leurs réponses.

Corrigé : *Vous partez en vacances ? – Vous allez où ? – Vous partez quand ? – Vous partez avec qui ? – Vous allez faire quoi ? – Vous n'allez pas faire de vélo ?*

Exercice 3

Préparation du sondage, en sous-groupes hétérogènes ou homogènes. Laisser une dizaine de minutes pour la rédaction des questions.

Si le groupe classe est important, on peut faire réaliser des sondages sur des thèmes différents (les loisirs, le cinéma, la musique, le sport,...).

À l'écoute de la grammaire

Exercice 1 et 2

Ces deux exercices sont destinés à automatiser certaines phrases souvent prononcées en classe.

Pages 104–105
Échanges

Objectifs

● **Savoir-faire :**
- Exprimer une opinion (*c'est vrai / faux ; il a raison / tort*)
- Faire connaître son droit (*avoir raison / tort*)
- S'excuser
- Demander / donner des nouvelles de quelqu'un

● **Vocabulaire :**
- *un tour – une nièce – une tante – un oncle – un dossier d'inscription – une porte – une faute – un numéro – une infirmière – un conseil*
- *sûr – banal – original – extraordinaire – complet – possible/impossible – vrai / faux – régional*
- *croire – quitter – manquer*
- *totalement – attention*

● **Prononciation :**
- Différenciation [ʃ], [ʒ], [s] et [z]

Leçon 10 — On s'appelle ?

L'histoire

Camille est arrivée en Bretagne. Elle s'inscrit à l'université de Rennes. Puis, quelques jours plus tard, elle se rend à Saint-Malo où habite son oncle Patrick. Elle a découvert l'adresse de celui-ci sur Internet mais n'a pas réussi à le contacter.

L'oncle est absent mais elle obtient par un voisin certaines informations sur lui, sur Thierry (le deuxième frère de son père) et sur Mathilde (l'une des sœurs de son père). Ce voisin lui donne également l'adresse électronique de Patrick.

Scène 1

Cette scène est composée de trois petites scènes qu'il faut aborder séparément.

Activité 1

● **Première partie**

Écouter le dialogue et trouver le dessin qui correspond (dessin en haut de la page 105 à droite).

Expliquer :

– « *à qui le tour* » : reproduire la situation en classe ;

– « *penser* » : utiliser la gestuelle ;

– « *sûr* » : poser la question « *Camille est en France, vous êtes sûr ?* » ;

– « *totalement* » : d'après « *total* » (introduit à la leçon 7) ;

– « *avoir raison* » / « *avoir tort* » : faire réagir les étudiants avec les phrases suivantes : « *Il faut voir le film (...). Vous êtes d'accord ? J'ai raison ?* ».

Faire jouer le même type de scène :

– Quelqu'un passe devant vous dans la file d'un cinéma.

– Quelqu'un prend votre place chez un commerçant.

● **Deuxième partie**

Écouter et associer au bon dessin (en bas à droite de la page 105). Situer, écouter et faire raconter la scène : « *Elle est au secrétariat. Elle parle de son dossier d'inscription. Il manque deux photos.* »).

Expliquer :

– « *dossier* » : montrer un dossier universitaire, les documents pour l'inscription.

– « *complet* » : dire les phrases exemples : « *Il y a tous les documents dans le dossier ? – L'hôtel est complet (il n'y a plus de place dans l'hôtel).* ».

– « *il manque* » : dire les phrases exemple : « *Il n'y a pas tous les documents, il y a un document en moins* ».

Écrire au tableau les groupes avec pronoms compléments et faire repérer le pronom : « *Je l'ai.* » (le dossier) – « *Je les ai.* » (les photos).

● **Troisième partie**

Écouter et associer au bon dessin (en bas à gauche de la page 104). Scène typique de prise de contact entre étudiants et de prise de rendez-vous. Faire une écoute fragmentée.

Expliquer :

– « *c'est banal* » / « *c'est original* » : les deux mots sont des contraires. Exemple : « *Porter des baskets pour faire du tennis, c'est banal. Porter des skis pour jouer au tennis, ce n'est pas banal, c'est original.* ».

Questions de compréhension :

Comment s'appelle l'étudiant ?

Comment Frédéric sait que Camille vient de Nouvelle Calédonie ?

Frédéric vient d'où ?

Qu'est-ce qu'il propose à Camille ?

Elle accepte ? Pourquoi ?

Frédéric donne quoi à Camille ?

Elle accepte ?

Ils vont se revoir ?

Activité 2

Comme il y a beaucoup de réponses possibles, laisser les étudiants faire des propositions.

Proposition de corrigé : *(1) Camille attend* **pour aller au secrétariat / devant le secrétariat.**

Un étudiant **passe devant elle / prend son tour.** *– (2) Camille se présente* **à la secrétaire.** *La secrétaire* **ne se rappelle pas / demande son nom de famille / cherche son dossier.** *– (3) Quand Camille sort du secrétariat,* **un étudiant vient lui parler.** *L'étudiant s'appelle* **Frédéric.** *Il donne* **son numéro de téléphone.**

Scène 2

Proposer une écoute fragmentée et répondre aux questions.

Activité 3

Corrigé : *a. Elle est allée voir sa tante Nathalie. – b. Non, elle n'est pas chez elle. – c. Elle rencontre le voisin. – d. Oui, il connaît bien la famille de Camille. – e. Elle apprend que le voisin et son père sont amis d'enfance.*

Reprendre le nom des membres de la famille.

Expliquer : « *la nièce* », « *la tante* », « *l'oncle* ». On peut systématiser en posant des questions à partir de l'arbre généalogique. Exemple : « *Qui est l'oncle de Camille ? Qui est le frère du père de Camille ? Qui est la nièce de Mathilde ?* », etc.

Activité 4

Écoute de la deuxième partie. Faire noter les nouvelles informations sur les membres de la famille.

Activité 5

Jeu de rôle : **1 – Présenter le tableau** « **Pour exprimer une opinion** » / **2 – Présenter la situation du jeu de rôle.** Dans le dialogue, l'une des personnes doit poser des questions : « *Vous croyez qu'ils sont malades ?* » « *À votre avis, ils vont* *rentrer quand ? »*. Les étudiants peuvent aussi exprimer des opinions sur l'absence des amis : *« Ce n'est pas la bonne date. »/ « Je suis en avance » /. « Ils sont malades »* ...

Prononciation

Faire prendre conscience des oppositions :
– entre sourdes et sonores : [ʃ] et [ʒ], [s] et [z] ;
– entre [s] (formation sur le devant de la bouche et sifflement) et [ʃ] (prononciation plus haute et chuintement).

Exercice 1 – Le professeur peut recopier ces phrases et les faire piocher au hasard par les étudiants. Chaque étudiant doit ensuite lire correctement la phrase à voix haute.

Exercice 2 – Faire travailler la position des lèvres (projetées en avant pour [ʃ], presque fermées pour [s]). Former des groupes de trois étudiants. Un étudiant mémorise le texte et le prononce le plus correctement possible, les deux autres l'entraînent et le corrigent. Vérification collective ou par le biais du professeur qui passe écouter les groupes.

À savoir

Le Conseil régional. C'est l'administration qui gère la région. Les conseillers régionaux sont élus pour six ans.

Pages 106–107
Découvertes

Objectifs

● **Savoir-faire :**
● Comprendre et rédiger de brefs messages de félicitations, d'invitation, de réponse à une invitation, de remerciements, d'excuses, de souhaits

● **Connaissances culturelles :**
● Savoir se comporter lors d'une rencontre avec un francophone. Comment l'appeler ?. Quand serrer la main ou faire la bise ?. Quelles expressions de salutation employer ?
● Tutoiement ou vouvoiement
● Appréhender une invitation
● Offrir / Recevoir un cadeau

● **Vocabulaire :**
● Vocabulaire *« pour remercier »* et *« pour s'excuser »* (voir p. 107)
● *un souvenir – un succès – une cérémonie – un interlocuteur – le début – un exposé*
● *joyeux – meilleurs vœux – tout compris – informel – enchanté*
● *adresser – souhaiter – regretter – féliciter – espérer – embrasser – prier – tutoyer – vouvoyer – serrer (la main) – accepter – essayer*
● *au lieu de*

Petits messages entre amis

Exercice 1

Les étudiants travaillent par groupe. Chaque groupe identifie un document et complète le tableau.

Corrigé :

Docu-ment	Qui écrit ?	À qui ?	À quelle occasion	Qu'exprime-t-il ?
1	Alejan-dro	À Gaëlle	Envoi de documents par Gaëlle	Remerciements
2	Erika	Valérie et Antoine	Noël et nouvel an	Meilleurs vœux
3	Hans	Camille	Camille organise une fête.	Regrets de ne pas venir / Satisfaction et félicitations / Espoir de se voir bientôt
4	Florence Guiraud	Giulia	Informa-tions sur une location	Excuses. Renseigne-ments.
5	Mathilde et Benja-min	des amis, de la famille	un mariage	Joie.

Exercice 2

Passer de l'oral à l'écrit. Cette activité peut se faire individuellement ou collectivement.

Corrigé : a. *Je te/vous remercie.* – b. *Je suis désolé(e).* – c. *Veuillez m'excuser.* – d. *Je vous invite à dîner.* – e. *Je te /vous félicite.* – f. *Dis/Dites bonjour à Luigi. / Salue/Saluez Luigi pour moi. / Mes amitiés à Luigi.*

Exercice 3

Il est important que les étudiants rédigent les deux lettres ou messages mais ils peuvent reporter la rédaction du second à plus tard.

1. Répertorier les formules qui permettent d'exprimer ce qui est demandé. Lire les expressions des encadrés *« remer-cier »* et *« s'excuser »*.

2. Les étudiants font leur rédaction.

Corrigé : a. *Chère (...), je te renvoie ce livre avec six mois de retard. Je te prie de m'excuser. J'ai eu beaucoup de travail ces derniers mois et j'ai fait plusieurs voyages à l'étranger. J'ai lu ce livre avec plaisir. L'histoire est passionnante. Je te remercie de me l'avoir prêté. J'espère que l'on va se voir bientôt. Amitiés.* – b. *Cher ami, j'ai bien reçu ton invitation et je te remercie. Malheureusement, du 20 au 30 mai, j'ai des examens et je ne vais pas pouvoir venir. Je le regrette beaucoup. J'espère bien te voir à mon retour et rencontrer*

Leçon 10 On s'appelle ?

Mathilde. Je vous souhaite beaucoup de bonheur à tous les deux. Amitiés.

Savoir vivre en france

Découverte

Lecture de l'extrait du guide du savoir-vivre. La classe se partage les 5 paragraphes. Chaque petit groupe informe les autres. Faire des comparaisons avec les comportements dans d'autres pays.

Expliquer :

– « *tutoyer / vouvoyer* » : utiliser des photos mettant en scène différents personnages (âge, profession) dans des situations diverses (professionnelle, informelle, etc.) ;
– « *se serrer la main* » : expliquer par la gestuelle ;
– « *au lieu de* » : synonyme de « *à la place de* ».

Exercice 4

a. Observer les photos et imaginer un dialogue pour chaque situation (étudiants par deux – groupes homogènes – laisser à peine cinq minutes de préparation pour garder en spontanéité)

b. Écouter les scènes et comparer. Vérifier la compréhension et mettre en commun les nouvelles structures. On peut proposer un jeu de pendu (avec les nouvelles expressions) pour réexploiter le vocabulaire.

Activité connexe :

Conception d'un quiz sur les bonnes manières en France.

À savoir

Les messages électroniques

Dans les messages électroniques, les formules de politesse sont très simplifiées.

1. La formule d'appel. On dira : « *Bonjour François*» à quelqu'un qu'on connaît bien, même si on le vouvoie ; « *Bonjour* » à quelqu'un qu'on ne connaît pas ; « *Bonjour Monsieur / Madame* » si on veut être plus respectueux.

2. La formule finale est très brève : « *Merci* » ; « *À bientôt* » ; « *Cordialement* » ; « *Sincères salutations* » – « *Amitiés* » ; etc.

Compléments aux conseils de savoir-vivre

– Le tutoiement. Les personnes qui ne se connaissent pas mais qui appartiennent au même groupe professionnel, associatif, de loisir peuvent se tutoyer tout de suite. Mais ce n'est pas une règle. Certains préfèrent le vouvoiement, tout au moins pendant la période où on fait connaissance. Mais deux professeurs, chercheurs, médecins, scientifiques qui se rencontrent dans un congrès peuvent tout de suite se tutoyer.

– Serrer la main et faire la bise. Les Français se serrent la main quand ils se rencontrent pour la première fois ou quand ils ne se sont pas vus depuis quelques jours. On peut voir des collègues de travail se serrer la main tous les matins mais il ne faut pas généraliser. On se fait la bise plus facilement qu'avant. Les jeunes peuvent se faire la bise dès la première rencontre. On peut faire la bise à l'ami(e) d'un(e) ami(e) qui vient de vous être présenté(e).

– « *Bonjour* » ou « *bonsoir* ». Bien montrer aux étudiants que « *Bonjour* » est une formule de salutation t de prise de contact qui n'est pas lié à un moment de la journée. « *Bonsoir* » peut être une salutation mais c'est surtout une prise de congé comme « *Bonne journée* », « *Bonne après-midi* », etc.

Pages 108–109
Forum

Objectifs

● **Savoir-faire :**
- Exposer un problème quotidien (comportemental ou relationnel)
- Donner un conseil à quelqu'un qui a un problème

● **Grammaire :**
- Le présent (révision)
- Les pronoms indirects

● **Vocabulaire :**
- *Pour donner un conseil* (tableau p. 109)
- *l'argent de poche – une canette – un copain – le chômage – un exposé – un pote* – *une vie sociale*
- *maigre – nerveux – trouble*
- *boire – critiquer – être mal à l'aise – éviter – envoyer – expliquer – guérir – offrir – reparler – redevenir– se demander – se disputer – se sentir bien – tourner*

Forum des jeunes

Le document est un extrait d'un forum internet pour les jeunes. Huit jeunes internautes ont exposé un problème relationnel ou comportemental.

Activité 1

La classe se partage les huit témoignages.
- Travail en groupes hétérogènes : chaque étudiant apporte au groupe pour la compréhension.
- Travail en groupes homogènes : le professeur met un dictionnaire à disposition pour faciliter la compréhension.

Chaque groupe s'occupe d'un témoignage. Les étudiants doivent :
- présenter le problème ;
- donner une liste contenant les mots nouveaux et les expliquer à la classe ;
- proposer une réponse à l'internaute avec des conseils.

Pour le dynamisme de l'activité et afin de s'assurer que chaque groupe écoute les autres, on peut proposer aux étudiants de présenter un « problème » et de donner des conseils à un autre.

De même, travailler ainsi permettra d'avoir deux temps de préparation plus courts au lieu d'un long moment.

Pendant la préparation, le professeur passe voir les groupes et s'assure de la compréhension. Après les présentations, le professeur s'assure de la compréhension du détail. Il peut par exemple poser des questions : « *Quand est-ce que Marco se sent nerveux ?* » ; « *Quand est-ce que Loïc est fatigué ?* ».

Activité 2

Les groupes présentent leurs conseils au reste de la classe. Afin de préparer cette partie, faire lire l'encadrer « Pour donner un conseil ».

Ensuite, les autres étudiants peuvent proposer des solutions.

Activité 3.

Suivre les consignes du livre. Pour la partie a), proposer aux étudiants de s'aider des témoignages pour le vocabulaire et les structures. Laisser les étudiants libres de proposer les sujets qu'ils souhaitent même s'ils sont différents de ceux abordés dans la méthode.

Les problèmes exposés par les étudiants peuvent être moins sérieux et moins intimes que ceux qu'on vient de voir. On peut exposer un problème d'apprentissage du français, de préparation d'un plat, d'organisation de sa journée, de recherche d'un bon livre ou d'un bon programme de télévision, etc.

Pour les parties c) et d), rappeler aux étudiants de s'aider de l'encadré p. 109.

À la fin de l'activité, les étudiants peuvent débattre sur les divers sujets proposés, évoquer ceux qui les touchent, ceux qui ne les concernent pas.

Demander aux étudiants de relever l'ensemble du vocabulaire ayant trait à la santé.

Pages 108–109
Forum

Objectifs

● **Grammaire :**
- Les pronoms compléments indirects
- Rapporter des paroles ou des pensées
- Négation simple

● **Vocabulaire :**
- *une assistante – une histoire drôle – un coin*
- *sympa – bizarre*
- *s'entraîner – monter*

● **Prononciation :**
- Rythme et prononciation de la construction « ne ... plus »
- Rythme des constructions pour rapporter des paroles

Les pronoms compléments indirects

Découverte du document

Les étudiants observent le dessin :
« *Où sont les personnes ? – Au travail, à la machine à café.* »
« *Elles parlent de quoi ? De qui ? – De la nouvelle assistante de la directrice.* »

« Quel est le problème ? – L'homme à gauche ne l'aime pas. »

Faire observer les mots en gras. Les étudiants reconnaissent les pronoms directs déjà vu lors de la leçon précédente.

Exercice 1

Faire lire les intitulés des deux colonnes. Quelle est la différence entre les deux types de pronoms ? Les premiers sont employés avec des verbes sans préposition, les deuxièmes sont employés avec des verbes avec préposition (« à »).

On peut à ce stade demander aux étudiants de réfléchir à des verbes qui sont suivis de « à » et à ceux qui ne le sont pas (possibilité d'utiliser le corpus fourni dans les leçons précédentes).

Observer l'exemple donné : *« Je dis bonjour à l'assistante. »* → *« Je lui dis bonjour. »*.

Reprendre les verbes et réfléchir ensemble.

Exemple : *« Elle ne me répond pas. »*. Demander aux étudiants si l'on doit dire *« répondre quelqu'un »* ou *« répondre à quelqu'un »*. Procéder de la même façon avec tous les verbes. Compléter le tableau.

Corrigé :

	Pronoms directs	**Pronoms indirects**
je/tu – nous/vous	me – te – nous – vous	me – te – nous – vous
un nom de personne	le – la – l' – les	lui – leur
un nom de chose	le – la – l' – les	

Faire observer aux étudiants que pour « je », « tu », « nous », « vous », les pronoms sont les mêmes et que les pronoms indirects ne s'utilisent pas pour une chose. On donne, dit, offre, répond à quelqu'un car il s'agit d'un échange entre deux êtres animés.

Souligner également qu'avec les pronoms indirects on ne fait pas de différence entre le masculin et le féminin. En effet, contrairement à ce qui a été vu à la leçon 3, dans ce cas, « lui » s'utilise au masculin comme au féminin.

Lire l'encadré.

Exercice 2

Compléter en utilisant les pronoms indirects.

Corrigé : *leur – te – me – me – t' – leur.*

À la suite de la correction, on peut demander aux étudiants d'expliquer comment ils rencontrent leurs amis (utiliser les pronoms).

Exercice 3

Corrigé : *elle l'a quitté – elle lui a écrit – elle lui a dit – elle les a emmenés – il peut les voir – il les voit – il leur téléphone.*

Activité de réemploi

Demander aux étudiants de produire des devinettes en utilisant des pronoms compléments directs et indirects puis les faire proposer à la classe.

Exemples : *« Je les porte quand il y a trop de soleil, je les utilise pour protéger mes yeux. »* → *« Les lunettes de soleil. »* / *« Je le vois quand je suis malade. Je lui téléphone avant pour prendre un rendez-vous. Il me donne des médicaments à prendre. »* → *« Le médecin. »*

Rapporter des paroles ou des pensées

Il s'agit ici de faire le point sur des constructions qui auront été introduites à l'occasion du travail sur les pages « Forum ».

Découverte : la situation est la même que dans la BD p 110. Les employés parlent de la nouvelle assistante. *« Est-ce que l'homme aime bien la nouvelle assistante ? – Non. / « Pourquoi ? Parce qu'elle est étrange. »*.

Exercice 1

Corrigé : *L'homme* → *« Où on peut boire un bon café ? »* – *« Vous voulez venir avec moi ? »* / *L'assistante* → *« D'accord. »* – *« Attendez-moi. »* – *« Je ne viens pas. »*.

Lire l'encadré.

Exercice 2

Corrigé : *Lisa dit à Paul qu'elle a envie de sortir. – Paul lui demande où elle veut aller. – Elle lui répond qu'elle voudrait aller danser. – Elle lui demande s'il veut venir avec elle. – Il lui répond qu'il est fatigué. – Elle lui dit qu'elle ne veut pas sortir seule. – Il lui dit (demande, conseille) d'appeler Marie.*

Exercice 3

Attention à bien transposer les pronoms personnels : vous → nous. Insister également sur le fait que la ponctuation n'est pas répétée.

Corrigé : *Il dit qu'il fait beau là-bas. Il demande si nous sommes libres le week-end prochain. Il nous propose de venir passer le week-end. Il dit qu'il a une chambre d'amis. Il nous conseille de ne pas oublier nos chaussures de marche.*

Activité de réemploi

Il s'agit d'un jeu de rôle afin de faire utiliser le discours rapporté de façon ludique.

Modalités : les étudiants sont par groupes de 3. Cette activité qui peut être très amusante marchera beaucoup mieux avec un groupe d'étudiants loquaces.

Scénario : Nous sommes dans une maison de retraite, un étudiant vient rendre visite à son grand-père (ou sa grand-mère) qui est un peu sourd(e) et qui ne comprends pas les questions. Heureusement, un(e) employé(e) de la maison de retraite est là pour reformuler.

Exemple : L'étudiant : « *Ça va bien papi ?* ».

Le grand père : « *Quoi ? Tu veux du pain ?* ».

L'employé : « *Non ! Il vous demande si vous allez bien !* ».

Inciter les étudiants à exagérer les mimiques, à employer « *Quoi ?* », « *Comment ?* », « *Qu'est-ce qu'il dit ?* ».

À l'écoute de la grammaire

Exercice 1

Veiller à la prononciation correcte du son [y] qui, dans la négation avec « *ne ... plus* », est accentué.

Exercice 2

Travail d'écoute et de prononciation des constructions du discours rapporté. Veiller à l'enchaînement.

Pages 24–25
Échanges

Objectifs

● **Savoir-faire :**
- Se mettre d'accord sur une date
- Comprendre et utiliser les formules employées quand on téléphone
- Parler de sa santé

● **Connaissances culturelles :**
- La famille recomposée et la garde des enfants

● **Vocabulaire :**
- « *Pour parler d'un problème de santé* » (voir encadré p. 113)
- *une mission*
- *exceptionnel – surpris – occupé*
- *faire connaissance – résider – s'asseoir*

● **Prononciation :**
- Différenciation [p] et [b]

L'histoire

Cette double page nous montre successivement les quatre frères et sœur Dantec dans leur vie quotidienne. Chacun a un problème. À Rennes, Camille écrit à sa tante, Nathalie, qui est en Afrique pour son travail.

Au Conseil Régional de Bretagne, Thierry téléphone à Hélène dont il est séparé. Il a la garde de leur fils, Gabriel, pendant les vacances de février. Mais il doit effectuer un voyage professionnel. Hélène refuse de garder l'enfant sous prétexte que Thierry n'assume jamais ses responsabilités. Thierry informe Hélène que Myriam, sa petit amie, l'a quitté la semaine précédente.

Camille est tombée en roller, elle s'est fait mal au bras. Elle a très mal, elle va passer une radio aux urgences de l'hôpital de Rennes. En donnant son nom à l'infirmière, cette dernière se rend compte qu'elles sont toutes deux de la même famille.

Déroulement des activités

Nous proposons ci-dessous un déroulement classique. Mais les étudiants ont maintenant assez d'expérience pour pouvoir travailler en autonomie. La classe peut se partager les scènes 2 et 4 et les aborder soit par la transcription, soit par l'écoute, si les conditions matérielles le permettent.

Les courriels

Observation et identification des deux documents (à l'oral)

Type de document : courriel – e-mail

Expéditeur : 1) Camille 2) Nathalie

Destinataire : 1) Nathalie 2) Camille

Qui a écrit en premier ? Camille.

Quel est le sujet des mails : une rencontre.

Activité 1

Reprise à l'écrit des éléments découverts précédemment.

Corrigé : *a. Nathalie. – b. Elle lui dit qu'elle veut la rencontrer. – c. ... Nathalie lui répond. – d. (plusieurs réponses possibles, lors de la correction, faire attention à ce que les apprenants n'oublient pas de répéter le « que ») Elle lui dit qu'elle est très heureuse, que c'est une surprise, qu'elle est en Afrique pour le travail, qu'elle rentre à Saint Malo en décembre, qu'elle voudrait la rencontrer, qu'elle aimerait avoir des nouvelles de son frère. – e. Elle lui demande de l'appeler / lui téléphoner à partir du 4 décembre.*

Cette activité permet de travailler sur le discours indirect et de revoir les pronoms directs et indirects.

Expliquer :

- « *tout à coup* » : La classe est silencieuse. Tout à coup quelqu'un frappe à la porte.

Activité 2

À partir des courriels, les étudiants imaginent une conversation téléphonique entre Nathalie et Camille. Organisation de l'activité.

Activité type « dialogue » :

Faire travailler les étudiants par paires, le professeur écoute chaque dialogue et donne quelques indications. Laisser 10 minutes et éventuellement faire passer quelques étudiants devant la classe. Il est intéressant de faire travailler les étudiants dos à dos, pour qu'ils soient dans des conditions plus proches de la conversation téléphonique (car ils ne peuvent pas voir le visage de l'autre).

Variante : Séparer la classe en 2 groupes égaux et les faire s'installer face à face. Il y a un groupe « Camille » et un groupe « Nathalie ». À partir des courriels, laisser à chaque groupe entre 5 et 7 minutes pour trouver des questions à poser à l'autre groupe.

Au bout des 7 minutes, il est possible de commencer le dialogue ou bien de faire une mise en commun (+ correction) des questions.

Le dialogue se fera ensuite entre les deux groupes, chaque étudiant étant tour à tour (selon son équipe) Camille ou Nathalie. Attention, il est très important que chaque étudiant puisse parler. Il faut également veiller à ce que chaque groupe pose des questions, que les réponses soient développées (pour éviter le schéma question fermée – oui/non). Rappeler également aux étudiants de rester « dans le sujet ».

Scène 2

Découverte via les images et le titre du 2ᵉ extrait.

Faire cacher le dialogue (ou montrer les images + le titre au tableau, livre fermé).

Faire compléter : « *Le dialogue se passe...* ».

Les étudiants se rappelleront peut être que c'est Thierry qui travaille au Conseil Régional, sinon les faire chercher dans les leçons précédentes. Toujours sans regarder la transcription, leur demander de trouver le maximum d'informations sur Thierry. (« *C'est l'oncle de Camille, c'est le frère de François, de Nathalie et Mathilde, il a étudié le droit, il avait une petite amie qui s'appelait Hélène...* »).

Activité 3

Toujours sans la transcription, faire écouter la première partie de la scène et faire l'activité 3.

Corrigé : *a. Vrai. – b. On ne sait pas. – c. Vrai. – d. Faux, il avait une petite amie, Myriam. –e. Elle s'occupe très souvent de lui. – f. Faux, il est très occupé.*

Grâce aux réponses, compléter le portrait de Thierry. Mise en commun.

Expliquer : « exceptionnel » → « qui n'arrive que très rarement ».

Faire formuler le problème de Thierry. Les étudiants donnent leur avis sur son attitude ainsi que sur celle d'Hélène : « *Hélène doit-elle garder l'enfant tout le temps ? L'excuse de Thierry est-elle une bonne excuse ? etc.* ».

Écoute de la fin du dialogue : « *Que se passe-t-il ? – Camille arrive.* ».

Activité 4

Imaginer la suite de la scène collectivement. On peut ensuite choisir quelques étudiants pour jouer le dialogue qui aura été préparé ensemble.

Scène 3

Activité 5

Écoute de la scène jusqu'à la 5ᵉ réplique. Réponse à la question a). Demander aux étudiants de faire le diagnostic de Camille : ce qui lui est arrivé, comment elle se sent, un remède possible, la cause de ses douleurs, etc.

Deuxième écoute du dialogue, en entier. Réponse aux questions b) et c).

Corrigé : *a. Parce qu'elle est tombée en roller et qu'elle a mal au bras et ne se sent pas bien. – b. Elles ont le même nom, elles sont de la même famille. – c. Le Gall. Demander aux étudiants de trouver son prénom (par rapport à la leçon 10). Il s'agit de Mathilde Le Gall, une des tantes de Camille.*

Activité 6

Lecture du tableau « Pour parler d'un problème de santé ». Associer chaque situation à un mot, une expression du tableau.

Corrigé : *a. J'ai mal au ventre. – b. Je ne me sens pas bien, je suis blessé. – c. J'ai mal, je me suis fait mal la jambe, à la tête. – d. J'ai mal au ventre, j'ai mal à la tête, je ne me sens pas bien.*

Activité de réemploi.

Chez le médecin, un patient expose ses problèmes et pose des questions. Mais le médecin est dur d'oreille, il faut donc répéter chaque phrase ou question. (« *quoi ? / Qu'est-ce que vous dites ? / Pardon ?* »). Dans une variante à trois, il peut y avoir un(e) infirmier(ère) qui répète.

Prononciation

Bien montrer que la confusion entre [p] et [b] peut changer le sens d'un mot : *pot / beau – pas / bas – j'ai pu / j'ai bu.*

Pages 26–27
Découvertes

Objectifs

● **Savoir-faire :**
- Exposer un problème
- Parler des études

● **Connaissances culturelles :**
- Le système scolaire en France

Les études en France

Découverte des différents documents de la double page.

Nommer les documents : un texte sur le système scolaire, un emploi du temps de lycée, une copie de contrôle d'histoire, une fiche de préparation de conseil de classe. Photos : une classe de maternelle, un cours de menuiserie-travail du bois (CAP ou BEP), un amphithéâtre (université).

Exercice 1

En petits groupes, faire lire le texte « Les études en France ». Demander aux étudiants d'expliquer ou de chercher le sens des mots suivants : *école publique/école privée – une commune – laïc – un apprentissage – un ingénieur.*

Les étudiants peuvent ensuite comparer le système français avec celui de leur pays (durée, cycles, spécialisations, enseignement).

Exercice 2

Écoute globale du document sonore. Répondre aux questions.

Dans un premier temps, ne faire relever que la classe dans laquelle est l'enfant. Lors de la 2e écoute, faire noter le problème rencontré.

Corrigé : *2. Terminale (lycée). / Elle a raté son bac. – 3. Première année de médecine (Université) / Les études sont très longues. – 4. Première année de maternelle (petite section) / Elle a pleuré. – 5. CP (cours préparatoire) / Pas de problème signalé. – 6. On ne sait pas exactement la classe, elle est sûrement au lycée. / Elle ne veut pas faire de longues études.*

Exercice 3

a. Les étudiants observent l'emploi du temps, les photos et la copie d'examen. Leur demander de relever les différences majeures par rapport à leur pays (notation sur 20, cours le samedi matin, cours de menuiserie, organisation de la maternelle, etc.). Les étudiants devront utiliser les comparatifs.

b. Trouver les avantages et les défauts de ce type d'emploi du temps.

Exercice 1

Suivre les indications du livre. L'activité peut se faire collectivement à l'oral ou par petits groupes.

Pages 116–117
Forum

Objectifs

● **Savoir-faire :**
● Se décrire
● Parler de son caractère, de ses goûts, de ses projets

● **Connaissances culturelles :**
● Les loisirs et les projets associatifs de quelques jeunes Français

● **Grammaire :**
● Caractériser une personne en utilisant les propositions relatives (sensibilisation)

● **Vocabulaire :**
● *Les qualités et les défauts (voir encadré p. 117)*
● *un sourire – une collection (mode) – une scène – un sac à dos – une aventure – un compagnon – un scénariste – une expérience – une ambiance – un château – une pierre*
● *nul – patient – travailleur – décontracté – compliqué – sérieux – financé – créatif – drôle – dynamique*
● *aider – contacter – traverser – restaurer - rejoindre*

« Partagez vos passions »

Découverte du document. Lire la partie gauche de la page 116 et survoler le reste du document.

Qu'est-ce que c'est ? – C'est la page d'accueil du site Internet des jeunes de la ville de Châteauneuf sur Loire.

Qu'est-ce qui est proposé/ présenté ? – Des jeunes cherchent d'autres jeunes pour les aider, pour un défilé, pour restaurer un château, etc.

Les étudiants échangent leur connaissance en matière de sites Internet de ce type.

Activité 1

Lecture des annonces. Deux pistes d'exploitation pédagogique possible :

– une lecture collective. Avec l'aide du professeur, les étudiants font la recherche de l'activité 1.

– une lecture par petits groupes. La classe se partage les cinq annonces et en étudie le contenu. Au cours de la mise en commun, le professeur vérifie la compréhension du détail.

Quelle que soit la méthode adoptée, les étudiants doivent avoir lu toutes les annonces.

Mise en commun des résultats au tableau (a, b, c).

Expliquer :

1. Annonce Nadia

– « *le stylisme* » : dessiner des vêtements.

– « *une collection (de mode)* » : tous les vêtements qui ont

été faits pour une saison (été, automne...).

– « *mince* » : mimer, opposer à « *gros* ».

2. Annonce Édouard

– « *être nul* » : le contraire de bon. Donner des exemples : « *Je ne sais pas chanter.* » → « *Je suis nul en chant.* ».

– « *patient* » : il peut attendre. Mimer une personne patiente et une personne impatiente (regarder sa montre, faire les cent pas).

3. Annonce Aude

– « *traverser* » : illustrer en utilisant une carte de pays ou sinon en traversant la classe ou en dessinant une route.

– « *avoir bon / mauvais caractère* » : Il est toujours content, il ne se fâche pas avec les autres. = Il a bon caractère.

– « *décontracté* » : mimer en opposant à « *stressé* »

4. Annonce Corentin

– « *sérieux* » : un étudiant sérieux est toujours présent, toujours à l'heure ; il a appris ses leçons et fait ses exercices. Un professeur sérieux s'occupe des étudiants, prépare le cours...

– « *créatif* » : une personne qui invente, qui imagine des choses. Donner des exemples de personnes créatives → des artistes.

– « *timide* » : mimer.

5. Annonce Maéva

– « *une dizaine* » : dix.

– « *restaurer un vieux château* » : le château n'est pas en bon état il faut le restaurer.

6. Annonce Faustine, Djoey, Clarisse

– « *des personnes en difficulté* » : des personnes qui ont des problèmes d'argent, qui sont malades, très âgées, qui ont besoin d'aide.

– « *aider* » : à partir des scènes de la page 85. Julie, Clara, Malik et Antoine doivent aider les parents.

– « *s'amuser* » : exemple leçon 9, Forum → « *Les enfants s'amusaient ensemble à l'école, ils jouaient au foot ensemble.* ».

– « *les vieilles pierres* » : les bâtiments anciens.

– « *paresseux* » : qui ne veut pas travailler, qui ne veut rien faire.

Les étudiants indiquent si une ou plusieurs de ces annonces les intéressent (faire un tour de table).

Corrigé :

Qui écrit ?	Quel est son projet ?	Qui cherche –t-il / elle ?	Qualités recherchées
Nadia.	Un défilé de mode.	Des filles.	Grandes, minces, qui ont un joli sourire et qui savent marcher sur une scène.

Édouard. Il joue bien de la guitare. Il est nul en maths. Il est patient et travailleur.	Faire un échange de savoirs (guitare contre maths).	Quelqu'un pour l'aider en maths.	Bon en maths.
Aude, 18 ans. Elle est décontractée, pas compliquée et elle a bon caractère.	Traverser la Corse en randonnée.	Un compagnon, une compagne pour la randonnée.	Sportif, qui aime la nature et les randonnées.
Corentin. Il fait partie du club ciné du lycée Lafontaine.	Tourner un film pendant les vacances de Pâques.	Un scénariste. Des jeunes qui ont une expérience du théâtre.	Créatif. Drôles, dynamiques, pas timides.
Maeva.	Restaurer le château de Broussac.	Des personnes pour l'aider.	Travailleur, qui aime les contacts, passionné par les vieilles pierres.
Faustine, Djoey, Clarisse.	Trouver des bénévoles pour l'association « Pain partagé ».	Des personnes pour rejoindre l'association « Pain Partagé ».	Qui aime aider les autres (altruiste).

Activité 2

La réalisation de cette activité donnera probablement lieu à des discussions : certaines qualités ou certains défauts pourront avoir leur place dans différentes rubriques. Inciter les étudiants à donner des exemples pour justifier leur position.

Corrigé :

	Qualités	Défauts
Au travail ou dans les études	Sérieux – compétant – créatif – passionné – dynamique – patient	Compliqué
Avec les autres	Sympathique – chaleureux – qui aime s'amuser – drôle – qui aime les contacts – bon caractère – patient	Timide – compliqué – mauvais caractère
Autres situations	Créatif (décoration maison) – aventurier – décontracté – passionné – courageux – patient	Peureux

Compléter cette recherche avec les mots du tableau de vocabulaire.

Activité 3

Faire relever les occurrences de « qui » en travail préparatoire aux pages « OUTILS ».

Activité 4

Travail individuel puis collectif. Suivre la démarche décrite dans le livre.

Pages 118–119
Outils

Objectifs

● **Grammaire :**
- L'adjectif qualificatif (place de l'adjectif)
- Le complément de nom avec « de »
- La proposition relative introduite par « qui » (principalement en finale de phrases)
- Les formes « c'est » ou « il / elle est » pour identifier et caractériser
- Constructions impératives avec un pronom (« Prends-les »)

● **Prononciation :**
- Différenciation du masculin et du féminin

Caractériser les personnes et les choses

Exercice 1

Observation du dessin. Noter les expressions qui caractérisent les mots en gras. Classer ces façons de caractériser. Pour chaque type de classement imaginer d'autres informations.

Corrigé :

L'adjectif	Le complément de nom	La construction avec « qui »
Un scoop **génial** Une fille **sympathique**	Le journal télévisé **de 20h**	Le type **qui passe** La jolie fille **qui est avec lui**

Exercice 2

Corrigé : *Lucas a rencontré une jeune femme sympathique – un grand bateau blanc – elle fait de longs voyages passionnants – un nouveau pays – beaucoup de choses intéressantes.*

Leçon 12 — Parle-moi de toi.

Exercice 3

Corrigé : un professeur de biologie qui travaille à l'université. / ... un bel immeuble qui est dans le centre ville. /... une compagne qui joue du piano. / ... Flore et Antoine qui sont mes meilleurs amis. / ... Gordes qui est un village de Provence.

Exercice 4

Corrigé : _c'est_ la nouvelle directrice – _elle est_ très intelligente – _c'est_ une femme très professionnelle – _c'est_ une Espagnole de Séville.

Caractériser

Introduction des propositions relatives. Cette introduction se fait en plusieurs temps :

– Dans cette leçon, on introduit la proposition commençant par « _qui_ » quand elle a une fonction d'adjectif (un livre qui m'a intéressé / un livre intéressant). On se contente donc « d'accrocher » une information au nom comme on le fait avec l'adjectif.

L'emploi de **« c'est »** ou de **« il / elle est »**. Les étudiants confondent souvent ces deux formes quand elles introduisent un mot qui peut être à la fois nom ou adjectif. C'est le cas des noms de profession et de nationalité. Pour éviter la confusion :

→ Utiliser « c'est + article + nom » pour présenter (faire le geste) ou pour classer dans une catégorie.

Exemples : « _Regardez ! C'est le directeur de l'école. C'est un Français._ ».

« _C'est_ » permet aussi de caractériser une chose ou une action qui n'ont pas été nommées.
En arrivant pour la première fois dans l'appartement de quelqu'un, je dirai : « _C'est très beau._ ». Mais à la question « _Que pensez-vous de mon appartement ?_ », je répondrai : « _Il est très beau._ ».
À quelqu'un qui m'a rendu un service, je peux dire : « _C'est gentil._ ». Parlant de lui à quelqu'un, je dirai : « Il est gentil. ».
→ Utiliser « il / elle est + adjectif » pour apporter une information sur une personne ou une chose déjà nommée : « Je connais ce professeur. Il est très compétent. ».

Donner des ordres ou des conseils

Exercice 1

Observation du dessin. Transformer les phrases et faire dire ce que représente le pronom.

Écoute-**_moi_** → _Tu dois_ **_m'_**_écouter_ – « moi / m' » = le premier journaliste.

Observer la différence de construction à la forme affirmative et à la forme négative.

Exercice 2

Corrigé : T_éléphone-lui. – Invite-la au restaurant. – Envoie-lui des messages. – Ne les refuse pas. – Supporte-les. – Raconte-moi tout !_

Exercice 3

Corrigé : _Écoute-les. – Enregistre-le. – Ne le regarde pas. – Ne les invite pas !_

À l'écoute de la grammaire

Exercice 1

Corrigé :

C'est une femme.	C'est un homme.	On ne sait pas.
chanteuse	directeur*	artiste
sportive	vendeur	secrétaire
infirmière	pharmacien	médecin*
étudiante	écrivain	journaliste
serveuse	danseur	
	professeur*	

* Ces mots masculins s'appliquent aussi à une femme. On dira Madame Legal est un bon professeur – Jeanne Roux est directeur du personnel.

Exercice 2

Écoute et prononciation des différents suffixes qui permettent de différencier le masculin du féminin.

96 quatre-vingt-seize

leçon 12 – unité trois

Pages 120–121
Échanges

Objectifs

● **Savoir-faire :**
- Donner des explications
- Suggérer, donner des conseils

● **Grammaire :**
- Construction affirmative et impérative avec un pronom

● **Vocabulaire :**
- *un biologiste – une mission – une promenade – le contraire*
- *hériter – faire plaisir*
- *surtout*

● **Prononciation :**
- Les sons [ø] et [œ]

L'histoire

Camille se rend chez sa tante Nathalie. Ensemble, elles parlent du passé et des raisons de la dispute familiale. Elles décident d'inviter toute la famille pour les fêtes de Noël. Tout le monde sera au rendez-vous, même François, qui apparaîtra sur un écran grâce à sa webcam.

L'ambiance est chaleureuse et tous les problèmes des uns et des autres vont se résoudre grâce à l'esprit de solidarité de chacun. Nathalie propose à Mathilde de racheter la maison de Saint-Malo à un bon prix. Thierry propose d'aider Nathalie dans ses projets. Mathilde gardera le fils de Thierry pendant les vacances. Et tout le monde est heureux d'avoir des nouvelles de François qui vit en Nouvelle-Calédonie !

Scène 1

Activité 1

Lire la première phrase de Camille. Imaginer la réponse de Nathalie. Faire des hypothèses sur les causes de la séparation des quatre frères et sœur (des caractères différents, des problèmes d'héritage, des idées politiques différentes, etc.).

Faire une écoute progressive de la première partie de la scène avec pour tâche de confirmer ou d'infirmer les hypothèses qui ont été faites.

Expliquer :

– « être de gauche », « être de droite » : partis politiques : la gauche = socialistes ; la droite = libéral, conservateur ;

– « hériter » : les parents de Nathalie avaient une maison. Ils sont morts. Nathalie a hérité de la maison. Elle est maintenant propriétaire de la maison.

Corrigé : *Thierry et le père de Camille sont fâchés parce qu'ils n'avaient pas les même opinions politiques et parce qu'ils étaient amoureux de la même jeune femme.*
Nathalie et Mathilde sont fâchées parce que Nathalie a hérité de la maison de famille et que Mathilde ne l'a pas accepté.

Lire la transcription pour vérification.

Activité 2

Suivre les consignes du livre.

Activité 3

Activité d'expression écrite.

Suggestions de corrigé :

Bonjour Thierry et Mathilde,
C'est votre nièce Camille ! Je vous écris parce qu'hier j'ai discuté avec Nathalie et nous avons eu l'idée d'organiser Noël tous ensemble dans la maison de famille. Ce serait super si vous veniez !!
Répondez-moi par e-mail ou par téléphone.
Je vous embrasse,
Camille

Coucou Papa !!
Tu vas bien ?
C'est super, j'ai passé l'après midi avec ta sœur Nathalie ! Elle m'a raconté pourquoi vous étiez fâchés, il faut laisser ça dans le passé !
On a décidé de passer Noël tous ensemble dans la maison de famille à Saint Malo. On pourra se parler via internet, ça serait génial !
Je t'embrasse fort !
Ta fille.

Scène 1

Écoute fragmentée. Pour chaque partie, faire compléter le tableau.

Activité 4

Corrigé :

	Quel est son problème ?	Qui aide à résoudre le problème ?	Comment le problème va-t-il être réglé ?
Nathalie	*Elle ne peut pas repartir en Afrique car son projet n'intéresse personne.*	Thierry	*Thierry lui donne le nom d'une personne au Conseil régional qui pourra l'aider.*
Thierry	*Il n'a personne pour garder son fils Gabriel.*	Mathilde	*Mathilde propose de garder Gabriel pendant l'absence de Thierry.*
Mathilde	*Elle veut retourner vivre à Saint-Malo.*	Nathalie	*Elle lui propose sa maison au prix qu'elle peut payer.*

Activité 5

En petits groupes, imaginer le dialogue des retrouvailles entre François et ses frères et sœurs.

Prononciation

Différencier la prononciation de : [ø] sur le devant de la bouche, lèvres arrondies et avancées et [œ] bouche plus ouverte, et son articulé plus en arrière.

Pages 126–127 Découvertes

Objectifs

● **Savoir-faire :**
• Décrire une personne (description physique et vestimentaire, traits comportementaux)

● **Connaissances culturelles :**
• Quelques types vestimentaires et comportementaux véhiculés par les médias

● **Vocabulaire :**
• *La description physique, les vêtements et les couleurs* (Voir encadré p. 123)
• *un survêtement – un festival – un bourge (fam.)*
• *ethnique*
• *se maquiller – surveiller – être « classe » (fam.)*

À chacun son style

Exercice 1

Lire les titres des descriptions et associer une photo à un style. Description des personnes représentées en utilisant le vocabulaire du tableau. On commencera par nommer les différents types de vêtements puis on les caractérisera par quelques adjectifs (long / court, couleur, etc.).

On présentera ensuite le vocabulaire de la description physique des personnes en prenant comme exemple les photos, les étudiants et les personnalités connues.

Corrigé : *1. la bourge – 2. l'originale – 3. le sportif – 4. le décontracté – 5. la gothique.*

Exercice 2

a. Identification du document (extrait d'un magazine féminin ou de mode) et lecture collective de l'introduction. Demander aux étudiants de noter tout ce qui leur paraît bizarre et différent des habitudes de leur pays.

b. Lecture de l'article. Peut se faire collectivement ou en petits groupes. Dans ce cas la classe se partage les cinq paragraphes. Pour chaque type compléter le tableau.

Type	Vêtement de fille	Vêtement de garçon	Comporte-ment	Goûts
Décontracté(e)	un jean – une chemise colorée – un pull – des bottes	Jean – t-shirt – baskets	simple – achètent quelques vêtements de marque	le rap – lady gaga.
Sportif(-ve)	survêtement – casquette – bonnet		Le sport, c'est sa vie. Il/Elle ne change pas trop de look.	sport – matchs à la télé
Bourge	robe – bijoux, escarpins	costume	Il/Elle suit la mode et achète des vêtements de marque.	Il/Elle organise de grandes fêtes.
Gothique	robe – jupe courte – grosses chaus-sures – bijoux – couleur noire	pantalon étroit – veste – long manteau – grosses chaus-sures – bijoux – couleur noire		films d'horreur, musique « métal »
Original(e)	mélange de styles – couleurs – vêtement d'occasion		différents – écolo-gistes	festivals

Exercice 3

Écouter et trouver de qui on parle.

Corrigé : *a. 1 – b. 2 – c. 4 – d. 3 – e. 5.*

Les « looks » dans le monde

Faire un tour de table. Chaque étudiant compare les types décrits dans le document avec les réalités de son pays.

Projet

Créer un jeu « Qui-est-ce ? »

Cette activité se déroule en petits groupes de niveaux hétérogènes. Les étudiants vont décrire des personnes (connues de la classe) et les autres groupes vont poser des questions pour deviner de qui il s'agit.

À savoir

Les descriptions de cette page correspondent à des images véhiculées par les modes et les médias. Il serait abusif de les considérer comme des types sociaux.

Voici quelques informations sur les habitudes vestimentaires en France. Elles permettront de répondre à certaines questions posées par les étudiants.

La tenue classique semble de moins en moins de mise sauf lors d'entretiens d'embauche dans des secteurs non créatifs. À l'image des présentateurs de télévision, les hommes ne sont plus obligés de travailler en cravate et la tenue des femmes au bureau n'est plus le classique tailleur. On peut porter une veste et un jean, un pantalon de velours et un pull, une chemisette et un pantalon de toile. Toutefois la décontraction a ses limites. On ne viendra pas au bureau en polo et bermuda.

••• **Entraînement**

Exercice 1 ⋮

Corrigé :

Informations sur...	Laura	Walid
La mère	Elle s'est arrêtée de travailler pour s'occuper de son mari.	Elle a une librairie.
Le père	Il est malade.	Il est directeur d'un hypermarché.
Les études	Elle prépare une école d'infirmière.	Il est au lycée, en classe de terminale.
Les résultats scolaires	Elle a eu son bac.	Il a la moyenne.
Les projets	Elle veut vite trouver du travail une fois son diplôme d'infirmière en poche car ses parents sont dans une situation difficile.	Il veut partir à San Francisco après le bac.

Exercice 2 ⋮

Proposition de corrigé : *J'ai assisté à une scène impressionnante hier après-midi. Je buvais un verre en terrasse avec des amis quand tout à coup nous avons vu un skateur arriver à toute vitesse vers nous. Il avait l'air particulièrement habile et faisait des acrobaties. Sûr de lui, il a voulu descendre en skate l'escalier qui menait vers la terrasse. Mais, comme il allait très vite, il n'a pas réussi à s'arrêter et a fait un vol-plané sur un parasol. Nous avons eu très peur et lui s'est retrouvé complètement KO. Heureusement, une ambulance est arrivée rapidement pour le secourir.*

Exercice 3 ⋮

Corrigé : a. *Oui, il m'écrit. – Non, il ne me téléphone pas souvent. – Oui, il leur a écrit. – Oui, il lui téléphone. – Oui, je lui téléphone. /* **b.** *Non, ne lui téléphone pas. – Oui, écris-lui. – Oui, perle-leur. – Oui, invite-les. – Oui, invite-moi.*

Exercice 4 ⋮

Corrigé : *Amélie : 2 – Dylan : 3 – Barbara : 1 – Émile : 4 – Claudie : 6 – François : 5.*

Exercice 5 ⋮

Proposition de corrigé :

a. *Salut Yassine,*

J'ai bien reçu ton invitation pour le 22 mai. Je te remercie. Malheureusement, le 23, je dois passer un entretien important. J'ai envie d'être en forme pour cet entretien et je ne veux pas me coucher tard. Donc, excuse-moi mais je ne vais pas pouvoir venir. Je le regrette beaucoup ! Je te souhaite un bon anniversaire. À bientôt

b. *Chère Gaëtane,*

Bravo pour le spectacle d'hier soir, j'ai adoré. La pièce était excellente, très drôle. Je n'ai pas vu le temps passer. Tous les comédiens étaient très bons mais, objectivement, tu étais la meilleure. La scène où tu fais semblant d'être malade était vraiment irrésistible. Vraiment, il faut continuer. Tu peux devenir une grande comédienne !

Gros bisous

Exercice 6 ⋮

Corrigé : a. *Faux.* – b. *Vrai.* – c. *Vrai, il est dans un internat.* – d. *Vrai.* – e. *Vrai, le règlement est très sévère.* – f. *Quand les élèves n'ont pas travaillé dans la journée, ils ne peuvent regarder la télé ou avoir des loisirs le soir.* – g. *Faux, Vincent partage sa chambre avec Arthur.* – h. *Vrai.* – i. *Probablement vrai. Arthur ouvre la fenêtre de la chambre pour pouvoir fumer. C'est la raison pour laquelle Vincent a sans doute attrapé froid.* – j. *Faux.*

FICHES PHOTOCOPIABLES POUR LA VIDÉO

S. CALLET

Sommaire

Introduction

La vidéo est un outil complémentaire du niveau A1 de la méthode. Elle peut être également utilisée comme un matériel autonome avec des étudiants débutants ou faux débutants.

Elle propose les 12 premiers épisodes du feuilleton « Alice et Antoine », qui raconte avec humour la rencontre de deux jeunes gens : Alice, une jeune fille qui abandonne ses études et quitte ses parents pour se consacrer au théâtre, et Antoine, un jeune Antillais qui débute dans sa vie professionnelle. Ce feuilleton s'appuie sur les contenus linguistiques et thématiques du livre élève. Chaque épisode correspond à une leçon sans être toutefois étroitement liée à son contenu.

Ce Livret pédagogique propose pour chaque épisode du feuilleton :

‣ Une page destinée à l'enseignant dans laquelle il trouvera les objectifs de la séquence, la transcription des documents ainsi que des suggestions pour l'exploitation de la vidéo en classe.

‣ Une page destinée à l'apprenant comportant des exercices de compréhension, d'expression et de grammaire.

Les corrigés des exercices se trouvent aux pages 128 et 129.

Objectifs

● **Objectifs communicatifs**
Utiliser les mots de politesse fréquents (*bonjour, excusez-moi, je suis désolé,* etc.).

● **Objectifs linguistiques**
– Savoir utiliser les verbes *être* et *avoir* dans une phrase positive ou négative.
– Première approche de l'interrogation simple.

Synopsis

Une jeune fille, Alice, habite chez ses parents. Un matin, elle entre dans la chambre de ses parents et les réveille. Elle leur demande de laver son linge sale. On voit que les parents en ont assez et qu'ils souhaitent qu'elle quitte la maison et qu'elle devienne indépendante.

Découpage de l'épisode

– 1ʳᵉ partie : Alice entre dans la chambre de ses parents et les réveille.
– 2ᵉ partie : Alice embrasse ses parents.
– 3ᵉ partie : Alice sort de la chambre et les parents discutent entre eux.

Transcription

Alice : Salut !

Hélène : Bonjour, Alice...

Alice : Oh excusez-moi. Je vous réveille ? Je suis désolée.

André : Qu'est-ce que tu veux, Alice ?

Hélène : Qu'est-ce que c'est ?

Alice : Mon linge sale. Tu peux le laver ? Je n'ai pas d'affaires propres pour m'habiller.

Alice : Oh vous êtes géniaux ! Je vous adore.

Hélène : Ça alors ! On n'est pas à son service.

André : C'est vrai, ça !

Hélène : Il est temps qu'elle parte de la maison.

André : Oui, je crois que tu as raison.

Suggestions d'exploitation de la vidéo

1. Dans un premier temps, regarder la vidéo sans le son. Demander aux apprenants de décrire ce qu'ils voient. Où ça se passe ? Qui on voit ? Pourquoi Alice entre-t-elle dans la chambre de ses parents ? Parler de l'évolution de l'épisode : que peuvent se dire les parents ?

2. Dans un second temps, toujours sans le son, centrer la vidéo sur des passages en particulier et demander aux apprenants d'imaginer des dialogues :
– *Début de l'épisode* : dialogue entre Alice et ses parents.
– *2ᵉ partie de l'épisode* : que peut dire Alice ?
– *Dernière partie* : que peuvent se dire les parents quand Alice sort de la chambre ?

3. Visionner l'épisode avec le son et faire les exercices.

1 · Entourez les choses que vous voyez dans la vidéo.

une maison – un appartement – une chambre – une fille – un homme – une femme – un chien – un lit – une porte – une école – un vêtement.

2 · Écoutez la vidéo et complétez les phrases suivantes.

a. Oh, ... Je vous réveille ? Je suis ....

b. – Qu'est-ce que c'est ?

– Mon linge sale. Tu peux le laver ? Je .... d'affaires propres pour m'habiller.

c. Oh, vous .... géniaux ! Je vous adore.

d. – Ça alors ! On .... à son service.

– .... vrai ça !

3 · Choisissez la phrase qui s'accorde à la réponse.

a.
❑ Il habite dans une maison.
❑ Je ne suis pas française.   – Je suis désolé.
❑ Tu me réveilles !

b.
❑ J'étudie le français.
❑ Elle parle très bien russe.   – Tu as raison.
❑ Je m'appelle Alice.

4 · Vrai ou faux ?

	Vrai	Faux
a. Alice réveille ses parents.	❑	❑
b. Alice habite dans un appartement.	❑	❑
c. Les parents d'Alice sont dans un lit	❑	❑
d. C'est le soir.	❑	❑
e. Les parents d'Alice sont contents.	❑	❑
f. Alice adore ses parents.	❑	❑

5 · Conjuguez les verbes.

a. Alice (*habiter*) .... chez ses parents.

b. Les parents d'Alice (*être*) .... encore dans leur lit.

c. Vous (*connaître*) .... Alice ?

d. Ils (*parler*) .... dans la chambre.

e. Tu (*connaître*) .... les parents d'Alice ?

6 · Mettez au pluriel.

a. le lit   ....

b. l'oreiller   ....

c. la chambre   ....

Épisode 2 Antoine

Objectifs

● **Objectifs communicatifs**
Se présenter.

● **Objectifs linguistiques**
– Poser des questions simples pour se présenter.
– Les verbes en –er.

Synopsis

Antoine, un Antillais, vient d'arriver en métropole. Il postule pour un poste de comptable et se présente à un entretien d'embauche. On voit qu'il est un peu anxieux avant son entretien. La DRH lui pose des questions et lui dit qu'il sera recontacté.

Découpage de l'épisode

– *1re partie* : Antoine attend dans le hall d'un immeuble. Une jeune femme vient le chercher pour son entretien.
– *2e partie* : images de Paris : quartier de la Défense, les Champs-Élysées et l'Arc de triomphe.
– *3e partie* : entretien entre la DRH et Antoine.

Transcription

DRH : Bonjour.

Antoine : Bonjour.

DRH : Vous entrez, s'il vous plaît.

Antoine : Oui... Excusez-moi... Je suis un peu nerveux.

DRH : Ce n'est pas grave. C'est par ici.

DRH : Suivez-moi. Asseyez-vous.

DRH : Vous vous appelez comment ?

Antoine : Antoine Désiré.

DRH : Votre nom, c'est Antoine ?

Antoine : Non, c'est mon prénom. Désiré est mon nom.

DRH : Vous êtes d'où ?

Antoine : Des Antilles, de la Martinique plus exactement.

DRH : Vous êtes Antillais.

Antoine : Oui, mais je suis français.

DRH : Et vous habitez où ?

Antoine : Ici, en métropole.

DRH : À Paris ?

DRH : Oui, je cherche un appartement en ce moment.

DRH : Et vous cherchez quel type de travail ?

Antoine : Un emploi de comptable, vous n'avez pas mon CV ?

DRH : Si.

DRH : Très bien, j'ai tous les renseignements. Je vous tiens au courant.

Antoine : Merci.

Suggestions d'exploitation de la vidéo

1. Regarder la vidéo avec le son. Demander tout d'abord aux étudiants de décrire les choses qu'ils voient dans l'épisode (immeuble, bureau, livres, table, etc.).

2. Faire l'exercice 1. Puis corriger. Demander aux apprenants les métiers qu'ils connaissent (révision de la leçon 2, Unité 1) et enrichir le vocabulaire : un emploi, un entretien d'embauche, travailler, un job, un CV, une lettre de motivation, etc.

3. Regarder à nouveau l'épisode. Demander aux étudiants de prendre des notes et de faire l'exercice 2. Expliquer ce que sont les Antilles. Parler des DOM-TOM.

4. Pour l'exercice 5, apporter en classe des photos de monuments de Paris. Demander aux apprenants ce qu'ils reconnaissent. Leur parler un peu de Paris et leur demander ce qu'ils connaissent de Paris. Écrire au tableau les mots nouveaux.

Quelques références utiles

DOM-TOM : la France d'outre-mer désigne les terres sous souveraineté française situées hors métropole (territoire de la France). Ces pays sont d'anciennes colonies françaises.

DOM = département d'outre-mer (la Martinique, la Guadeloupe, la Guyane, la Réunion).

TOM = territoire d'outre-mer (la Polynésie française, la Nouvelle-Calédonie, etc.).

On parle aussi des Antilles pour désigner les départements (Martinique et Guadeloupe) qui sont situés dans la mer des Caraïbes (entre Cuba et le Venezuela).

1 Cochez la bonne réponse.

a. **Au début de l'épisode, Antoine est :**
- ❑ calme
- ❑ nerveux
- ❑ triste

b. **Antoine a un rendez-vous pour :**
- ❑ un appartement
- ❑ un travail
- ❑ des papiers d'identité

2 La fiche d'identité d'Antoine.

Nom : ....

Prénom : ....

Lieu de naissance : ....

Domicile : ....

Nationalité : ....

Profession : ....

3 Trouvez les questions correspondant aux réponses.

a. – .... ?

– Je m'appelle Antoine Désiré.

b. – .... ?

– Je viens de la Martinique

c. – .... ?

– Je suis comptable.

d. – .... ?

– J'habite à Paris.

4 Complétez les phrases avec les verbes proposés.

habitez – cherchez – entrez – cherche

a. Vous ...., s'il vous plaît.

b. Je .... un appartement

c. Vous .... où ?

d. Vous .... quel type d'appartement ?

5 Complétez avec de *l'*, *du*, *de la*, *de* (*d'*).

a. La jeune femme connaît le CV .... Antoine.

b. Vous cherchez les clés .... appartement.

c. Voici le bureau .... directeur.

d. C'est l'ordinateur .... M. Désiré.

e. J'aime le soleil .... Martinique.

6 Quels monuments de Paris voyez-vous dans la vidéo ? En connaissez-vous d'autres ?

Au revoir, Alice !

Objectifs

● **Objectifs communicatifs**
– Exploiter le vocabulaire vu dans le livre de l'élève.
– Savoir répondre à des questions de compréhension.

● **Objectifs linguistiques**
– Savoir utiliser le futur proche.
– Repérer les pronoms toniques.
– Réviser le verbe *vouloir*.

Synopsis

Alice et ses parents sont dans le jardin de leur maison. Alice est en train de faire de la gymnastique et ses parents prennent le petit-déjeuner. Les parents hésitent à lui parler et lui dire qu'il est temps qu'elle parte de la maison. Finalement le père parle à sa fille et Alice réagit avec beaucoup d'enthousiasme. Elle dit qu'elle veut devenir artiste et qu'elle veut un appartement. Ses parents lui disent qu'elle doit travailler, mais qu'ils l'aideront.

Découpage de l'épisode

– *1re partie* : les parents parlent entre eux pour savoir qui parlera à Alice.

– *2e partie* : le père parle à Alice.

– *3e partie* : Alice leur dit qu'elle veut devenir artiste et se met à chanter.

Transcription

André : Vas-y, parle-lui.

Hélène : Pourquoi moi ?

André : Tu es sa mère...

Hélène : Et alors ?

André : Avec toi, elle va comprendre.

Hélène : Alice, ma chérie ?

Alice : Oui ?

Hélène : Ton père veut te parler.

Alice : Je t'écoute, papa.

André : Euh, Alice, nous pensons... qu'il est temps... que tu quittes la maison.

Alice : Mais pourquoi ?

André : Tu es grande maintenant...

Hélène : On veut bien t'aider.

Alice : D'accord.

André : C'est vrai ?

Alice : Oui, mais je veux un appartement.

André : Très bien, c'est d'accord mais il faut que tu trouves un travail.

Alice : Je veux être artiste.

Hélène : Artiste ?

Alice : Oui, actrice, chanteuse... « Quand il me prend dans ses bras ! Il me parle tout bas, je vois la vie en rose ! »

Alice : Bon ! Je vais préparer mes affaires.

André : Artiste...

Hélène : Ce n'est pas grave : elle part.

Suggestions d'exploitation de la vidéo

1. Regarder tout d'abord l'épisode sans le son. Demander aux étudiants de décrire ce qu'ils voient puis de faire l'exercice 1. Réviser le lexique des loisirs et des activités avec la dernière question de l'exercice (faire du sport, de la musique, etc.).

2. Regarder à nouveau le film mais cette fois-ci avec le son. Demander aux apprenants de faire l'exercice 2.

3. Pour l'exercice 5, travailler le futur proche sur les verbes déjà vus en classe et dans la méthode. Demander aux étudiants de rédiger quelques phrases.

1 Répondez aux questions.

a. Que font les parents d'Alice ?...

b. Que voyez-vous sur la table ?...

c. Que fait Alice ?...

d. Et vous, quelles activités vous faites ?...

2 Vrai ou faux ?

	Vrai	Faux
a. Le père d'Alice veut parler à sa fille.	☐	☐
b. Les parents veulent bien aider Alice.	☐	☐
c. Alice doit trouver un travail.	☐	☐
d. Alice veut être danseuse.	☐	☐
e. Alice chante bien !	☐	☐

3 Conjuguez le verbe vouloir à la forme qui convient.

a. Je .... un appartement.

b. On .... bien t'aider.

c. Vous .... être chanteuse ?

d. Tu .... partir de la maison ?

4 Conjuguez les verbes entre parenthèses au futur proche.

a. Elle (*comprendre*) ....

b. Je (*préparer*) .... mes affaires.

c. Vous (*trouver*) .... un appartement.

d. Tu (*quitter*) .... la maison.

e. Les parents (*aider*) .... Alice.

5 Complétez avec la préposition « à ». Attention à la contraction.

a. Alice veut aller .... Paris.   **b.** Tu vas .... théâtre.   **c.** Je préfère rentrer .... maison.

6 Complétez les phrases selon le modèle.

Exemple : Antoine parle avec (*Alice*) .... → Antoine parle avec **elle**.

a. Alice habite chez (*ses parents*) ....

b. Les parents ne font pas de sport avec (*Alice*) ....

c. Alice parle avec (*son père*) ....

d. Le père déjeune à côté de (*sa femme*) ....

7 Imaginez ce qu'Alice va faire après cet épisode.

....

....

....

Épisode 4 — Au travail Antoine !

Objectifs

● **Objectifs communicatifs**
– Repérer les mots clés d'une vidéo.
– Savoir raconter un emploi du temps.
– Savoir se présenter de manière formelle.

● **Objectifs linguistiques**
– Amorce du passé composé.
– Savoir donner l'heure et la date.

Synopsis

Antoine fait ses premiers pas en entreprise. Sa supérieure lui présente le poste, ses collègues et son bureau. L'accueil des collègues n'est pas très chaleureux et rien n'est installé dans son bureau. Très vite on lui donne de travail à faire en urgence. Il se rend compte de la tâche qui l'attend.

Découpage de l'épisode

– *1re partie* : la supérieure d'Antoine lui parle de ses horaires de travail.

– *2e partie* : elle lui présente un collaborateur antipathique.

– *3e partie* : il rencontre la directrice commerciale qui lui donne déjà beaucoup de travail.

Transcription

DRH : Vous savez, nous sommes très contents de vous avoir.

Antoine : Merci, je suis très heureux de travailler pour vous.

DRH : Pour les horaires, votre travail commence tous les jours à neuf heures du matin et vous finissez à dix-huit heures.

Antoine : Très bien.

DRH : Évidemment, vous avez une heure pour le déjeuner, entre midi et treize heures.

DRH : Suivez-moi, nous allons visiter les bureaux.

Ici, c'est le bureau de M. Dumont. Je vous présente Antoine. Antoine travaille avec nous maintenant.

Antoine : Enchanté.

DRH : Ne vous inquiétez pas, M. Dumont est timide, mais c'est un excellent collaborateur.

DRH : Isabelle, notre directrice commerciale... C'est une jeune femme charmante.

Antoine : Je vois ça.

Isabelle : Vous êtes Antoine, n'est-ce pas ?

Antoine : Oui...

Isabelle : On m'a beaucoup parlé de vous. Je suis ravie de vous connaître.

Antoine : Vraiment ?

Isabelle : D'ailleurs, vous tombez bien. Tenez, c'est le dossier Samex, il doit être prêt pour seize heures. Je compte sur vous, on est très en retard.

Isabelle : Bon courage !

Antoine : Je suis impatient de commencer.

DRH : Ça tombe bien, voilà votre bureau. Je vous laisse, travaillez bien.

Suggestions d'exploitation de la vidéo

1. Regarder la vidéo sans le son. Demander aux apprenants d'imaginer les dialogues.

2. Demander aux étudiants de dire ce qu'ils voient. Écrire les mots au tableau. Puis donner quelques éléments pour décrire l'environnement de travail s'ils n'ont pas déjà utilisé les mots : *un bureau, un ordinateur, un dossier, un document, un téléphone, un écran, un clavier*, etc.

3. Demander aux apprenants de lire les questions avant de visionner l'épisode. Puis regarder le film avec le son.

4. Réviser l'heure. Demander aux étudiants de faire une enquête auprès de son voisin (*À quelle heure tu commences le cours de français ? À quelle heure tu arrives à l'école ? À quelle heure tu te réveilles ?* etc.)

Puis demander aux apprenants de raconter leur journée scolaire ou leur journée de travail en la présentant au passé composé : *hier, je suis allé au travail, j'ai commencé à 8 h puis j'ai déjeuné à 13 h*, etc. Laisser un temps de préparation pour que les étudiants écrivent leur emploi du temps avant de le lire.

Écrire les verbes au tableau lors de la correction. Ne pas hésiter à écrire également les expressions temporelles : *hier, la semaine dernière, le mois dernier, hier matin, jours de la semaine, mois*, etc.

Jeu – S'il reste du temps, faire le jeu de l'alibi : « M. Dumont a disparu depuis hier. On accuse Antoine et Isabelle de l'avoir assassiné. » Deux étudiants jouent Antoine et Isabelle. Les autres étudiants leur posent des questions sur ce qu'ils ont fait hier dans la journée. Ils doivent répondre aux questions en imaginant un scénario qui les innocente.

5. Pour l'exercice 3, réviser avec les étudiants les façons de se présenter de manière formelle (*enchanté, ravi de vous connaître, très heureux(se) de vous rencontrer*, etc.).

Jeu de rôle – Mettre les apprenants par deux ou par petits groupes, leur demander de jouer les situations suivantes :

– On vous présente votre nouveau collègue de travail.

– Vous rencontrez pour la première fois les parents de votre fiancé(e).

1 a. Quels sont les horaires de travail d'Antoine ?

	journée	matin	après-midi
horaires			

b. À quelle heure Antoine doit-il finir le dossier Samex ?

❑ 7 h   ❑ 16 h   ❑ 18 h

2 Complétez cette enquête.

a. – À quelle heure vous vous réveillez ?   – ....

b. – À quelle heure vous déjeunez ?   – ....

c. – .... ?   – Je termine le travail à 17 h 30.

d. – Vous êtes né(e) quand ?   – ....

e. – .... ?   – Nous sommes mardi.

f. – Quelle heure il est ?   – ....

3 Associez les phrases pour former un dialogue.

a. On m'a beaucoup parlé de vous.

b. Je vous présente Isabelle.

c. Nous sommes très contents de travailler avec vous.

d. Vous commencez à 8 h 30.

e. Je vous présente Antoine.

1. Moi, c'est Isabelle, je suis ravie de vous connaître.

2. Très bien.

3. Enchanté.

4. Vraiment ?

5. Merci, moi aussi.

4 Écoutez l'épisode. Complétez.

a. Suivez-moi, nous allons visiter les .... Ici, c'est le .... de M. Dumont.

b. Ne vous inquiétez pas, M. Dumont est .... mais c'est un excellent ....

c. Isabelle, notre directrice commerciale... C'est une jeune femme ....

d. Je suis .... de vous connaître.

5 Complétez avec moi aussi ou moi non plus.

a. J'adore ce travail.

– ....

b. Ils n'aiment pas travailler.

– ....

c. Je viens de Martinique.

– ....

d. Je suis ravie de vous rencontrer.

– ....

e. Je ne parle pas à M. Dumont.

– ....

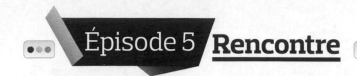

Objectifs

● **Objectifs communicatifs**

Parler des voyages. Parler de ses goûts (*j'aime, j'adore, je préfère, je déteste*, etc.).

● **Objectifs linguistiques**
– Adjectifs possessifs.
– Interrogation.
– Conjugaison du verbe *prendre*.

Synopsis

Antoine et Alice se rencontrent dans la rue. C'est leur première rencontre. Antoine va au travail. Alice est en train de faire un sondage et arrive à convaincre Antoine de répondre à ses questions en faisant un peu la comédie. Le sondage concerne les voyages.

Découpage de l'épisode

– *1re partie*: plan sur Antoine qui marche dans la rue.

– *2e partie*: Antoine rencontre Alice et répond au sondage.

– *3e partie*: Antoine s'en va et Alice est contente d'avoir interrogé une nouvelle personne.

Transcription

Alice : Bonjour, Monsieur, c'est pour un sondage.

Antoine : Je suis désolé, Mademoiselle, je n'ai pas le temps, je suis déjà très en retard.

Alice : Il n'y en a que pour quelques minutes.

Antoine : Je vous ai déjà dit non. Vous allez me laisser passer maintenant ?

Alice : Je comprends, excusez-moi... Personne ne veut répondre à mon sondage aujourd'hui... Je vais perdre mon travail.

Antoine : Ne soyez pas triste, Mademoiselle. C'est quoi votre sondage ?

Alice : C'est sur les voyages ! Alors, vous acceptez ?

Antoine : Oui, mais pas plus de cinq minutes.

Alice : Alors... Quel est votre moyen de transport préféré ? Le train ou l'avion ?

Antoine : Je préfère le train mais je prends l'avion plus souvent. Je vais souvent aux Antilles.

Alice : Très bien, je note. Alors... Deuxième question. Vous aimez passer vos vacances en France ou à l'étranger ?

Antoine : À l'étranger.

Alice : Citez-moi les pays que vous préférez visiter.

Antoine : L'Espagne. J'adore le flamenco. Le Canada, pour ses grands espaces. Et l'Italie, parce qu'on y mange très bien.

Alice : Parfait ! J'ai toutes les réponses qu'il me faut !

Antoine : Bon, je peux y aller maintenant ?

Alice : Oui, merci beaucoup.

Alice : Et un de plus !

Suggestions d'exploitation de la vidéo

1. Regarder la vidéo sans le son. Demander aux apprenants de décrire les images, le décor (extérieur rue), le temps qu'il fait et les personnages (Alice et Antoine). Imaginer une histoire. Laisser les étudiants libres d'interpréter. Faire l'exercice 1.

2. Visionner l'épisode deux fois avec le son. Demander aux apprenants de faire l'exercice 2.

3. Former des groupes de 2 personnes dans la classe. Proposer ensuite aux apprenants de préparer un petit sondage sur les voyages : *où vont-ils en vacances ? Que font-ils, comment ils partent ?* etc. Passer près des étudiants pour les écouter et les corriger.

4. Demander aux apprenants d'apporter une photo d'une destination touristique. Leur demander de la présenter.

1 Regardez l'épisode sans le son. Faites l'exercice suivant : ⋮

a. Où est Antoine ? ....

b. Où va-t-il ? ....

c. Que veut Alice ? Que fait-elle dans la rue ? ....

d. Imaginez un dialogue entre eux.

....

....

e. Décrivez ce que vous voyez.

....

....

....

2 Vrai ou faux ? ⋮

	Vrai	Faux
a. Au début, Antoine ne veut pas répondre au sondage.	❏	❏
b. Il dit à Alice qu'il a un rendez-vous.	❏	❏
c. Alice a vraiment peur de perdre son travail.	❏	❏
d. Antoine prend souvent le train.	❏	❏
e. Il va souvent à l'étranger.	❏	❏
f. Il aime l'Italie parce qu'il fait beau et chaud.	❏	❏
g. Antoine n'aime pas l'Espagne à cause du flamenco.	❏	❏
h. C'est la première fois qu'Alice et Antoine se rencontrent.	❏	❏

3 Complétez avec des adjectifs possessifs. ⋮

a. C'est .... moyen de transport préféré. J'adore le train.

b. Vous aimez passer .... vacances en France ?

c. Il aime le Canada et .... grands espaces.

d. J'aime .... travail. Et toi ? Tu aimes .... travail ?

4 Complétez les phrases avec le verbe prendre. ⋮

a. Vous .... le train ou le bus ?

b. Je .... souvent l'avion.

c. Nous .... en général le métro.

5 Trouvez les questions. ⋮

a. – .... ?

– Je préfère Paris.

b. – .... ?

– Le Danemark. J'adore le Nord.

c. – .... ?

– En avion.

On se retrouve

Objectifs

● **Objectifs communicatifs**
– Savoir lire l'image.
– Comprendre les mots clés.
– Savoir commander dans un bar ou un restaurant.

● **Objectifs linguistiques**
– Les réponses par « *oui* » et « *si* ».
– Conjugaison de verbes.
– Les questions (*est-ce que*, inversion, intonation).

Synopsis

Antoine est dans un bar. Il regarde dans un journal des annonces pour un appartement. La serveuse arrive, c'est en fait Alice. Ils se reconnaissent. Ils discutent et se disent qu'ils cherchent tous les deux un appartement. Quand Antoine part, Alice regarde l'annonce pour l'appartement qu'Antoine a choisi.

Découpage de l'épisode

– *1re partie* : Antoine entoure des annonces pour des appartements dans un journal.

– *2e partie* : Alice prend la commande. Ils discutent.

– *3e partie* : Antoine s'en va et Alice et regarde l'annonce qu'Antoine a entourée.

Transcription

Alice : Bonjour, Monsieur.

Antoine : Bonjour, Mademoiselle.

Alice : Qu'est-ce que je vous sers ?

Antoine : Un café allongé avec un verre d'eau, s'il vous plaît.

Alice : Tout de suite. Un allongé !

Antoine : Excusez-moi, Mademoiselle.

Alice : Oui ?

Antoine : On se connaît. On s'est déjà rencontrés.

Alice : Vous vous trompez, on ne se connaît pas.

Antoine : Si, j'en suis sûr. Vous travaillez dans les sondages, n'est-ce pas ?

Alice : Ah oui ! On s'est vus hier ! Je me souviens de vous maintenant. Le week-end, je fais des sondages pour gagner un peu d'argent. Et en semaine, je suis serveuse dans ce bar. **Vous** cherchez un travail ?

Antoine : Non, j'ai déjà un travail. Je cherche un appartement à louer.

Alice : C'est vrai ? Moi aussi. Malheureusement, en ce moment, je suis trop occupée pour visiter.

Antoine : J'en visite un cet après-midi. Je croise les doigts pour que ça marche.

Alice : Et voilà.

Antoine : Merci, Mademoiselle.

Alice : Non, laissez, gardez votre monnaie ! Je vous l'offre.

Antoine : Merci, c'est gentil.

Alice : Vous savez, je ne veux pas être serveuse toute ma vie.

Alice : Je suis comédienne. Enfin, pas encore. Je commence… Bon, je vous laisse… Bonne chance pour votre appartement.

Alice : Appartement : trois pièces, cinq cents euros de loyer par mois. C'est exactement ce qu'il me faut !

Suggestions d'exploitation de la vidéo

1. Regarder la vidéo avec le son. Demander aux apprenants de faire l'exercice 1. Repasser l'épisode si nécessaire pendant la correction.

2. Travailler sur le vocabulaire de la gastronomie vu en classe dans l'unité 2, leçon 6. Organiser un jeu de rôle en classe : un étudiant joue le serveur, l'autre le client. Travailler sur le lexique et les questions quand il s'agit de passer commande au restaurant ou dans un bar.

Alice et antoine ●●●

1 Choisissez la bonne réponse.

a. Antoine est dans :
- ❏ un bar
- ❏ un restaurant
- ❏ une discothèque

b. Antoine commande :
- ❏ un café serré
- ❏ un café allongé
- ❏ un café au lait

c. Antoine cherche une annonce pour :
- ❏ un travail
- ❏ un appartement
- ❏ un colocataire

d. Dans l'annonce, l'appartement a :
- ❏ 4 pièces
- ❏ 2 pièces
- ❏ 3 pièces

e. L'appartement est loué à :
- ❏ 850 euros
- ❏ 520 euros
- ❏ 500 euros

2 Complétez les phrases avec les verbes suivants :

cherchez – sers – fais – suis – connaît – travaillez.

a. Qu'est-ce que je vous .... ?

b. On se .... ? On s'est déjà rencontrés.

c. Vous .... dans les sondages, n'est-ce pas ?

d. Le week-end, je .... des sondages.

e. Vous .... un travail ?

f. Je .... serveuse dans ce bar.

3 Répondez par « oui » ou « si ».

a. – On ne se connaît pas.

– ...., on s'est vus hier.

b. – Vous travaillez ici ?

– ...., je travaille ici.

c. – Vous ne faites pas de sondages.

– ...., j'en fais.

4 Écrivez la question correspondant à cette réponse de trois manières.

a. .... ?

b. .... ?

c. .... ?

Réponse : Je cherche un appartement.

5 Complétez le dialogue en écrivant les questions.

a. .... ? – Elle travaille dans un bar.

b. .... ? – Elle rencontre Antoine.

c. .... ? – Antoine boit un café.

d. .... ? – Antoine visite un appartement cet après-midi.

Deux pour un appartement

Objectifs

● Objectifs communicatifs
– Comprendre une vidéo et savoir répondre aux questions.
– Se présenter.

● Objectifs linguistiques
– Les verbes pronominaux.
– L'impératif.
– Expression de la quantité.

Synopsis

Alice et Antoine se retrouvent pour la visite de l'appartement. Il y a beaucoup de monde et Alice décide de faire semblant d'être enceinte pour passer devant tout le monde. Antoine se joint à elle en se faisant passer pour son fiancé. Ils se présentent et échangent leurs prénoms.

Découpage de l'épisode

– *1re partie* : Alice retrouve Antoine.
– *2e partie* : Alice joue la comédie.
– *3e partie* : Alice et Antoine se présentent.

Transcription

Alice : Oh là... Le monde.

Alice : Quelle surprise de se retrouver ici !

Antoine : Qu'est-ce que vous faites là ?

Alice : Je suis là pour visiter l'appartement à louer. Vous aussi, j'imagine ?

Antoine : Oui, mais vous avez vu la file d'attente ? Y en (Il y en) a au moins pour une heure.

Alice : Oh, c'est pas un problème pour moi.

Antoine : Qu'est-ce que vous voulez dire ?

Alice : Je suis comédienne, je vais jouer mon premier grand rôle. Vous allez voir.

Antoine (*voix off*) : Son premier grand rôle ? Je me demande bien ce qu'elle prépare. Elle est bizarre, cette fille.

Alice : Excusez-moi, pardon !

Alice : Je suis confuse, mais il faut absolument que je visite cet appartement avant d'accoucher. Merci.

Antoine : Ah ma chérie, te voilà.

Alice : Qu'est-ce que vous faites, lâchez-moi.

Antoine : Moi aussi, je veux absolument cet appartement.

Alice : Je m'appelle Alice.

Antoine : Moi, je m'appelle Antoine, mais on peut se tutoyer maintenant que l'on se connaît.

Suggestions d'exploitation de la vidéo

1. Tout d'abord, regarder l'épisode sans le son. Demander aux apprenants de raconter ce qu'ils ont vu et d'imaginer l'histoire de cet épisode. Puis visionner la vidéo avec le son et répondre aux questions de l'exercice 1.

2. Pour l'exercice 6, demander aux élèves de travailler à deux et de jouer alternativement le vendeur (ou le serveur) et le client.

3. Après avoir complété la feuille d'exercices, demander aux étudiants s'ils ont déjà cherché un appartement et leur faire raconter comment ça se passe dans leurs pays. Est-ce que les locations sont chères ? Est-ce facile ?

Alice et antoine •••

1 Regardez l'épisode. Répondez aux questions.

a. Où sont Alice et Antoine ? ....

b. Pourquoi sont-ils là ? ....

c. Que pense Antoine à propos d'Alice ? ....

d. Que va faire Alice ? Pourquoi ? ....

e. Pourquoi Antoine se fait-il passer pour son fiancé ? ....

2 Conjuguez les verbes pronominaux suivants.

a. Bonjour, on (*se connaître*) .... ?

b. Je (*se demander*) .... si l'appartement est libre.

c. Tu (*s'appeler*) .... Antoine ?

d. Nous (*se tutoyer*) .... maintenant ?

e. Ils (*se connaître*) .... depuis hier.

3 Faites une phrase à l'impératif avec chaque verbe proposé :

Exemple : lâcher → Lâchez-moi, je ne vous connais pas !

a. excuser → ....

b. se lever → ....

c. regarder → ....

d. sortir → ....

4 Complétez avec un mot qui exprime la quantité.

a. Il y a .... personnes qui visitent l'appartement.

b. Alice et Antoine doivent attendre ...., de temps.

c. On voit .... arbres.

5 Mettez le verbe entre parenthèses à l'impératif puis imaginez une phrase.

Exemples : (*être, nous*) .... → Soyons calmes.

(*être, tu, ne ... pas*) .... → N'aie pas peur.

a. (*être, tu*) .... → ....

b. (*avoir, nous, ne ... pas*) .... → ....

c. (*être, vous, ne ... pas*) .... → ....

d. (*avoir, vous*) .... → ....

6 Jouez ces situations. imaginez une phrase.

· Vous achetez un nouveau téléphone portable et vous demandez le prix.

· Vous demandez l'addition dans un restaurant.

· Vous êtes étudiant, vous achetez un ordinateur et vous demandez une réduction.

Objectifs

● **Objectifs communicatifs**
- Comprendre la vidéo de manière sélective. Relever des informations précises et repérer les mots clés.
- Retenir le vocabulaire de l'habitation.

● **Objectifs linguistiques**
- Champ lexical de l'appartement.
- Exprimer un besoin (*il faut, j'ai besoin de, vous devez,* etc.).

Synopsis

Alice et Antoine rencontrent l'agent immobilier. Ils font semblant d'être en couple mais on voit qu'Antoine est un peu réticent. Ils visitent les différentes pièces. Puis tous les deux disent qu'ils sont intéressés. La vérité tombe. Ils commencent à se disputer pour avoir l'appartement, alors l'agent immobilier leur propose de le prendre en colocation.

Découpage de l'épisode

- *1re partie* : Alice et Antoine se présentent comme un couple devant l'agent immobilier.
- *2e partie* : ils visitent les pièces de l'appartement.
- *3e partie* : ils décident de le prendre en colocation.

Transcription

Agent immobilier : Je vous en prie, entrez. Bonjour, vous êtes là pour la visite ?

Antoine et Alice : Oui.

Agent immobilier : Quel couple charmant, je vois que vous attendez un heureux événement.

Antoine : À vrai dire...

Alice : ... L'accouchement est prévu pour dans un mois.

Agent immobilier : Et c'est... ?

Alice : Un garçon !

Agent immobilier : Félicitations. Alors, comme vous voyez, nous sommes dans un appartement meublé. Il y a deux chambres, une cuisine américaine et une salle de bains. Nous sommes actuellement dans le salon.

Antoine : Est-ce qu'on peut visiter l'appartement ?

Agent immobilier : Bien sûr, je vous en prie. Allez-y.

Agent immobilier : Comme vous pouvez le constater, nous sommes dans une cuisine tout équipée avec un réfrigérateur, une gazinière, un lave-vaisselle, les sèche-linge et lave-linge sont derrière le bar.

Alice : Par contre, il faut absolument changer la couleur des murs de cette cuisine.

Antoine : Je ne vois pas pourquoi, la couleur actuelle me va très bien.

Agent immobilier : Alors, voici la chambre des parents.

Antoine : Ça suffit maintenant, je veux cet appartement.

Alice : Non, cet appartement est pour moi.

Agent immobilier : Alors ?

Antoine et Alice : Je le prends.

Agent immobilier : Mais vous n'êtes pas ensemble ?

Antoine : Non, et d'ailleurs j'ai vu cet appartement le premier, il est pour moi.

Alice : C'est hors de question, je veux cet appartement. Il me le faut. Pour le bébé.

Antoine : Quel bébé ?

Agent immobilier : Écoutez, je ne vois qu'une solution.

Alice : Laquelle ?

Agent immobilier : Prenez-le en colocation. Il y a deux chambres !

Suggestions d'exploitation de la vidéo

1. Demander de lire le texte à trous. Regarder l'épisode avec le son. Suggérez aux apprenants de prendre des notes pour relever les mots. Faire l'exercice 1.

2. Écouter une seconde fois l'épisode avant de faire l'exercice 2. Puis demander aux apprenants de décrire leur propre appartement.

On peut demander aux étudiants d'écrire une annonce : « cherche un/une colocataire pour partager un appartement ». Faire la description de l'appartement puis la présenter aux autres apprenants. Chacun pourra à la fin choisir l'appartement qu'il préfère. Inviter les élèves à utiliser le lexique entendu dans l'épisode.

1 Complétez les mots qui manquent dans ces deux passages de l'épisode.

– Je vous en prie, ... Bonjour, vous êtes là pour la .... ?

– Oui.

– Quel couple .... ! Je vois que vous attendez un .... événement !

– À vrai dire...

– L'accouchement est prévu pour .... [...]

– Alors ?

– Je le ....

– Mais vous n'êtes pas .... ?

– Non. Et d'ailleurs j'ai vu .... le premier, il est pour ....

– C'est hors de question. Je .... cet appartement. Il me le .... Pour le bébé.

2 Barrez les choses qui ne sont pas dans la description de l'appartement qu'Alice et Antoine visitent.

Nous proposons :

a. Un appartement non meublé   Un appartement meublé

b. Deux chambres et un salon   Trois chambres et un salon

c. Une cuisine séparée   Une cuisine américaine

d. Une cuisine équipée avec :
un lave-vaisselle – un four à micro-ondes – un réfrigérateur – un lave-vaisselle
– un sèche-linge – une gazinière – un lave-linge – un bar – un placard

3 Transformez les phrases en changeant l'expression en gras.

a. **Il me faut** cet appartement.

....

b. **Il faut** changer la couleur des murs de cette cuisine.

....

c. **Vous avez besoin** d'un lave-linge.

....

4 Vrai ou faux ?

	Vrai	Faux
a. Antoine aime la couleur des murs de la cuisine.	☐	☐
b. Antoine et Alice sont en couple.	☐	☐
c. Antoine et Alice veulent tous les deux l'appartement.	☐	☐
d. Alice et Antoine vont faire une colocation.	☐	☐

Objectifs

● **Objectifs communicatifs**
– Savoir repérer les éléments visuels d'une vidéo.
– Comprendre une vidéo de manière globale et sélective.
– Parler des souvenirs (*je me souviens de, ça me rappelle*).
– Parler de sa famille.

● **Objectifs linguistiques**
Passé composé des verbes simples et pronominaux.

Synopsis

Les parents viennent à Paris pour rendre visite à leur fille. Le père a oublié de confirmer l'heure d'arrivée à Alice, ils prennent donc le métro. Arrivés devant la porte de chez leur fille, c'est Antoine qui leur ouvre car Alice est sous la douche. Ils se présentent.

Découpage de l'épisode

– *1re partie* : André et Hélène sont devant la gare de Lyon, à Paris.
– *2e partie* : les parents sont près de la Seine.
– *3e partie* : les parents arrivent chez leur fille.

Transcription

André : Je préfère notre belle campagne. La nature, le silence.

Hélène : Tu n'es jamais content. Pense à ta fille. Et puis, à Paris, les restaurants sont meilleurs que chez nous.

André : Oui, mais ils sont plus chers.

Hélène : Je suis si heureuse de ce voyage. Ça me rappelle ma rencontre...

André : Ta rencontre ?

Hélène : Ma rencontre avec toi ! Évidemment, tu as oublié.

....

Hélène : Alice est en retard. Tu as confirmé notre arrivée ?

André : Euh, non.

Hélène : Bravo pour l'organisation ! Bon, on prend le métro ?

Hélène : La valise ! Va chercher la valise !

....

Hélène : Ah, mes pieds, mes pauvres pieds. Tu trouves ?

André : J'ai oublié mes lunettes.

Hélène : Tes lunettes pour voir de près ? Tu es vraiment tête en l'air.

André : Merci. Ah ! J'ai trouvé. Rue Molière. C'est un peu plus loin. Cette rue, là-bas.

André : J'ai hâte de la voir.

....

Antoine : Bonjour !

André : Euh, excusez-nous, nous nous sommes trompés de porte.

Antoine : Non, c'est bien ici, vous êtes les parents d'Alice ?

Hélène : C'est bien nous. Je suis sa maman et voici André, son père. Et vous, qui êtes-vous ?

Antoine : Je suis Antoine, j'habite ici avec Alice. Elle prend une douche, elle va bientôt arriver. Entrez !

Suggestions d'exploitation de la vidéo

1. Regarder le reportage avec le son. Avant de commencer à faire les exercices, demander aux étudiants ce qu'ils ont vu dans l'épisode. Parler aussi des lieux de Paris : gare de Lyon, les quais de la Seine, le métro, les péniches, etc. Faire l'exercice 1.

2. Avant de faire l'exercice 2, réécouter l'épisode et demander aux apprenants de lire préalablement les phrases.

3. Quand l'exercice 4 est terminé, demander aux étudiants de se mettre par petits groupes. Leur proposer de préparer un arbre généalogique simple. Inscrire le prénom de chaque membre de la famille dans l'arbre généalogique. Puis poser des questions aux autres groupes d'étudiants : *qui est Pierre ? Qui est Julien ? Les étudiants devront répondre : c'est le frère de..., c'est la nièce de...*, etc.

Quelques références

La Seine : fleuve qui traverse Paris. La ville présente donc deux parties, la rive gauche (au sud) et la rive droite (au nord).

1   Choisissez la bonne réponse.

a. Au début de l'épisode, les parents d'Alice sont devant :
❑ un aéroport   ❑ une gare   ❑ une station de métro

b. Ensuite, les parents sont sur :
❑ un pont   ❑ une péniche   ❑ un quai

c. Ils veulent aller :
❑ rue Gruyère   ❑ rue Baudelaire   ❑ rue Molière

2   Vrai ou faux ?

	Vrai	Faux
a. André aime les grandes villes.	❑	❑
b. André pense que les restaurants sont meilleurs à Paris.	❑	❑
c. Hélène est contente d'être à Paris.	❑	❑
d. Paris lui rappelle sa rencontre avec André.	❑	❑
e. Alice est en retard.	❑	❑
f. André oublie la valise.	❑	❑
g. Les parents prennent un taxi pour aller chez Alice.	❑	❑
h. Sur le pont, Hélène a mal aux pieds.	❑	❑
i. André oublie souvent les choses.	❑	❑

3   Complétez le texte avec les verbes proposés au passé composé :

se tromper – confirmer – oublier

a. Tu .... notre arrivée ?

b. Je .... mes lunettes.

c. Nous .... de porte.

4   Retrouvez les personnes de la famille. Imaginons.

André a un frère, il s'appelle Pierre. Pierre a un enfant qui s'appelle Julien.

a. Alice est la .... de Pierre et la .... de Julien.

b. Julien est le .... d'Alice et le .... d'André.

5   Trouvez les questions.

a. .... ?

– J'habite à Bruxelles depuis quatre ans.

b. .... ?

– Ça fait deux mois qu'elle travaille dans ce restaurant.

6   Mettez le récit au passé. Utilisez le passé composé et l'imparfait.

Alice et Antoine vont visiter l'appartement. Il y a beaucoup de monde. Ils décident alors d'habiter ensemble.

Objectifs

● **Objectifs communicatifs**
– Comprendre le sens général de l'épisode et repérer les mots clés.
– Parler de gastronomie et de recettes de cuisine.

● **Objectifs linguistiques**
– Savoir utiliser les articles partitifs.
– Savoir distinguer les pronoms compléments directs et indirects.

Synopsis

tout le monde se retrouve à table. Alice a préparé un plat un peu spécial. Les parents n'aiment pas mais ne disent rien pour ne pas vexer leur fille. Antoine, lui, apprécie le plat d'Alice. Le père propose de les inviter au restaurant le soir.

Découpage de l'épisode

– *1re partie* : André et Hélène parlent d'Alice.
– *2e partie* : tout le monde goûte le plat d'Alice.
– *3e partie* : les parents n'aiment pas le plat, contrairement à Antoine.

Transcription

André : Tu es sûr que c'est une bonne idée ?

Hélène : C'est important pour elle. Elle veut nous montrer qu'elle est capable de vivre seule.

André : Elle ne sait même pas faire cuire un œuf. On peut commander des pizzas.

Hélène : Non, elle veut nous faire plaisir.

Alice : C'est prêt. Vous avez faim, j'espère ! Attention, c'est très chaud.

Antoine : Ça sent très bon.

Alice : Une de mes recettes.

André : Ah...

Alice : Qu'est-ce qu'il y a, papa ?

Hélène : Rien, ma chérie. Ton père et moi, nous sommes impatients de goûter.

André : Merci, ça suffit, je suis au régime.

Alice : Alors ?

Hélène : Qu'est-ce qu'il y a dedans ?

Alice : Des pommes de terre, des œufs et du fromage fondu.

André : Il y a autre chose dedans. Non ?

Alice : Du thon et de la mayonnaise...

Hélène : On sent bien la mayonnaise...

André : Il y a autre chose...

Alice : Ah oui, du piment.

André : C'est ça !

Antoine : Bravo, Alice, c'est délicieux ! Moi, ce piment, ça me rappelle la Martinique et la cuisine de ma mère.

Alice : Ce soir, je vous fais une autre de mes recettes.

André : Ah non ! Ce soir, je vous invite au restaurant.

Suggestions d'exploitation de la vidéo

1. Demander aux apprenants de lire les phrases de l'exercice 1. Puis regarder l'épisode avec le son. Faire l'exercice.

2. Après avoir fait l'exercice 2 en classe, proposer une activité orale : *Donnez les ingrédients d'un plat que vous avez l'habitude de faire.*

Écrire au tableau les mots nouveaux.

Proposer le jeu du « marchand Padi Pado ». Ce jeu consiste à demander s'il y a certains produits chez le marchand Padi Pado. S'il y a la lettre « i » ou « o » dans le mot, le professeur devra répondre « non ».

Par exemple : *Est-ce qu'il y a du fromage ? Non / Est-ce qu'il y a de l'eau ? Oui.*

La réponse est parfois difficile à trouver, mais cet exercice permet de travailler sur les articles partitifs. Ne pas hésiter à écrire le nom du marchand « Padi Pado » au tableau et à le répéter souvent. Donner la solution après 15 minutes, le temps que les élèves s'exercent.

Alice et antoine ●●●

1 Choisissez la bonne réponse.

a. Hélène pense qu'Alice veut leur montrer qu'elle est :
- ❏ bonne cuisinière
- ❏ capable d'être indépendante

b. La mère d'Alice dit qu'ils sont :
- ❏ curieux de goûter
- ❏ impatients de goûter.

c. Le père d'Alice ne veut pas beaucoup manger. Il dit qu'il est :
- ❏ fatigué
- ❏ au régime
- ❏ impatient de goûter

d. Antoine :
- ❏ n'aime pas le plat
- ❏ aime le plat
- ❏ préfère la cuisine de sa mère

e. Le soir, ils vont :
- ❏ goûter un autre plat d'Alice
- ❏ aller au restaurant
- ❏ commander des pizzas

2 Dans le plat d'Alice, il y a... ? Reliez les éléments.

Il y a...
- du ●
- de la ●
- des ●

- ● pommes de terre
- ● mayonnaise
- ● fromage fondu
- ● thon
- ● œufs
- ● piment

3 Complétez les phrases avec des articles indéfinis, définis et partitifs.

a. Alice a fait .... plat. Il y a dedans .... mayonnaise. Alice adore .... mayonnaise.

b. Antoine a acheté .... piment. Il aime .... piment, ça lui rappelle la cuisine de sa mère.

c. André n'aime pas .... thon. Il y a .... thon dans la recette d'Alice.

d. Tu as acheté .... vin rouge ? C'est .... vin que je préfère.

4 Classez les phrases dans le tableau selon la nature des pronoms personnels compléments.

a. Je **vous** invite au restaurant.
b. Elle veut **te** montrer sa bonne cuisine.
c. Je **t'**invite ce soir.
d. Elle veut **nous** faire plaisir.
e. Ça **me** rappelle la Martinique.
f. Je **vous** fais une autre recette.
g. Nous sommes impatients de **le** goûter.

Pronoms compléments directs	Pronoms compléments indirects

Épisode 10 · cent-vingt-trois **123** ●●●

Objectifs

Objectifs communicatifs
– Comprendre de manière globale une vidéo.
– Donner un conseil.
– Révision lexicale : parler du corps et des problèmes de santé.
– Rapporter des paroles ou des pensées.

Objectifs linguistiques
Utiliser le discours indirect (amorce).

Synopsis

Antoine rentre de sa journée de travail. Il est exténué. La mère d'Alice est en train de repasser du linge. Antoine aperçoit sa chemise en lin et se met en colère contre Hélène. Il n'aime pas qu'on touche à ses affaires.

Découpage de l'épisode

– *1re partie* : arrivée d'Antoine.
– *2e partie* : dispute avec Hélène.
– *3e partie* : chacun regrette de s'être emporté.

Transcription

Antoine : Bonsoir, tout le monde, bonsoir, Hélène !

Hélène : Bonsoir, Antoine. Comment s'est passée votre journée au bureau ?

Antoine : Je suis fatigué, je crois que je vais m'allonger.

Antoine : Hélène ?

Hélène : Oui ?

Antoine : Qu'est-ce que vous faites ?

Hélène : Je repasse le linge.

Antoine : Je vois bien, mais c'est ma chemise.

Hélène : Elle est toute froissée. Elle sera plus jolie après.

Antoine : C'est du lin, vous allez l'abîmer... Je n'aime pas qu'on touche à mes affaires.

Hélène : Enfin ! Calmez-vous, Antoine.

Antoine : Rendez-la-moi, c'est ma chemise.

Hélène : Mais laissez-moi terminer !

Antoine : Ne touchez plus à mon linge !

Hélène : Je voulais lui rendre service, c'est tout.

André : Ne t'inquiète pas, mon amour. La prochaine fois, demande-lui la permission...

Alice : Tu devrais te décontracter, tous tes muscles sont tendus.

Antoine : Je suis désolé pour ta maman... C'est mon travail, je suis stressé. J'ai besoin de partir en vacances.

Alice : Ce n'est pas grave. Ça arrive à tout le monde.

Suggestions d'exploitation de la vidéo

1. Regarder la vidéo sans le son. Faire des petits groupes et demander aux apprenants de faire un résumé en imaginant l'histoire de cet épisode. Leur laisser du temps, puis écouter les différentes versions. Ensuite, visionner le reportage avec le son. Cet exercice permet d'investir le discours rapporté amorcé dans la leçon 11.

2. Visionner l'épisode avec le son. Faire l'exercice 1. Si nécessaire, regarder une seconde fois le reportage.

3. Jeux de rôle

● Vous avez perdu votre sac. Il y a dedans tout votre argent, vos clés et vos papiers. Heureusement, vous avez gardé votre portable dans la poche. Vous appelez votre ami(e). L'étudiant(e) qui jouera l'ami(e) devra utiliser les expressions pour rassurer l'autre.

● Vous êtes malade, vous appelez le médecin. (Utiliser le lexique de la maladie et du corps.)

● Vous dînez avec vos parents. Subitement, vous vous énervez pour un détail, vous vous excusez et expliquez que vous êtes stressé(e) et fatigué(e) à cause de votre examen de langue.

Alice et antoine ●●●

1 Barrez les mots incorrects.

a. Au début de l'épisode, André écrit – lit – mange – est assis – parle...

b. ... et Hélène cuisine – repasse – tricote – est debout.

c. À la fin de l'épisode, Alice masse les jambes – les épaules – le dos – les pieds...

d. ... d'Antoine dans la chambre – la salle de bains – la cuisine...

e. ... et André masse les jambes – les pieds – les bras...

f. d'Hélène qui est assise – allongée sur le lit.

2 Vrai ou faux ?

		Vrai	Faux
a.	La mère d'Alice repasse une chemise d'André.	☐	☐
b.	La mère d'Alice a abîmé la chemise d'Antoine.	☐	☐
c.	Antoine est furieux car il y a un trou dans sa chemise.	☐	☐
d.	Antoine n'aime pas que l'on touche à ses affaires.	☐	☐
e.	Antoine est stressé par son travail.	☐	☐
f.	Antoine regrette d'avoir réagi comme ça avec Hélène.	☐	☐

3 Donnez quelques conseils à Antoine. Complétez avec les expressions suivantes :

Tu devrais te calmer – Calme-toi – Ne stresse pas – Ne t'inquiète pas

a. .... et repose-toi!

b. ...., et n'y pense plus!

c. ...., je vais te faire un massage pour te relaxer.

d. ...., tu vas réussir ton travail!

4 Barrez l'intrus.

Exemple : maladie – ~~fruit~~ – hôpital – sida

a. tousser – avoir mal au ventre – repasser – être fatigué

b. se sentir bien – guérir – se faire mal – se sentir mieux

c. les pieds – la bouche – le nez – la chemise – la langue

d. un présentateur – un dentiste – un chirurgien – un médecin

5 Rapportez les paroles d'Antoine.

Exemple : Je suis stressé (*dire que*) / Alice → Alice dit qu'elle est stressée.

a. Je suis fatigué (*dire que*) / Antoine

....

b. J'ai besoin de partir en vacances (*penser que*) / Antoine

....

c. Calmez-vous, Antoine! (*demander de*) / Hélène

....

Épisode 11

cent-vingt-cinq **125** ●●●

Épisode 12 — Enfin, ils partent !

Objectifs

● **Objectifs communicatifs**
– Compréhension globale d'une vidéo.
– Être capable de décrire un vêtement.
– Prendre congé.

● **Objectifs linguistiques**
– Accord et place de l'adjectif.
– Adjectifs de couleur.
– Situer dans l'espace (*à côté de*, *sur*, etc.).

Synopsis

Les parents d'Alice sont sur le départ. Ils préparent leur valise. Puis ils se disent au revoir. Alice est un peu triste de les voir partir. La mère d'Alice est très heureuse d'avoir rencontré Antoine, et elle lui dit longuement au revoir, ce qui fait réagir Alice. Puis le père d'Alice dit à sa fille qu'il est fier d'elle.

Découpage de l'épisode

– *1re partie* : les parents d'Alice préparent leur valise.
– *2e partie* : les parents d'Alice disent au revoir.
– *3e partie* : André a oublié ses chaussures.

Transcription

Hélène : Tu n'as rien oublié ? Tu as pris tes chemises ?

André : Mes chemises sont dans la valise, à côté des chaussettes et de mon pantalon beige.

Hélène : Et le pull rouge ?

André : Il est là.

Hélène : Tu l'as plié correctement ?

André : Oui, comme tu me l'as appris.

Hélène : Tiens, j'ai trouvé ton rasoir électrique dans la salle de bains, près du lavabo.

André : Ah... Heureusement que tu es là ! Voilà, la valise est prête, on peut y aller.

Hélène : Merci pour tout, ma chérie. Je suis très heureuse de voir que tout se passe bien pour toi.

Alice : Vous allez me manquer.

André : Toi aussi, tu vas nous manquer. Continue comme ça, tu te débrouilles très bien.

Hélène : Elle n'est pas toute seule, il y a Antoine.

Antoine : Ne vous inquiétez pas, Alice est comme une sœur pour moi.

Hélène : Au revoir, Antoine, je suis très heureuse de vous avoir rencontré.

Alice : Dis donc, maman, faut pas te gêner.

André : Bonne continuation, Antoine.

Antoine : André ?

André : Oui ?

Antoine : Vous n'oubliez rien ?

André : Non...

Antoine : Vos chaussures ! Vous oubliez vos chaussures !

Suggestions d'exploitation de la vidéo

1. Visionner la vidéo avec le son. Demander aux étudiants de faire l'exercice 1. Laisser les apprenants justifier leur choix à l'oral et développer sur une compréhension plus globale de l'épisode. Demander ce qui se passe, les réactions des personnages par rapport au départ, etc.

2. Jeux de rôle

● Vous avez fait un voyage linguistique en France. Vous remerciez votre famille d'accueil et vous lui dites au revoir.

● Vous avez passé un week-end à Paris chez les parents d'un(e) ami(e). Vous repartez chez vous, vous prenez congé.

● Vous dites au revoir à votre professeur après plusieurs semaines de cours de français.

3. Décrire la réaction et le comportement d'Alice, d'Antoine et des parents d'Alice dans cet épisode.

Faire une description psychologique des quatre personnages.

1 Vrai ou faux ? Justifiez.

		Vrai	Faux
a.	Les parents d'Alice partent en week-end.	❏	❏
b.	Hélène porte des boucles d'oreilles.	❏	❏
c.	André a oublié son rasoir électrique.	❏	❏
d.	André s'inquiète pour sa fille.	❏	❏
e.	La mère d'Alice veut qu'Antoine et Alice se marient.	❏	❏
f.	Antoine voit Alice comme une sœur.	❏	❏
g.	Alice est un peu triste que ses parents partent.	❏	❏
h.	André oublie beaucoup de choses.	❏	❏

2 Regardez la vidéo. Complétez les phrases avec les adjectifs de couleurs qui conviennent.

a. André met dans la valise un pantalon ...., un pull .... et des chemises.

b. Hélène porte une chemise ...., une veste .... et un foulard ...., ... et ....

c. Antoine porte un pull ....

d. André porte un pantalon ...., une ceinture .... et une chemise ....

3 Placez les adjectifs au bon endroit et accordez-les.

a. Quel .... ! (pull / beau)

b. Tu as vu mon .... ? (pantalon / vert)

c. J'ai acheté trois .... (beau / chemise / blanc)

d. Antoine est un .... (sympathique / garçon)

e. Alice est une .... (beau / fille)

f. André a un .... (nouveau / rasoir électrique)

4 Complétez le tableau.

		prêts	
prêt			
vert			vertes
	blanche		
rouge			
		beiges	
	heureuse		heureuses
	seule		

5 Complétez les phrases avec les mots suivants : *en face de*, *à côté de*, *dans*, *près de*, *devant*, *sur*. Attention aux contractions.

a. Hélène est .... la salle de bains .... la fenêtre, et André est .... la chambre.

b. La valise est .... le lit et les vêtements .... la valise.

c. Le pantalon beige est .... le pull rouge.

d. Alice est .... son père et .... Antoine.

... Corrigés des exercices

Alice et Antoine

Épisode 1, page 86

1. une maison – une chambre – une fille – un homme – une femme – un lit – une porte – un vêtement.

2. a. excusez-moi, désolée – **b.** n'ai pas – **c.** êtes – **d.** n'est pas, c'est.

3. a. Tu me réveilles! – **b.** J'étudie le français.

4. a. vrai – **b.** faux – **c.** vrai – **d.** faux – **e.** faux – **f.** vrai.

5. a. habite – **b.** sont – **c.** connaissez – **d.** parlent – **e.** connais.

6. a. les lits – **b.** les oreillers – **c.** les chambres.

Épisode 2, page 88

1. a. nerveux – **b.** un travail.

2. Désiré – Antoine – Martinique – Paris – française – comptable.

3. a. Comment vous vous appelez? / Comment vous appelez-vous? / Quel est votre nom? – **b.** D'où vous venez? / D'où venez-vous? – **c.** Qu'est-ce que vous faites? / Quelle est votre profession? – **d.** Vous habitez où? / Où vous habitez? / Où habitez-vous?

4. a. entrez – **b.** cherche – **c.** habitez – **d.** cherchez.

5. a. d' – **b.** de l' – **c.** du – **d.** de – **e.** de la.

Épisode 3, page 90

1. a. Ils prennent leur petit-déjeuner. – **b.** du jus d'orange, une tasse, du thé, du beurre, du lait, du sucre, un croissant, un yaourt, etc. – **c.** Elle fait de la gymnastique.

2. a. faux – **b.** vrai – **c.** vrai – **d.** faux – **e.** faux.

3. a. veux – **b.** veut – **c.** voulez – **d.** veux.

4. a. va comprendre – **b.** vais préparer – **c.** allez trouver – **d.** vas quitter – **e.** vont aider.

5. a. à – **b.** au – **c.** à la.

6. a. eux – **b.** elle – **c.** lui – **d.** d'elle.

Épisode 4, page 92

1. a. matin : 9 h-12 h ; après-midi : 13 h-18 h – **b.** 16 h.

2. a. Je me réveille à... – **b.** Je déjeune à... – **c.** À quelle heure vous terminez le travail? – **d.** Je suis né(e) en 1974 / le 14 septembre / en septembre 1974. – **e.** Quel jour sommes-nous? / Quel jour nous sommes (aujourd'hui)? – **f.** Il est ... heure(s).

3. a. 4 – **b.** 3 – **c.** 5 – **d.** 2 – **e.** 1.

4. a. bureaux, bureau – **b.** timide, collaborateur – **c.** charmante – **d.** ravie.

5. a. moi aussi – **b.** moi non plus – **c.** moi aussi – **d.** moi aussi – **e.** moi non plus.

Épisode 5, page 94

1. a. Il est dans la rue. – **b.** Il va au travail. – **c.** Elle veut parler à Antoine, elle fait un sondage – **e.** une rue, un trottoir, un parapluie, un arbre, une voiture, etc.

2. a. vrai – **b.** faux – **c.** faux/vrai (au choix car elle joue la comédie et on le sait à la fin) – **d.** faux – **e.** vrai – **f.** faux – **g.** faux – **h.** vrai.

3. a. mon – **b.** vos – **c.** ses – **d.** mon, ton.

4. a. prenez – **b.** prends – **c.** prenons.

5. a. Quelle ville vous préférez? – **b.** Quel est votre pays préféré? – **c.** Comment vous voyagez?

Épisode 6, page 96

1. a. un bar – **b.** un café allongé – **c.** un appartement – **d.** 3 pièces – **e.** 500 euros.

2. a. sers – **b.** connaît – **c.** travaillez – **d.** fais – **e.** cherchez – **f.** suis.

3. a. si – **b.** oui – **c.** si.

4. a. Vous cherchez quoi? – **b.** Que cherchez-vous? – **c.** Qu'est-ce que vous cherchez?

5. a. Où travaille Alice? – **b.** Qui est-ce qu'elle rencontre? – **c.** Qu'est-ce qu'Antoine boit? – **d.** Quand est-ce qu'Antoine visite un appartement?

Épisode 7, page 98

1. a. Ils sont dans la cour d'un immeuble. – **b.** Ils font la queue pour visiter un appartement. – **c.** Il pense qu'elle est bizarre. – **d.** Elle va faire semblant d'être enceinte pour passer devant tout le monde. – **e.** Parce qu'il veut aussi et appartement et donc le visiter en premier.

2. a. se connaît – **b.** me demande – **c.** t'appelles – **d.** nous tutoyons – **e.** se connaissent.

3. a. Excusez-moi, je peux entrer? – **b.** Levez-vous, c'est le directeur. – **c.** Regardez la vidéo. – **d.** Sortez dans la rue.

4. a. plusieurs – **b.** un peu – **c.** quelques.

5. a. Sois attentif. – **b.** N'ayons pas peur de le dire. – **c.** Ne soyez pas inquiet. – **d.** Ayez le courage de le faire.

Épisode 8, page 100

1. entrez – visite – charmant – heureux – dans un mois – prends – ensemble – cet appartement – moi – veux – faut.

2. Sont à barrer : **a.** un appartement non meublé – **b.** trois chambres et un salon – **c.** une cuisine séparée – **d.** un four à micro-ondes, un placard.

3. a. J'ai besoin de – **b.** Tu dois/Vous devez – **c.** Il vous faut.

4. a. vrai – **b.** faux – **c.** vrai – **d.** vrai.

Épisode 9, page 102

1. a. une gare – **b.** un pont – **c.** rue Molière.

2. a. faux – **b.** vrai – **c.** vrai – **d.** vrai – **e.** vrai – **f.** vrai – **g.** faux – **h.** vrai – **i.** vrai.

3. a. tu as confirmé – **b.** j'ai oublié – **c.** nous sommes trompés.

4. a. nièce, cousine – **b.** cousin, neveu.

5. a. Depuis combien de temps (quand) vous habitez à Bruxelles ? – **b.** Ça fait combien de temps qu'elle travaille dans ce restaurant ? / Depuis quand elle travaille dans ce restaurant ?

6. sont allés – il y avait – ils ont alors décidé.

Épisode 10, page 104

1. a. capable d'être indépendante – **b.** impatients de goûter – **c.** au régime – **d.** aime le plat – **e.** aller au restaurant.

2. du fromage fondu / thon / piment – **de la** mayonnaise – **des** œufs / pommes de terre.

3. a. un, de la, la – **b.** du, le – **c.** le, du – **d.** du, le.

4. Pronoms COD : **a., c., g.** – Pronoms COI : **b., d., e., f.**

Épisode 11, page 106

1. Mots à barrer : **a.** écrit, mange, parle – **b.** cuisine, tricote – **c.** les jambes, les pieds – **d.** la chambre, la salle de bains – **e.** les jambes, les bras – **f.** assise.

2. a. faux – **b.** faux – **c.** faux – **d.** vrai – **e.** vrai – **f.** vrai.

3. a. Ne t'inquiète pas – **b.** Calme-toi – **c.** Tu devrais te calmer – **d.** Ne stresse pas.

4. Intrus : **a.** repasser – **b.** se faire mal – **c.** la chemise – **d.** un présentateur.

5. a. Antoine dit qu'il est fatigué. – **b.** Antoine pense qu'il a besoin de partir en vacances. – **c.** Hélène demande à Antoine de se calmer.

Épisode 12, page 108

1. a. faux – **b.** faux – **c.** vrai – **d.** faux – **e.** faux – **f.** vrai – **g.** vrai – **h.** vrai.

2. a. beige ; rouge – **b.** marron ; bleue ; vert, jaune et rose – **c.** bordeaux – **d.** beige ; marron ; blanche.

3. a. Quel beau pull ! – **b.** Tu as vu mon pantalon vert ? – **c.** J'ai acheté trois belles chemises blanches. – **d.** Antoine est un garçon sympathique. – **e.** Alice est une belle fille. – **f.** André a un nouveau rasoir électrique.

4. prête, prêtes / verte, verts / blanc, blancs, blanches / rouge, rouges, rouges / beige, beige, beiges / heureux, heureux / seul, seuls, seules.

5. a. dans, devant, dans – **b.** sur, dans – **c.** près du pull rouge – **d.** à côté de, en face d'.

Corrigés du cahiers d'activité

Leçon 0

Comment tu t'appelles ?

2. a4 – b3 – c2 – d1.

3. a/b/c/d → Je m'appelle ...

Tu parles français ?

2. a. Oui, je parle français. – b ; Non, je parle espagnol. – c. Oui, il parle espagnol. – d. Non, elle parle italien. – e. Non, je parle allemand.

Vous êtes français ?

2. Je m'appelle João Marinho. Je suis député. – b. Vous êtes italien ? – c. Non, je suis brésilien. d. Vous parlez français ? – e. Oui, je parle un peu français.

3. a. allemande – b. portugaise – c. canadienne – d. belge – e. américaine.

Tu habites où ?

2. j'habite – tu habites – il/elle habite – nous habitons – vous habitez – ils/elles habitent.

3. a. au / en / aux – b. à / en – c. en / à – d. aux / à – e. à / au.

Qui est-ce ?

2. a. une / la – b. un – c. le.

3. a. Mika est chanteur. – b. Matisse est artiste. – c. François Hollande est homme politique. – d. Vincent Cassel est comédien. – e. Christine Lagarde est femme politique. – f. Céline Dion est chanteuse. – g. Marie Curie est scientifique.

Qu'est-ce que c'est ?

2. a. une – b. un – c. un – d. une – e. des – f. des.

3. a. la – b. la – c. les – d. l' – e. les – f. la.

4. le parlement – **la** place Kléber – **un** musée – **un** restaurant.

Vos papiers, s'il vous plaît ?

1. Proposition de correction → Nom : Da Silva – Prénom : Roberto – Nationalité : espagnole – Profession : journaliste – N° de téléphone : 06 15 23 47 89 – Adresse électronique : roberto_dasilva@hotmail.fr

Cartes postales et messages

1. en – à – au – les – la – la.

2. au – le – l' – le – à – le – la – le – des – des.

Leçon 1

Travaille à partir des pages « Forum »

1. Proposition de correction :

Nom : Carpenter – Prénom : Peter – Nationalité : anglaise – Adresse : 27, rue du Caire – 75002 Paris.

2. a2 – b1 – c4 – d3.

3. a. Non, je ne comprends pas le français. – b. Tu connais le Brésil ? / Non, je ne connais pas. – c. Vous connaissez le professeur ? / Oui, je connais le professeur. – d. Vous comprenez l'espagnol ? / Non, je ne comprends pas l'espagnol. – Tu connais le musée ? / Non, je ne connais pas le musée.

4. a. le – b. l' – c. la – d. l' – e. le – f. la – g. le.

Travaille à partir des pages « Outils »

1. Parler → je parle – tu parles – il/elle parle – nous parlons – vous parlez – ils/elles parlent / habiter → j'habite – tu habites – il/elle habite – nous habitons – vous habitez – ils/elles habitent.

2. je connais – tu connais – il/elle connaît – nous connaissons – vous connaissez – ils/elles connaissent.

3. a. parles – b. parle – c. parlons – d. habitez – e. habitons.

4. b. Barbara ne comprend pas le français. – c. Barbara ne connaît pas le musée. – d. Maria ne parle pas espagnol. – e. Maria n'est pas mexicaine.

5. b. Andy Garcia est mexicain. – c. Monica Bellucci est italienne. – d. Teddy Riner est antillais. – e. Antonio Banderas est espagnol.

Entraîne-toi à l'oral à partir des pages « Échanges »

3. a5 – b7 – c6 – d8 – e1 – f3 – g2 – h4.

4. a2 – b1 – c5 – d4 – e3.

5. a. singulier – b. singulier – c. pluriel – d. singulier – e. singulier – f. pluriel – g. singulier – h. singulier.

6. a. 2ᵉ syllabe – b. 1ʳᵉ syllabe – c. 3ᵉ syllabe – d. 2ᵉ syllabe – e. 2ᵉ syllabe – f. 1ʳᵉ syllabe – g. 1ʳᵉ syllabe.

7. a. [ə] – b. [ɔ̃] – c. [e] – d. [ə] – e. [ə] – f. [e] – g. [ɔ̃] – h. [ə].

9. a. Tu comprends ? - Non, désolé. – b. Noémie, vous connaissez ? Tu connais Noémie ? - Oui, je connais Noémie. – c. Je m'appelle Maria Monti. - Et vous, vous vous appelez comment ? – d. Vous êtes acteur ? - Pardon ? - Acteur ? - Oui, bien sûr.

10. a. Elle est anglaise. – b. Elle est italienne. – c. Elle est canadienne ? – d. Elle est espagnole ? – e. Elle est chinoise ?

Travaille à partir des pages « Découvertes »

1. a5 – b4 – c2 – d1 – e3 – f6.

2. a. Paris – b. Karim Benzema – c. Joe-Wilfried Tsonga – d. Jean Dujardin – e. Mélanie Laurent – f. Intouchables – g. Voyage au centre de la terre – h. Renault – i. Evian – j. la Tour Eiffel.

Leçon2

Travaille à partir des pages « Forum »

1. a2 – b1 – c5 – d3 – e6 – f4.

2. a. Qu'est-ce que c'est ? – b. Qu'est-ce que c'est ? – c. Qui est-ce ?- d. Qu'est-ce que c'est ? – e. Qui est-ce ?

3. a. quelle – b. est-ce qu'il y a – c. quel – d. est-ce qu'il y a – e. où.

Travaille à partir des pages « Outils »

1. écrire : j'écris ; il/elle écrit ; nous écrivons ; ils/elles écrivent – lire : tu lis ; il/elle lit ; vous lisez ; ils/elles lisent.

2. a. as – b. ai – c. avons – d. a – e. ont – f. ont.

3. a. la – b. le – c. les – d. la – e. l'.

4. a. des – b. de la – c. des – d. du – e. des – f. de l'.

5. des groupes français – un groupe français – les musiciens – un CD – l'album « Talkie Walkie ».

6. a. les bons films – b. les bons hôtels – c. les grands parcs – d. les belles photos – les grandes villes.

Entraîne-toi à l'oral à partir des pages « Échanges »

2. a4 – b3 – c2 – d1.

3. a. Oui, je travaille en France. / Non, je ne travaille pas en France. – b. Oui, je regarde la télévision. / Non, je ne regarde pas la télévision. – c. Oui, je regarde les films français. / Non je ne regarde pas les films français. – d. Oui, je comprends. / Non, je ne comprends pas. – e. Oui, je lis « Phosphore ». / Non, je ne lis pas « Phosphore ». – f. Oui, j'aime les chansons de Mika. /Non, je n'aime pas les chansons de Mika.

Travaille à partir des pages « Découvertes »

2. a. Italie / Espagne – b. Pays de langue arabe (Algérie, Maroc, Tunisie, etc.) – c. Espagne – d. Nom d'origine Hébraïque (Israël) – e. Allemagne f. Nom d'origine Hébraïque (Israël) – g. Nom d'origine Hébraïque (Israël).

Leçon 3

Travaille à partir des pages « Forum »

1. activités sportives : randonnées ; aventures en forêt ; VTT ; ski ; natation ; tennis ; danse ; milonga ; danses sud-américaine stretching ; yoga – activités culturelles : concerts – activités éducatives : cours de français – activités de détente : aventures en forêt ; concerts ; yoga ; milonga ; danses sud-américaine, hammam.

2. a4 – b1 – c5 – d6 – e2 – f3.

3. a. Elle fait de la danse. – b. Il fait du yoga. – c. Elle joue du piano. / Elle fait du piano. D. Il joue aux jeux vidéo. – e. Elle joue au volley-ball. / Elle fait du volley-ball.

4. a. Il joue au football. – b. Il joue de la guitare. – c. Il écrit un livre. – d. Il joue au tennis. – e. Il écrit une chanson.

Travaille à partir des pages « Outils »

1. faire : tu fais ; il fait ; elle fait ; nous faisons ; vous faites ; ils font ; elles font – aller : tu vas ; il va ; elle va ; nous allons ; vous allez ; ils vont ; elles vont.

2. a. à la – b. au / au / à – c. à la – d. à l' / au – e. à la.

3. a. a. en – b. au – c. en – d. au – f. au.

4. a. au / à l' – b. au / à la – c. à la.

5. a. Demain, je vais faire une randonnée. – b. Demain, nous allons rencontrer des amis. – c. Demain, tu vas faire de la musique. – d. Demain, ils vont aller travailler.

Entraîne-toi à l'oral à partir des pages « Échanges »

1. a. [v] – b. [f] – c. [f] – d. [v] – e. [f] – f. [f] – g. [f] – h. [v].

2. Nom : Berthier – Prénom : Marion – Âge : 19 ans – Adresse : 27, rue Joseph Vernet – Ville : Avignon – Tél. : 06 10 72 93 21 – Sports pratiqués : tennis, natation – Sortie : bowling, restaurant, concerts, spectacles de danse – Spectacles préférés : concerts de rock, spectacles de hip-hop – Loisirs à la maison : écouter de la musique, regarder des DVD, tchatter sur Internet.

3. a. Non, il ne fait pas de jogging. – b. Le rôle de Quasimodo. – c. C'est Florent.

Travaille à partir des pages « Découvertes »

1. a. un oubli – b. une rencontre – c. une traduction – d. une lecture – e. une écriture – f. une écoute – g. une répétition.

2. a. faux – b. faux – c. faux – d. vrai – e. faux – f. vrai – g. faux – h. vrai.

Leçon 4

1. a1 – b4 – c3 – d7 – e8 – f1 – g6 – h5.

2. a. faux – b. vrai – c. vrai – d. vrai – e. faux.

3. a. Lucas – b. Noémie – c. Lucas et Florent – d. Florent – e. Florent.

Travaille à partir des pages « Outils »

1. Verbes en « -er » : a. écouté – b. parlé – c. préféré – d. regardé – e. rencontré – f. habité – g. travaillé – h. gagné – i. oublié – j. fêté – k. resté – l. allé / Verbes en « -oir » : a. su – b. dû – c. voulu – d. vu / Verbes en « -endre » : a. appris – b. vendu / Verbes en « -ir » : a. découvert – b. dormi – c. lu.

2. a. j'ai fait – b. nous avons joué – c. j'ai gagné – d. j'ai déjeuné – e. elle est allé – f. je suis allé(e) – g. des copains sont venues – h. nous avons regardé.

3. a. Non, je n'ai pas fait de jogging. – b. Non, je ne suis pas allé(e) au cinéma. – c. Non, je n'ai pas regardé de DVD.

4. a.   b.   c.   d.   e.

5. 07 h : sept heures – 09 h 25 : neuf heures vingt-cinq – 10 h 35 : onze heures moins vingt-cinq / dix heures trente-cinq – 11 h 30 : onze heures et demie / onze heures trente – 00 h 15 : minuit et quart / zéro heure quinze.

Entraîne-toi à l'oral à partir des pages « Échanges »

1. a. huit heures trente – b. dix heures et quart – c. midi et demi – d. cinq heures moins vingt – e. dix-huit heures quarante-cinq.

2. a. mardi 1er janvier – b. vendredi 3 mai – c. dimanche 16 mars – d. lundi 7 octobre – e. mercredi 14 juillet.

3. a. Oui, j'ai fait l'exercice ; – b. Oui, j'ai compris la grammaire. – c. Oui, j'ai appris le vocabulaire.

4. Non, je n'ai pas écouté la radio. – b. Non, je n'ai pas lu le journal. – c. Non, je n'ai pas regardé la télé.

5. a. Oui, J'ai fait un voyage. / Non, je n'ai pas fait de voyage. – b. Oui, je suis allé(e) à l'étranger. / Non, je ne suis pas allé(e) à l'étranger. – c. Oui, je suis resté dans mon pays. / Non je ne suis pas resté dans mon pays. – d. Oui, j'ai visité une région. / Non, je n'ai pas visité de région. – e. Oui, j'ai vu de beaux paysages. / Non, je n'ai pas vu de beaux paysages. – f. Oui, j'ai visité des musées. / Non, je n'ai pas visité de musées. – g. Oui, j'ai découvert de bons restaurants. / Non, je n'ai pas découvert de bons restaurants. – h. Oui, j'ai aimé le voyage. / Non, je n'ai pas aimé le voyage.

6. a. dialogue 4 → la femme : « C'est pour moi ? Qu'est-ce que c'est ? » – l'homme : « Ouvre ! Regarde ! » – b. dialogue 3 → la femme : « Quelle heure il est ? » – l'homme : « Dix heures. » – la femme : « On est en avance. Qu'est-ce qu'on fait ? On va dans le parc ? » – l'homme : « D'accord. » – c. dialogue 2   l'homme : « Félicitations. Vous avez été formidable : » – la femme : « Merci, Monsieur. » – d. dialogue 1 → la fille : « Je suis en retard ? » – le garçon : « Tu as vu l'heure ! Il est neuf heures. »

Travaille à partir des pages « Découvertes »

1. Proposition de corrigé :

Bonjour,

Je m'appelle Céline Dubreuil. Je suis la nouvelle architecte. Je remplace M. Chertouk. Avant, j'ai travaillé pour le cabinet Portal. J'ai eu mon diplôme d'architecte en 2004. Je suis très heureuse de travailler avec vous.

Cordialement.

Préparation au DELF A1

1

	prénom	ville et pays	goûts	langue
1.	Karine	Laval – Canada (Québec)	les films avec Marion Cotillard – le ski – les disques de Air – les petites soirées avec les amis	le français – l'anglais

... Corrigés des exercices

2.	Gad	Tanger – Maroc	les voyages – les romans de science-fiction – les musiques traditionnelles du Maroc	l'arabe – le français – l'espagnol
3.	Domenico (Mimmo)	Région de Gruyère – Suisse	le piano – le vélo – le cinéma	le français – l'italien – l'allemand
4.	Noémie	Bruxelles – Belgique	la musique – le cinéma – le tennis – les timbres	le français – l'anglais – le hollandais

2. 1b – 2d – 3a – 4c – 5f – 6e – 7h – 8g.

3. a. vrai – b. vrai – c. faux – d. vrai.

4. 1a – 2d – 3c – 4h – 5e – 6b – 7f – 8g.

Leçon 5

Travaille à partir des pages « Forum »

1. a. 2/3/4 – b. 1 – c. 1/3 – d. 1/3.

2. a. faux – b. vrai – c. vrai – d. vrai.

3. a. visite : 2 – séjour : 3 – sport de mer : 4 – randonnée : 1 – aventure : 5 – b. la mer : 4 – la montagne : 1 – les beaux paysages : 1/2/4/5 – les villages : ½ – c. On découvre : 1/2/5 – On découvre la forêt : 5 – On visite : 2 – On fait de la voile : 4 – On fait du sport : 1/5.

4. a. plus / moins – b. plus – c. plus – d. moins – e. plus – f. moins.

Travaille à partir des pages « Outils »

1. a. je prends – b. tu comprends – c. elle apprend – d. nous prenons – e. vous comprenez – f ; ils apprennent.

2. a. plus – b. moins – c. aussi – d. aussi – e. moins.

3. a. plus – b. petit – c. grand – d. moins.

4. a. loin – b. moins – c. près.

5. a. cette ville – ce monument – ce village – ce très grand lac – cet hôtel – b. cette musique – cet animateur – ce roman – ces journaux – ces musiciens.

6. a. le/ce spectacle – un spectacle – b. le nom de cet artiste – une actrice – c. cet acteur – l'acteur – d ; cette expression – une expression.

Entraîne-toi à l'oral à partir des pages « Échanges »

1. 1 → salut / son [y] (« u ») – 2 → un boulevard / son [u] (« ou ») – 3 → un cours / son [u] (« ou ») – 4 → une rue / son [y] (« u ») – 5 → l'amour / son [u] (« ou ») – 6 → l'aventure / son [y] (« u ») – 7 → écoute / son [u] (« ou ») – 8 → un souvenir / son [u] (« ou »).

2. 1 → [b] / [v] – 2 → [f] – 3 → [v] / [f] – 4 → [b] – 5 → [v] – 6 → [v] – 7 → [f] – 8 → [b].

3. a. Ah ! Je voudrais bien cette montre ! – b. Ah ! Je voudrais bien ce DVD. – c. Ah ! Je voudrais bien cette photo ! – d. Ah ! Je voudrais bien ces CD ! – e. Ah ! Je voudrais bien cet ordinateur !

4. a. Je suis allé(e) au Japon. – b. J'ai visité le Mexique. – c. J'ai fait une randonnée en Espagne. – d. J'ai passé dix jours en Chine. – e. J'ai travaillé en Argentine. – f. Je suis parti(e) au Canada. – g. J'ai découvert l'Afrique.

5. 9 h-11 h : tennis avec un copain – 11 h-13 h : travail avec Estelle – 13 h : rendez-vous avec Julien – 15 h-17.

Travaille à partir des pages « Découvertes » 1.2.3.

Leçon 6

Travaille à partir des pages « Forum »

1.

a. Les légumes	salade verte – tomates – olives – champignons – oignon – concombre – cornichon
b. Les charcuteries	jambon – saucisson – bacon
c. Les viandes	poulet – bœuf
d. Les poissons	thon – saumon
e. Les produits laitiers	glace
f. Les fruits	salade de fruits – pomme
g. Les pâtisseries	gâteau – tarte
h. Les boissons	eau – coca – soda – jus – café – thé

2. Proposition de correction : a. → salade, tomate, concombre, olive, champignon, tarte aux pommes… / b. gâteau au chocolat, glace, tarte… / coca, soda, jus… / fromage.

3. a. de l'eau – b. du café – c. de la limonade – d. du jus d'orange.

4. a. du thé – du gâteau au chocolat – c. de la tarte aux pommes – d. de la salade.

Travaille à partir des pages « Outils »

1. a. de la ; des ; un – b. un ; de l' ; un – c. le ; un/du – d. du – f. le ; du – g. les ; le – h. des ; des ; de l' – i. de la ; de l' – j.

2. Proposition de correction : a. Je prends du pain, du beurre et du fromage. – b. Je vois un jus de fruit et un café au lait. – c. je mange des œufs au bacon.

3. a. ma ; ton – b. sa ; ses ; son – c. notre ; nos – d. votre – e. son ; ses ; son ; ses – f. ton ; ton ; tes.

4. a. Oui, c'est ma maison. – Oui, ce sont mes amis. – c. Oui, c'est sa maison. – d. Non, ce n'est pas son amie. – e. Oui, ce sont mes parents. – f. Oui, c'est ma/notre voiture.

5. a. Oui, c'est ma voiture. – b. Oui, c'est sa montre. – c. Oui, ce sont nos sacs. – Oui, ce sont leurs BD. – Si, c'est ma radio.

Entraîne-toi à l'oral à partir des pages « Échanges »

3. Elle : entrée = assiette italienne (tomate-mozzarella) ;

plat principal = du poulet rôti ; dessert = tarte aux poires – Lui : entrée = une assiette d'Auvergne ; plat principal = de la saucisse de Toulouse ; dessert = un gâteau au chocolat.

4. a. de l'eau – b. du lait – c. du vin – d. de la bière – e. un apéritif – f ; de l'eau minérale – g. un cocktail.

5. a. de la bière – b. une tasse de thé – c. une assiette de crudités – d. un steak-frites – e. un gâteau au chocolat – f. un morceau de tarte – g. un jus d'orange – h. de la glace – i. de la confiture.

6. a. Non, merci ; Je ne bois pas de vin. – b. Non, merci. Je ne mange pas de pain. – c. Non merci. Je ne veux pas de gâteau. – d. Non, merci. Je ne veux pas de tarte. – e. Non, merci. Je ne veux pas de café.

Travaille à partir des pages « Découvertes »

1. a3 – b5 – c1 – d2 – e4.

2. 1f – 2e – 3b – 4a – 5c – 6d – 7g.

3. a → Angleterre – b. → Pays-Bas – c. → Italie – d. → Allemagne – e. → Espagne.

Leçon 7

1. b. Il se lave. – c. Il prend son petit-déjeuner. – d. Il s'habille. – e. Il va au lycée. – f. Il étudie. – g. Il déjeune. – h. Il fait du sport. – i. Il fait ses devoirs. – j. Il s'occupe de son frère et sa sœur ; - k. Il dîne. – l. Il se couche.

2. loisirs : c/f/g/n – activités personnelles : b/e/h/i/j/l/m – activités scolaires : a/d/k.

3. a. le travail – b. le retour – c. la douche – d. le bain – f ; le déjeuner – g ; le départ – h ; la promenade – i. l'occupation – j. le repos.

Travaille à partir des pages « Outils »

1. se lever → b. tu te lèves – c. il/elle se lève – e ; vous vous levez – f. ils/elles se lèvent – s'habiller → a ; je m'habille – c ; il/elle s'habille – d. nous nous habillons – e ; vous vous habillez – ils elles s'habillent.

2. me réveille – se lève – nous occupons – nous couchons – se lèvent – s'habillent – se préparent – nous voyons – te lèves.

3. s'est levé – nous sommes occupés – nous sommes couchés – se sont levés – se sont habillés – se sont préparés – nous sommes vus – t'es levé(e).

4. a ; À quelle heure il se lève ? – b. Qui s'occupe de tes frères ? – c. quand vous vous voyez, – d. À quelle heure ils se couchent ?

5. a. Oui, je me lève. – b. Oui, je m'habille. – c. Oui, je viens. – d. Oui, je me prépare. – e. Oui, je me dépêche.

6. a. Non, je ne me lève pas tôt. – b. Non, je ne me dépêche pas pour aller au travail. – c. Non, je ne m'occupe pas de mes frères. – d. Non, je ne me couche pas tôt le soir.

7. a. Couche-toi tôt. – b. Ne te couche pas tard. – c. Ne mangez pas beaucoup. – d. Reposez-vous. – e. Promenons-nous.

8. a. Bois beaucoup d'eau. – b. Détends-toi. – c. Dors bien. – d. Ne te réveille pas tôt. – e. Ne bois pas d'alcool.

Entraîne-toi à l'oral à partir des pages « Échanges »

1. a. Oui, je me réveille. – b ; Oui, je me lève. – c. Oui, je m'habille. – d. Oui, je viens. – e. Oui, je me prépare. – f. Oui, je me dépêche.

2. a ; Non, je ne me réveille pas tôt. – b ; non, je ne me lève pas tôt. – c ; Non, je ne me dépêche pas ; - d ; Non, je ne m'occupe pas de mes frères et de mes sœurs. – e ; Non, je ne me couche pas tôt le soir.

3. a. Oui, nous nous levons tard. – b. Oui, ils se lèvent tard aussi. – c. Oui, je me détends. – d. Non, je ne m'occupe pas de la piscine. – e. Non, je ne me promène pas. – f. Oui, nous sortons le soir. – g. Oui, nous nous couchons tard.

4. a. Habille-toi. – b. Sois à l'aéroport à 8 h.– c. Dépêche-toi. – d. N'oublie pas ton billet.

5. a. Ne mange pas beaucoup. – b. Détends-toi. – c ; Dors bien ; - d. Ne te réveille pas tôt. – e. Ne bois pas d'alcool.

6.

Qu'est-ce qu'ils achètent ?	Quelle quantité ?	Où ?
– baguettes de campagne	– 2	– à la boulangerie
– petits gâteaux	– 8	– à la pâtisserie
– glace à la fraise	– 1	
– entrecôtes	– 4	– chez le boucher
– haricots verts	– 1 kilo	– chez le marchand de légumes
– salades	– 2	– chez le marchand de légumes
– vin (Sancerre rouge)	– 2 bouteilles	
– Champagne	– 1 bouteille	

Travaille à partir des pages « Découvertes »

1. a4 – b6 – c5 – d1 – e3 – f1.

2. a5 – b2 – c1 – d4 – e3.

Leçon 8

Travaille à partir des pages « Forum »

1. a3 – b2 – c6 – d5 – e1 – f4.

2. 1. le bureau – 2. une chambre – 3. la salle de bain – 4. une chambre – 5. les toilettes – 6. le couloir – 7. le garage – 8. le salon – 9. la salle à manger – 10. la cuisine.

3. a. à droite – b. à gauche – c. sur – d. entre – e. à côté – f. en face – g. sous.

4. a. la banlieue (la périphérie) – b. une maison – c. le neuf – d. vide – e. cuisine non-équipée – f. louer.

··· **Corrigés des exercices**

5.

A	B	C	D
Vente	Location	Vente	Location
Maison	Appartement	Maison	Appartement
6 pièces	1 pièce	12 pièces	4 pièces
6 PI7CES = GARAGE = CAVE	Bain et toilettes séparés	Chambres avec salles de bain individuelles – cuisine équipée	Salon – salle à manger – 2 chambres
Près du centre-ville	À côté de l'université	À Antibes, sur la côte, avec vue sur la mer	Sur avenue ensoleillée
6 pièces sur un seul niveau	5e étage sans ascenseur - clair	Piscine et jacuzzi	3e étage avec ascenseur
450 000 €	550 € / mois + charges		1 500 € / mois

Travaille à partir des pages « Outils »

1. a. dans – b. sous – c. sur – d. au milieu de – e. sous – f. entre – g. en face.

2. b. traversez – c. continuez – d. tournez – e. continuez – f. prenez.

3. allez / prenez / sortez / tournez / traversez / prenez.

4. Aller : je vais ; il/elle va ; vous allez ; ils/elles vont – Venir : tu viens ; il/elle vient ; nous venons ; vous venez ; ils/elles viennent – Partir : je pars ; il/elle part ; nous partons ; vous partez ; ils/elles partent.

5. je suis parti – je suis arrivé – nous sommes allés – nous sommes restés – je suis revenu – je suis retourné – je suis reparti – je suis rentré.

Entraîne–toi à l'oral à partir des pages « Échanges »

1. a [s] – b. [s] – c. [s] + [z] – d. [z] – e. [s].

2. a. [a] + [ã] – b. [a] + [ã] – c. [a] + [ã] – d. [a] + [ã] – e. [a] + [ã] – f. [a] + [ã].

4. a. masc. – b. masc. ou fém. – c. fém. – d. fém. – e. fém. – f. masc. ou fém. – g. fém. – h. masc. ou fém. – i. masc. – j. masc. ou fém. – k. masc. ou fém. – l. masc. ou fém. – m. fém.

5.

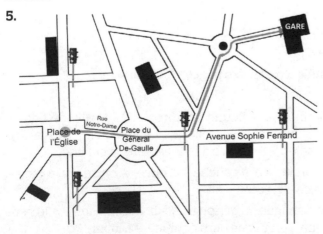

6. a. vrai – b. faux – c. faux – d. faux – e. vrai – f. faux – g. vrai.

7. a. Il faut tourner à droite. – b. Il faut continuer. – c. Il ne faut pas rester ici. – d. Il ne faut pas traverser cette rivière. e. Il ne faut pas prendre ce chemin.

Travaille à partir des pages « Découvertes »

1. a. Il ne faut pas fumer. – b. Il ne faut pas se baigner. – c. Il ne faut pas boire. – d. Il ne faut pas téléphoner. – e. Il ne faut pas faire de feu. – f. Il ne faut pas prendre de photos. – g ; Il ne faut pas manger. – h. Il ne faut pas tourner à gauche. – i. Il ne faut pas stationner.

2. a. En Bretagne, il pleut et il fait doux. / Il fait doux et humide. – b. Dans le Nord, le ciel est nuageux et il fait doux. / Il fait gris et doux. – c. Dans le Centre, il pleut et il fait froid. / Il fait froid et humide. – d. Dans le Sud, il fait beau et chaud. / il fait chaud et sec. – e. À l'Est, le ciel est couvert et il fait doux.

Préparation au DELF

1. a → Nom de la carte : Pass Interrail ; Service rendu : permet de voyager en train dans toute l'Europe ; Conditions d'accès : être âgé de moins de 26 ans ; Avantages : permet un nombre illimité de voyages – b → Nom de la carte : UGC illimité ; Service rendu : possibilité de voir tous les films de son choix dans toutes les salles MK2 en France et les toutes les salles UGC en France et en Europe. ; Prix et durée : 19,80 euros par mois – c. Nom de la carte : Flying blue ; Service rendu : réservé pour l'enregistrement des bagages, offres spéciales dans les boutiques, les hôtels et les restaurants ; Avantages : voyages gratuits.

2. Pays de destination → Document 1 : le Cambodge / Document 2 : Madère (Portugal) / Londres (Angleterre) – Durée du séjour → Document 1 : 10 jours / Document 2 : 1 semaine / Document 3 : 2 nuits (3 jours) – Prix du séjour --< Document 1 : 2 500 € / Document 2 : 800 € / Document 3 : 200 €.

3.

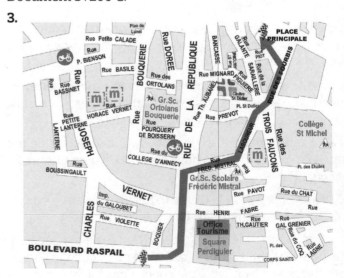

Pour aller Place Principale, continue tout droit jusqu'à la rue de la République. Prends la rue de la République à gauche. Continue tout droit et prends la deuxième rue à droite, la rue Frédéric Mistral. Tourne à gauche, continue tout droit. Tu traverses la place Saint Didier et tu continues Rue des Fourbis. Au bout de la rue, c'est la Place Principale.

Leçon 9

Travaille à partir des pages « Forum »

1. une époque : à l'école primaire ; au CP ; quand j'étais enfant – un âge : j'avais trois ou quatre ans ; j'avais douze ans ; j'avais quinze ans – un moment : quand j'entrais ; pendant la récréation ; pour Noël et la fête des mères ; le soir ; à Noël ; du matin au soir.

2. a. à l'âge de 3 ou 4 ans – b. au CP – c. à l'âge de 3 ou 4 ans – d. à l'âge de 12 ans – e. à l'âge de 15 ans – f. à l'école primaire – g. information non précisée.

3. a. la naissance – b. un souvenir – c. un âge – d. le bonheur – e. une maladie – f. la fatigue.

4. c → h → e → a → g → f → b. / d.

Travaille à partir des pages « Outils »

1. a. nous parlons → je parlais – b. nous apprenons → tu apprenais – c. nous venons → il/elle/on venait → d. nous lisons → nous lisions – e. nous avons → vous aviez – f. nous disions → ils/elles disaient – g. nous buvons → je buvais – h. nous attendons → il/elle attendait.

2. a. je faisais ; nous faisions ; ils faisaient – b. tu allais ; vous alliez ; elles allaient – c. tu connaissais ; vous connaissiez ; ils connaissaient – d. il prenait ; nous prenions ; elles prenaient – e. j'étudiais ; nous étudiions ; vous étudiiez.

3. a. Avant, on voyageait en bateau. – b. Avant, on faisait du ski. – c. Avant, on dansait sur du disco. – d ; Avant, on allait chez les cousins de Bretagne.

4. a. Depuis combien de temps écrivez-vous ? – b. Il y a combien de temps que vous travaillez pour les Éditions Colibri ? – c. Depuis combien de temps n'aviez-vous pas écrit de roman ? – d. Quand avez-vous commencé ce roman ? – e. Depuis combien de temps n'êtes-vous pas sorti ?

5. a. il y a – b. depuis – c. il y a – d. depuis.

6. a. sommes allé(e)s ; était – b. avait ; étions – c. avons loué ; marchait – d. avons visité ; faisait – e. sommes resté(e) ; avait envie.

Entraîne-toi à l'oral à partir des pages « Échanges »

2. a ; présent – b. imparfait – c. imparfait – d. présent – e. passé composé – f. imparfait – g. imparfait – h. imparfait – i. passé composé – j. passé composé.

3. a. Oui, je regardais beaucoup la télévision. / Non, je ne regardais pas beaucoup la télévision. – b. Oui, j'allais à l'école en métro. / Non, je n'allais pas à l'école en métro. – c. Oui, j'étais bon élève. / Non, je n'étais pas bon élève. – d. Oui, j'avais de bons professeurs. / Non, je n'avais pas de bons professeurs. – e. Oui, je faisais du sport. / Non, je ne faisais pas de sport. – f. Oui, j'aimais les jeux vidéo. / Non, je n'aimais pas les jeux vidéo.

4. a. Avant on voyageait en bateau. – b. Avant on faisait du ski. – c. Avant on dansait sur de la disco. – d. Avant on allait chez les cousins de Bretagne.

Travaille à partir des pages « Découvertes »

1. a. mon grand-père – b. ma tante – c. mon petit-fils – d. mon beau-frère – e. ma cousine – f. mon neveu – g. mon beau-frère.

2

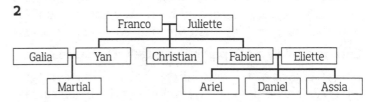

3. a. Ils se sont connus quand ? Ils se sont connus au Festival. – b. Ils se sont mariés quand ? Ils se sont mariés après le spectacle. – c. Ils se sont fâchés quand ? Ils se sont fâchés pendant le voyage. – d. Ils se sont expliqués quand ? Ils se sont expliqués au restaurant. – e. Ils se sont retrouvés quand ? Ils se sont retrouvés au milieu de la nuit.

4. Cyril Raynouard est né le 23 décembre 1973. Il a réussi son baccalauréat en 1994 puis il a suivi des études de philosophie et commerce international. Il a obtenu sa licence en 1995. De 1996 à 2000, il a travaillé comme ingénieur financier en Afrique. Puis, de 200 à 2003, il est devenu consultant dans une banque internationale à Londres. En 2003, il a été nommé conseiller commercial en Allemagne. Depuis 2007, il dirige la banque d'investissement européenne.

Leçon 10

Travaille à partir des pages « Forum »

1. a. une impression – B ; un jeu – c. un envoi – d. une recherche – e. une participation – f. un enregistrement – g. un téléchargement – h. un dialogue – i. un achat.

2. a. 3, 4, 6, 9 – b. 4, 5, 6, 7 et 9 – c. 4 et 9 – d. 1 – e. 1 ; 2 ; 8.

3. a. Marco ne va jamais au cinéma. – b. Marco regarde souvent la télévision. – c. Marco ne déjeune jamais à midi. – d. Marco arrive quelquefois en retard.

4. b. → R – d. → R.

Travaille à partir des pages « Outils »

1. a. les = Léa et Marco – b. nous = Lise et Antoine – c. le

= le programme – d. t' = Lise – e. les = des rendez-vous – f. m' = Antoine.

2. a. Oui, je l'ai. / Non, je ne l'ai pas. – b. Oui, je travaille avec lui. / Non, je ne travaille pas avec lui. – c. Oui, je travaille avec elle. / Non, je ne travaille pas avec elle. – d. Oui, je leur parle français. / Non, je ne leur parle pas français. – e. oui, je l'ai fait. / Non, je ne l'ai pas fait. – f. Oui, je les ai faits. / Non, je ne les ai pas faits. – g. Oui, je l'ai compris. / Non, je ne l'ai pas compris.

3. a. Oui, je le fais. – b. Oui, je la prends. – c. Oui, elle les a. – d. Oui, je les connais. / Oui, nous les connaissons. – e. Oui, ils les traduisent.

4. leur – me – lui – leur – les.

5. a. Tu vas au cinéma ? – b. Tu vas où ? / Tu vas dans quel cinéma ? – c. Tu y vas quand ? – d. Tu y vas avec qui ? – e. Tu vas voir quoi ? – f. Tu ne vas pas réserver les places ?

Entraîne-toi à l'oral à partir des pages « Échanges »

1. a. [ʃ] : cherche / [ʒ] : journaliste génial – b. [ʒ] : partage / [ʒ] : chambre équipée – c. [ʃ] : achète / [ʒ] : objet bizarre – d. [ʃ] : échange / [ʒ] : échange séjour au / [ʃ] : Chili en / [ʒ] : juillet – e. [ʒ] : contre voyage en / [ʃ] : Chine / [ʒ] : en juin

2. a. C'est très international. – b. C'est très classique. – c. C'est très joli et très charmant. – d. C'est très intéressant. – e. C'est très étrange. – f. C'est très attachant.

3. a. Oui, je la regarde. / Non, je ne la regarde pas. – b. Oui, je l'utilise. / Non, je ne l'utilise pas. – c. Oui, je les lis. / Non, je ne les lis pas. – d. Oui, je les connais. / Non, je ne les connais pas. – e. Oui, je l'écoute. / Non, je ne l'écoute pas. – f. Oui, je l'aime. / Non, je ne l'aime pas. – g. Oui, je les aime. / Non, je ne les aime pas.

4. a. Oui, je la comprends. / Non, je ne la comprends pas. – b. Oui, je l'ai. / Non, je ne l'ai pas. – c. Oui, je travaille avec lui. / Non, je ne travaille pas avec lui. – d. Oui, je travaille avec elle. / Non, je ne travaille pas avec elle. – e. Oui, je parle français avec eux. / Non, je ne parle pas français avec eux. – f. Oui, je l'ai fait. / Non, je ne l'ai pas fait. – g. Oui, je les ai faits. / Non, je ne les ai pas faits. – h. Oui, je l'ai compris. / Non, je ne l'ai pas compris.

5. a4 – b3 – c2 – d1.

Travaille à partir des pages « Découvertes »

1. a7 – b1 – c6 – d4 – e5 – f2 – g3.

2. b. → Une carte ; un mot. / Clément et Clélia écrivent à leurs amis, à leur famille. / À l'occasion de leur mariage. / Des remerciements. – c. → Une carte postale. / Camille écrit à Mme et M. Marinho. / À l'occasion d'un séjour passé ensemble. / Des remerciements. – d. Une carte ; un carton / L'ambassadeur de France et sa femme écrivent à Patrick Dantec. / À l'occasion de la fête Nationale. / Une invitation. – e. Un SMS ; un texto ; un message / François écrit à Éric.

/ À l'occasion de la projection d'un film. / Un message d'excuses. – f. Un post-it ; un mot ; un message / Kevin écrit à un(e) ami(e), un(e) parent(e). / À l'occasion de la venue d'un(e) ami(e), d'un(e) parent(e). / Un message d'excuses.

Leçon 11

1. a. facile – b. timide / discrète – c. inutile – d. fausse – e. impossible.

2. a. compte – b. paquets – c. trac – d. marcher – e. guéri – f. suivre.

3. a5 – b3 – c2 – d1 – e4.

4. a4 – b1 – c2 – d5 – e3.

Travaille à partir des pages « Outils »

1. François dit à Clément qu'il a un problème avec son ordinateur. Clément lui demande ce qui se passe. François répond qu'il ne sait pas. Clément lui dit de tout éteindre et de redémarrer. François demande s'il va perdre son document. Clément lui répond que c'est possible.

2. lui – me – me – lui – lui – l' – me – l' – lui – l' – lui – me – me.

3. lui – m' – lui – m' – lui – lui – t' – m'.

4. a. Tu leur as envoyé un courriel ? – b. Tu leur as raconté tes vacances ? – c. Tu lui as répondu ? – d ; Il lui a donné le DVD ? – e ; Elle leur a dit qu'elle venait ?

Entraîne-toi à l'oral à partir des pages « Échanges ».

1. a. [p] : sportif / [b] : beau, bizarre – b. [p] : sympathique, passionnée / [b] : libre – c. [p] : pittoresque / [b] : agréable – d. [p] : spécial / [b] : célèbre – e. [p] : préfère, groupe / [b] : club – f. [p] : l'appartement / le couple.

2. a. Oui, je leur écris. / Non, je ne leur écris pas. – b. Oui, j'en envoie. / Non, je n'en envoie pas. – c. Oui, ils me répondent. / Non, ils ne me répondent pas. – d. Oui, je lui écris. / Non, je ne lui écris pas. – e. Oui, je lui téléphone. / Non, je ne lui téléphone pas. – f. Oui, je leur en fais. / Non, je ne leur en fais pas. – g. Oui, je leur parle. / Non, je ne leur parle pas.

3. a. Non, je ne le supporte plus. – b. Non, je n'y vais plus. – c. Non, je ne travaille plus avec lui. – d. Non, je ne lui parle plus. – e. Non, il ne me parle plus. – e. Non, je ne le lui dis plus. – f. Non, nous ne nous regardons plus. – g. Non, nous ne nous disputons plus.

4. a. Oui, je travaille encore avec lui. – b. Non je n'habite plus chez mes parents. – c. Oui, j'ai encore ma vieille Playstation. – d. Non, je ne joue plus au football. – e. Oui, j'écoute encore du jazz. – f. Non, je ne fais plus de ski. – g. Oui, je les vois encore.

5. Nom de la carte : carte 12-25 – Nom de la société : SNCF – Moyen de transport : le train – Prix de la carte : 49 euros – Types de réduction possibles : 25 % et 50 % – Types de train : tous les trains – Pays : 29 pays en Europe.

6. a4 – b6 – c5 – d1 – e3 – f2.

Travaille à partir des pages « Découvertes »

1. Matières scientifiques : mathématiques (maths), physique, SVT (sciences de la vie et de la terre), chimie – Sciences sociales : histoire / géographie, SES (sciences économiques et sociales), éducation civique – Disciplines linguistiques : français, anglais, allemand – Disciplines sportives : EPS (éducation physique et sportive).

2. a. mathématiques – b. physique – c. chimie – d. physique – e. éducation physique.

3. a. vrai – b. vrai – c. faux – d. vrai – e. faux – f. faux – g. vrai.

Leçon 12

Travaille à partir des pages « Forum »

1. Qualités personnelles : sérieux, bon caractère, chaleureux, patient, dynamique, timide, décontracté, passionné, courageux, pas compliqué, aime les contacts, drôle, sympathique – Qualités professionnelles : sérieux, patient, dynamique, créatif, passionné, courageux, aime les contacts, compétent – Qualités dans les relations avec les autres : bon caractère, chaleureux, patient, aime les contacts, drôle, sympathique.

2. a12 – b4 – c10 – d2 – e7 – f1 – g8 – h3 – i9 – j5 – k11 – l6.

3. a. courage – b. patience – c. sympathie – d. timide – e. triste – f. audacieuse – g. drôle – h. simple – i. froid.

4. a. Sarah est timide / froide / renfermée. – b. Yassine est créatif / ingénieux / imaginatif. – c. Léo est courageux / audacieux. – d. Mathis est drôle. – e. Julie est peureuse. – f. Cécilia est chaleureuse / sympathique. – Davis est froid / antipathique.

Travaille à partir des pages « Outils »

1. a. c'est une grande maison qui a appartenu à ma grand-mère. B. Nos voisins sont des créatifs qui travaillent dans la communication. – Ils ont deux enfants qui ont l'âge de mon frère. – e. Nous organisons ensemble des petites fêtes qui rassemblent les voisins du quartier. – f. Finalement, j'aime bien la campagne qui ressemble un peu à la ville.

2. a. c'est – b. il est – c. il est – d. c'est – e. c'est – f. c'est – g. il est.

3. a. Réserve-les. – b. Confirme-la. – c. Prépare-les. – d. Ne le mets pas. – e. Ne l'oublie pas. – f. Appelle-moi.

Entraîne-toi à l'oral à partir des pages « Échanges »

1. a. masc. – b. fém. – c. masc./fém. – d. masc. – e. masc./fém. – f. fém. – g. fém. – h. masc. – i. masc./fém. – j. fém. – k. masc./fém. – l. masc./fém. – m. fém. – n. masc./fém.

2. Cherche... Interlocuteur joyeux, seul et amoureux.

● ● ■ ● ■ ●

Serveur sérieux et courageux mais pas nerveux.

● ■ ● ■

Achète... Un peu de beurre, un peu de bœuf mais du

meilleur ! Paie... Œuvre en euro... Ordinateur sans erreur.

● ■ ● ■ ● ●

3. a ; J'ai une tante qui est stupide. – b. J'ai un grand-père qui est âgé. – c. J'ai une amie qui est amoureuse de moi. – d. J'ai une copine qui est amusante. – e. J'ai une belle-sœur qui est compliquée. – f. J'ai un compagnon qui est décontracté. – g. j'ai un neveu qui est dangereux.

4. a. Appelle-la. – b. Parle-leur. – c. regarde-la. – d. Ne l'écoute pas. – e. Ne sors pas avec eux. – f. Visite-les. – g. Ne le tutoie pas.

5. a3 – b5 – c1 – d4 – e2.

Travaille à partir des pages « Découvertes »

1. a1E – b3A – c2D – d4C – e1E.

2. 1. Elle est grande et mince. Elle a des cheveux longs et noirs. Elle porte une jupe noire et un manteau noir. – 2. Il est petit, gros et chauve. Il porte un anorak, un pull et une écharpe. – 3. Il est grand et mince. Il a les cheveux bruns et courts. Il porte un jean et des baskets.

3. a. candidate 3 – b. candidate 2 – c. candidate 1.

Préparation au DELF

1. a. une information sportive → aucun document – une information culturelle → document 1 – un bulletin météo → aucun document – un voyage d'affaires → aucun document – un rendez-vous professionnel → document 4 – une réservation d'hôtel → document 2 – un voyage touristique → document 3.

b. une conversation téléphonique → document 2 – un message personnel laissé sur un répondeur → documents 3 et 4 – un message d'annonce sur un répondeur → document 1.

c. Document 1 → Où ? À Cité Cinéma. / Titre du film : « Le deuxième souffle » / Horaire des séances : 14 h, 16 h 20, 19 h et 21 h 30 – Document 2 → Durée du séjour : une nuit / Nombre de personnes : 1 personne / Type de chambre : single – Document 3 → Destination : Rome / Moyen de transport : avion / Jour de départ : samedi / Heure de départ : 9 h 50 / N° de vol : AF1742 / Aéroport : Roissy, terminal 2F – Document 4 → Objet du message : rendez-vous avec l'architecte / Jours : lundi, mercredi, jeudi / Heures : après-midi (lundi), à partir de 11 h (mercredi), après 18 h (jeudi).

2. a. une carte postale → document C ; un flyer → document A ; un courriel → document B – b. Document A : Le message est destiné aux élèves de première. On ne sait pas qui l'a écrit. Le message concerne une fête qui a lieu vendredi à partir de 19 h 30 au gymnase. – Document B : Le courriel est écrit par Léo et il est destiné à Lisa. Il s'agit d'une invitation pour aller voir le film « The artist », mercredi à 14 h, à l'UGC Cité Ciné. – Document C : Loïc écrit une carte postale à Karine pour donner des nouvelles à propos de son voyage en Argentine, à Buenos Aires.

3. a. par la suite / à la fin de l'histoire – b. à ce moment-là / pendant l'histoire – c. ce jour-là / avant l'histoire – d. c'est alors que / pendant l'histoire – e. puis / pendant l'histoire, à la suite.

4. Quand Karin est-il arrivé à Paris ? Où a-t-il fait son stage ? Dans quel journal a-t-il commencé sa carrière de journaliste sportif ? En quelle année ? Quand a-t-il rencontré Sabrina ? Où s'est-il installé avec Sabrina ? Quand est née sa fille ? Comment s'appelle-t-elle ? Où travaille-t-il aujourd'hui ? Depuis combien de temps ?

Transcriptions du cahier d'activités

Leçon 1

Apprends l'alphabet

1. Prononce l'alphabet.

A – B – C – D – E – F – G – H – I – J – K – L – M – N – O – P – Q – R – S – T – U – V – W – X – Y – Z

2. Épèle les noms.

a. Je m'appelle JULIE. – b. Je m'appelle GÉRARD. – c. Je m'appelle MARIA. – d. Je m'appelle JEAN.

Vérifie ta compréhension

3. Écoute. Associe avec le dessin.

a. un croissant – b. une pyramide – c. une île – d. un boulevard – e. un taxi – f. une banque – g. un hôtel – h. un professeur.

4. Qu'est-ce qu'ils disent ? Associe avec le dessin et avec la phrase.

a. Bonjour ! – b. Au revoir ! – c. Excusez-moi ! – d. S'il vous plaît ! – e. Merci !

5. Singulier ou pluriel ? Note dans le tableau.

a. le palais – b. la forêt – c. les tours – d. le parc – e. l'université – f. les professeurs – g. l'île – h. la secrétaire.

Prononce

6. Écoute et indique dans quelle syllabe se trouve le son « u ».

a. étudiant – b. musée – c. avenue – d. salut – e. s'excuser – f. super – g. musical.

7. La conjugaison des verbes en –er. Écoute et note la prononciation.

Je parle français. – Nous habitons Paris. – Vous habitez Rome. – Tu habites à Paris. – Elle s'appelle Marie. – Vous parlez italien. – Nous parlons français. – Les étudiants habitent la Cité.

8. Enchaîne : prononce puis écoute.

a. Je m'appelle Antonio. – b. J'habite aux États-Unis. – c. Je suis Espagnol. – d. Je parle italien. – e. Il est étudiant.

9. Écoute. Metsz un point d'interrogation si c'est une question.

a. Tu comprends ? - Non, désolé... – b. Noémie, vous connaissez ? Tu connais Noémie ? - Oui, je connais Noémie. – c. Je m'appelle Maria Monti ? Et vous, vous vous appelez comment ? – d. Vous êtes acteur ? - Pardon ? - Acteur ? - Oui, bien sûr.

Parler

10. Donne le féminin.

Exemple : Il est français. → Elle est française. – a. Il est anglais. / Elle est anglaise. – b. Il est italien ? / Elle est italienne ? – c. Il est canadien ? / Elle est canadienne ? – d. Il est espagnol ? / Elle est espagnole? – e. Il est chinois ? / Elle est chinoise ?

Leçon 2

Prononce

1. Un / une : répète.

a. C'est un acteur. / C'est une actrice. – b. C'est un ami. / C'est une amie. – c. C'est un acteur. / C'est une actrice. – d. C'est un habitant. / C'est une habitante. – e. C'est un étranger. / C'est une étrangère. – f. C'est un étudiant. / C'est une étudiante. – g. C'est un homme. / C'est une femme.

Vérifie ta compréhension

2. Écouter et associez avec le dessin.

a. Je voudrais le magazine Phosphore. – b. Regarde ! C'est la photo de Marie. – c. Tu voudrais danser ? – d. Je voudrais habiter à Paris.

Parle

3. Une Française te pose des questions. Réponds. Vérifie ta réponse.

Exemple : Vous habitez en France ? → Oui, j'habite en France. / Non, je n'habite pas en France.

– a. Vous travaillez en France ? → Oui, je travaille en France. / Non, je ne travaille pas en France. – b. Vous regardez la télévision ? → Oui, je regarde la télévision. / Non, je ne regarde pas la télévision. – c. Vous regardez les films français ? → Oui, je regarde les films français. / Non, je ne regarde pas les films français. – d. Vous comprenez ? → Oui, je comprends. / Non, je ne comprends pas. – e. Vous lisez « Phosphore » ? → Oui, je lis « Phosphore ». / Non, je ne lis pas « Phosphore ». – f. Vous aimez les chansons de Mika ? → Oui, j'aime les chansons de Mika. / Non, je n'aime pas les chanson de Mika.

Leçon 3

Prononce

1. Écoute. Coche le son que tu entends au début du mot.
a. Va – b. La fête – c. Une fille – d. Viens. – e. Fais le travail.
– f. Ma femme – g. La forêt – h. Venise.

Vérifie ta compréhension

2. Écoute. Une jeune fille s'inscrit au club de loisirs de la ville. Complète la fiche d'inscription.
L'employé : Vous vous appelez ? – *La jeune fille :* Marion Berthier. – *L'employé :* Votre âge ? – *La jeune fille :* 19 ans. – *L'employé :* Votre profession ? – *La jeune fille :* Euh... étudiante. – *L'employé :* Votre adresse ? – *La jeune fille :* 27, rue Joseph Vernet, Avignon. – *L'employé :* Un numéro de téléphone ? – *La jeune fille :* 06 10 72 93 21. – *L'employé :* Vous faites du sport ? – *La jeune fille :* Oui, du tennis et de la natation. – *L'employé :* Et vous aimez sortir ? – *La jeune fille :* Oui, je vais au bowling, à la pizzeria avec des amis. – *L'employé :* Vous allez aussi aux spectacles ? – *La jeune fille :* Oui, aux concerts de rock, voir de la danse, surtout des spectacles de hip hop. – *L'employé :* Et à la maison qu'est-ce que vous faites ? – *La jeune fille :* J'écoute de la musique, je regarde des DVD et aussi la télé et je tchatte sur Internet.

Parle

3. Réponds à des questions sur l'histoire « Vous connaissez la chanson ».
a. Lucas fait du jogging avec les filles ? Non, il ne fait pas de jogging. – b. Quel rôle apprend Lucas ? Le rôle de Quasimodo. – c. Qui a le rôle de Quasimodo ? C'est Florent.

Leçon 4

Prononce

1. Écoute les heures. Note et répète.
a. huit heures trente – b. dix heures et quart – c. midi et demi – d. cinq heures moins vingt – e. dix-huit heures quarante-cinq.

2. Écoutez les dates. Note.
a. mardi 1er janvier – b. vendredi 3 mai – c. dimanche 16 mars – d. lundi 7 octobre – e. mercredi 14 juillet – f. jeudi 25 décembre.

3. Réponds « oui » au professeur.
a. Vous avez fait l'exercice ? → Oui, j'ai fait l'exercice. – b. Vous avez compris la grammaire ? → Oui, j'ai compris la grammaire. – c. Vous avez appris le vocabulaire ? → Oui, j'ai appris le vocabulaire.

4. Tu ne connais pas la nouvelle. Réponds « non ».
Tu as écouté la radio ? → Non, je n'ai pas écouté la radio. – Tu as lu le journal ? → Non, je n'ai pas lu le journal. – Tu as regardé la télé ? → Non, je n'ai pas regardé la télé.

5. Réponds selon ton expérience.

a. Vous avez fait un voyage aux dernières vacances ? → Oui, J'ai fait un voyage. / Non, je n'ai pas fait de voyage. – b. Vous êtes allé(e) à l'étranger ? → Oui, je suis allé à l'étranger. / Non, je ne suis pas allé à l'étranger. c. Vous êtes resté(e) dans votre pays ? → Oui, je suis resté dans mon pays. / Non, je ne suis pas resté dans mon pays. d. Vous avez visité une région ? → Oui, j'ai visité une région. / Non, je n'ai pas visité de région. – e. Vous avez vu de beaux paysages ? → Oui, j'ai vu de beaux paysages. / Non, je n'ai pas vu de beaux paysages. f. Vous avez visité des musées. → Oui, j'ai visité des musées. / Non, je n'ai pas visité de musées. – g. Vous avez découvert de bons restaurants ? → Oui, j'ai découvert de bons restaurants. / Non, je n'ai pas découvert de bons restaurants. h. Vous avez aimé le voyage ? Oui, j'ai aimé le voyage. / Non, je n'ai pas aimé le voyage.

Vérifie ta compréhension

6. Écoute ces dialogues. Associe-les avec les dessins. Transcris le dialogue.
1. *La fille :* Je suis en retard ? *Le garçon :* Tu as vu l'heure ! Il est neuf heures. – 2. *L'homme :* Félicitations. Vous avez été formidable ! *La femme :* Merci, Monsieur. – 3. *La femme :* Quelle heure il est ? *L'homme :* Dix heures. *La femme :* On est en avance. Qu'est-ce qu'on fait ? On va dans le parc ? *L'homme :* D'accord. – 4. *La femme :* C'est pour moi ? Qu'est-ce que c'est ? *L'homme :* Ouvre ! Regarde !

Préparation au DELF

Compréhension orale

1. Écoute les quatre témoignages et complète la fiche.
1. Je m'appelle Karine. J'ai 17 ans. J'habite à Laval au Québec. J'aime les films avec Marion Cotillard, le ski et les disques de Air. Ah, J'adore aussi les petites soirées avec les amis. Je parle le français et l'anglais. – 2. Mon nom est Gad. Ma ville, Tanger, au Maroc. Mon âge : 18 ans. Moi, j'aime les voyages, les romans de science-fiction et les musiques traditionnelles de mon pays. Mes langues : l'arabe, le français et l'espagnol. – 3. Bonjour ! On m'appelle Mimmo mais mon prénom c'est Domenico. Je vis en Suisse, dans la région de la Gruyère, le pays du fromage. J'ai 17 ans. Je parle le français, l'italien et l'allemand. Je fais du piano, du vélo et j'adore aller au cinéma. – 4. Salut ! Moi c'est Noémie. J'ai 19 ans. Je vis à Bruxelles... Oui, je suis Belge ! J'écoute beaucoup de musique, je vais deux fois par semaine au cinéma et je fais du tennis tous les jours. Mais surtout je collectionne les timbres. Vous pouvez m'écrire en français, en anglais ou en hollandais.

Leçon 5

Prononce

1. Distingue « u » et « ou ». Écris le mot que tu entends.

... Transcriptions

1. Salut ! – 2. un boulevard – 3. un cours – 4. une rue –
5. l'amour – 6. l'aventure – 7. Écoute ! – 8. un souvenir.

2. Coche le son que tu entends.

1. Bienvenue – 2. C'est Florent. – 3. Vous préférez – 4. Le basket ? – 5. Ou le volley ? – 6. J'aime le vélo – 7. dans la forêt – 8. C'est beau !

Parle

3. Utilise « ce, cette, ces, etc. ». Réponds.

a. Qu'est que tu penses de la montre ? / Ah ! Je voudrais bien cette montre ! – b. Qu'est que tu penses du DVD ? / Ah ! Je voudrais bien ce DVD. – c. Et la photo de Jean Dujardin ? / Ah ! Je voudrais bien cette photo ! – d. Et les CD de Daft Punk ? / Ah ! Je voudrais bien ces CD ! – e. Et l'ordinateur ? / Ah ! Je voudrais bien cet ordinateur !

4. Parler du passé. Tu as tout fait avant lui.

Grands voyageurs – a. En janvier, je vais au Japon. / Je suis allé(e) au Japon. – b. En février, je visite le Mexique. / J'ai visité le Mexique. – c. En mars, je fais une randonnée en Espagne. / J'ai fait une randonnée en Espagne. – d. En avril, je passe dix jours en Chine. / J'ai passé dix jours en Chine. – e. En mai, je travaille en Argentine. / J'ai travaillé en Argentine. – f. En juin, je pars au Canada. / Je suis parti au Canada. – g. Le reste de l'année, je découvre l'Afrique. / J'ai découvert l'Afrique.

Vérifie ta compréhension

5. Écoute. Marie raconte sa journée de samedi. Complète l'agenda.

« Ce matin, à 9 h, j'ai fait un tennis avec un copain. On a joué jusqu'à 11 h. Après je suis allée chez mon amie Estelle. On a travaillé jusqu'à 13 h. On a fait un travail pour le lycée. Après, on a vu Julien. À 15 h, nous sommes allées à la piscine, jusqu'à 17 h. À 18 h., avec Julien, je suis allée au cinéma. Le soir nous sommes allés à la discothèque « La locomotive ». Je suis rentrée à 2 h du matin. »

Leçon 6

Prononce

1. Prononciation des possessifs : sons « o » et « on ».

Mon portable – Ton amie Marion – Son copain Yvon – Ton ami Igor – Mon prof de photo – Notre guide de montagne.

2. Rythme de la phrase négative. Répète.

Elle ne prend pas de pain. – Il ne boit pas d'alcool. – Elle ne mange pas de jambon. – Il ne prend pas de melon. – Elle ne boit pas de lait. – Il n'organise pas de fête.

Vérifie ta compréhension

3. Écoutez et notez le menu de chacun.

Le serveur : Bonjour mademoiselle, Bonjour jeune homme ! – *Lui :* Qu'est-ce que tu prends ? – *Elle :* Euh, une assiette avec de la tomate et de la mozzarella. – *Le serveur :* Une assiette italienne pour Mademoiselle. En entrée ? – *Elle :* Oui, en entrée. – *Le serveur :* Et ce jeune homme ? – *Lui :* Une assiette d'Auvergne. – *Le serveur :* Et comme plat ? – *Elle :* Du poulet rôti. – *Lui :* Et moi, de la saucisse de Toulouse. – *Le serveur :* Un fromage ? – *Elle :* Non, pas de fromage. – *Le serveur :* Un dessert ? – *Elle :* Oui, pour moi, une tarte aux poires. – *Lui :* Et moi, un gâteau au chocolat. – *Le serveur :* Un peu de vin ? – *Lui :* Non, de l'eau minérale.

Parle

4. Qu'est-ce que tu bois ? Continue comme dans l'exemple.

Exemple : thé → du thé – a. eau → de l'eau – b. lait → du lait – c. vin → du vin – d. bière → de la bière – e. apéritif → un apéritif – f. eau minérale → de l'eau minérale – g. cocktail → un cocktail.

5. Qu'est-ce que tu veux ?

a. verre de vin → un verre de vin – b. bière → de la bière – c. tasse de thé → une tasse de thé – d. assiette de crudité → une assiette de crudité – e. steak-frites → un steak-frites – f. gâteau au chocolat → du gâteau au chocolat – g. morceau de tarte → un morceau de tarte – h. jus d'orange → un verre de jus d'orange – i. glace → de la glace.

6. Apprends à refuser. Réponds comme dans l'exemple.

Exemple : Tu veux du pâté ? / Non, merci je ne veux pas de pâté. – a. Tu bois du vin ? / Non, merci, je ne bois pas de vin. – b. Tu ne manges pas de pain ? / Non, merci, je ne mange pas de pain. – c. Tu veux du gâteau ? / Non, merci je ne veux pas de gâteau. – d. Tu ne veux pas de tarte ? / Non merci. Je ne veux pas de tarte. – e. Tu veux du café ? / Non, merci je ne veux pas de café.

Leçon 7

Parle

1. Pierre n'aime pas aller travailler. Son amie l'encourage. Réponds pour lui.

a. Pierre, tu te réveilles ? / Oui, je me réveille. – b. Pierre, tu te lèves ? / Oui, je me lève. – c. Pierre, tu t'habilles ? / Oui, je m'habille. – d. Pierre, tu viens ? / Oui, je viens. – e. Pierre, tu te prépares ? / Oui, je me prépare. – f. Pierre, tu te dépêche ? / Oui, je me dépêche.

2. On pose des questions à Pierre. Réponds pour lui.

a. Tu te réveilles tôt ? / Non, je ne me réveille pas tôt. – b. Tu te lèves tôt ? / Non, je ne me lève pas tôt. – c. Pour aller travailler tu te dépêches ? / Non, je ne me dépêche pas. – d. Tu t'occupes de tes frères et de tes sœurs ? / Non, je ne m'occupe pas de mes frères et de mes sœurs. – e. Tu te couches tôt le soir ? / Non, je ne me couche pas tôt.

3. tu es en vacances sur la Côte d'Azur. Réponds.

a. Vous vous levez tard ? / Oui, nous nous levons tard. – b. Vos copains se lèvent tard aussi ? / Oui, ils se lèvent tard aussi. – c. Tu te détends ? / Oui, je me détends. – d. Tu t'occupes de la piscine ? / Non, je ne m'occupe pas de la piscine. – e. Tu te promènes ? / Non, je ne me promène pas. – f. Vous sortez le soir ? / Oui, nous sortons le soir. – g. Vous vous couchez tard ? / Oui, nous nous couchons tard.

4. Répète les instructions comme dans l'exemple.
Exemple : Tu dois préparer ta valise. → Prépare ta valise !
a. Tu dois t'habiller. → Habille-toi ! – b. Tu dois être à l'aéroport à 8 h. → Sois à l'aéroport à 8 h ! – c. Tu dois te dépêcher. → Dépêche-toi ! – d. Tu ne dois pas oublier ton billet. → N'oublie pas ton billet !

5. Conseils à un sportif. Répète les conseils comme dans l'exemple.
Exemple : Tu ne dois pas te coucher tard. → Ne te couche pas tard !
a. Tu ne dois pas beaucoup manger. – Ne mange pas beaucoup !
b. Tu dois te détendre. → Détends-toi !
c. Tu dois bien dormir. → Dors bien !
d. Tu ne dois pas te réveiller tôt. → Ne te réveille pas tôt !
e. Tu ne dois pas boire d'alcool. → Ne bois pas d'alcool !

Vérifie ta compréhension

6. Ils font la liste des courses. Écoute et note ce qu'ils doivent acheter dans le tableau.
La mère : « Pour le dîner de ce soir, tu achètes quatre entrecôtes, un kilo de haricots verts et deux salades. Et puis tu vas à la boulangerie-pâtisserie et tu prends deux baguettes de campagne, huit petits gâteaux et une glace à la fraise avec de la chantilly. – Le père : « Je prends aussi du vin ? » – La mère : « Oui, tu choisis... » – Le père : « Alors, je prends deux bouteilles de Sancerre rouge. Et pour l'apéritif ? Du champagne ? » – La mère : « Du champagne, une bouteille ! »

Leçon 8

Prononce

1. « S » ou « Z » : Écoute et coche.
a. Ce soir, je sors. – b. Je vais au cinéma. – c. La séance est à dix heures et demie. – d. Le film, j'hésite... – e. OSS 117 ou Persépolis.

2. « a » ou « an » ; Écoute et coche.
a. En forme ? Ça va ? – b. En avance ? Non, en retard ! – c. Dans ta chambre ? – d. Non ! Dans la salle à manger. – e. Devant la cafeteria ? – f. Oui, près de l'ascenseur. – e. Envie de partir ? – f. À ton avis ?

3. Prononce « j ».
a. Au Club : le village et la plage. – b. « L'Âge de glace », c'est génial ! – c. « Le Temps des gitans », c'est géant ! –

d. Vos vacances : bouger et partager ! – e. Au petit déjeuner : fromage.

Vérifie ta compréhension

4. Écoute : masculin ou féminin ?
a. étranger – b. international – c. excellente – d. parfaite – e. entière – f. sympathique – g. charmante – h. pittoresque – i. différent – j. historique – k. professionnelle – l. classique – m. intéressante.

5. Écoute et note l'itinéraire sur le plan.
Pour aller à la gare...
Vous êtes ici Place de l'Église. Vous prenez la rue Notre-Dame, vous traversez la Place du Général de Gaulle, vous allez tout droit. Au premier feu, vous tournez à gauche, rue Victor Hugo. Vous faites deux cents mètres jusqu'au rond point. Au rond point, c'est la deuxième à droite. Vous prenez la rue Pasteur et la gare est au bout de la rue.

6. Écoute et regarde le dessin. Dis si les phrases sont vraies ou fausses.
a. L'Hôtel du Parc est au milieu du parc. – b. Autour, il y a de l'eau. – c. Le parking est devant le parc du château. – d. La piscine est devant l'hôtel. – e. Le tennis est à côté de la route. – f. Le parcours de forme est au bord de la forêt. – g. La terrasse est entre l'hôtel et la piscine.

Parle

7. Exprime l'obligation. Confirme comme dans l'exemple.
En randonnée dans la montagne – Exemple : Dépêchons-nous ! → Il faut se dépêcher. – a. Tournons à droite ! → Il faut tourner à droite. – b. Continuons ! → Il faut continuer. – c. Ne restons pas ici ! → Il ne faut pas rester ici. – d. Ne traversons pas cette rivière ! → Il ne faut pas traverser cette rivière. – e. Ne prenons pas ce chemin ! → Il ne faut pas prendre ce chemin.

Préparation DELF Unité 2

Compréhension orale

a. L'employé : SNCF à votre service. – *La cliente :* Bonjour, je voudrais avoir des informations sur le Pass Interrail. – *L'employé :* Le Pass Interrail permet de voyager dans toute l'Europe. Vous avez moins de 26 ans ? – *La cliente :* Oui. – *L'employé :* Alors, le Pass Interrail pour les moins de 26 ans permet de voyager en 2ᵉ classe partout en Europe. Son prix est variable entre 160 et 400 euros ; il dépend du nombre de jours (entre 5 jours et un mois) sur un nombre illimité de voyages.

b. *L'employée :* UGC cinéma Bonjour. – *Le client :* Oui, c'est pour des renseignements sur la nouvelle carte UGC ILLIMITÉ. – *L'employée :* Vous payez 19,80 euros par mois et vous voyez tous les films de votre choix dans les 528 salles UGC de France et MK2, et dans les 230 salles UGC en Europe.

c. *L'employée :* Air France- KLM, j'écoute. – *Le client :* Je voudrais connaître les avantages de la carte « Flying Blue ». – *L'employée :* Avec cette carte, vous recevez des miles à chaque voyage. Avec ces miles, vous pouvez avoir des voyages gratuits. Vous avez un guichet réservé pour l'enregistrement de vos bagages. Vous profitez des offres spéciales dans les hôtels, les boutiques et les restaurants.

Leçon 9

Prononce

1. Écoute et répète le son [j].
a. J'ai pris mon inscription comme étudiante à Lyon. – b. Il est musicien, il s'appelle Julien, il joue à Liège. – c. Il chantait : « C'est un vieux roman, c'est une vielle histoire... ». – d. Hier je ne travaillais pas, j'ai vu l'exposition de Juliette. – e. J'ai payé ton billet pour Bayonne.

Vérifie ta compréhension

2. Écoute les phrases : note le temps du verbe.
a. J'ai vécu deux ans en Argentine. – b. J'allais au lycée français. – c. Je connaissais beaucoup de jeunes argentins de mon âge. – d. À Buenos-Aires, on vit la nuit. – e. Nous sommes beaucoup sortis le soir. – f. Ils aimaient faire la fête. – g. Ils allaient aussi au lycée. – h. Ou bien ils ne faisaient rien ! – i. Et puis, j'ai rencontré Cristina. – j. Et là... Tout a changé !

Parle

3. Réponds aux questions sur ton enfance.
a. Quand vous étiez enfant, vous regardiez beaucoup la télévision ? → Oui, je regardais beaucoup la télévision. / Non, je ne regardais pas beaucoup la télévision. – b. Vous alliez à l'école en métro ? → Oui, j'allais à l'école en métro. / Non, je n'allais pas à l'école en métro. – c. Vous étiez un bon élève ? → Oui, j'étais bon élève. / Non, je n'étais pas bonne élève. – d. Vous aviez de bons professeurs ? → Oui, j'avais de bons professeurs. / Non, je n'avais pas de bons professeurs. – e. Vous faisiez du sport ? → Oui, je faisais du sport. / Non, je ne faisais pas de sport. – f. Vous aimiez les jeux vidéo ? → Oui, j'aimais les jeux vidéo. / Non, je n'aimais pas les jeux vidéo.

4. Complète les souvenirs comme dans l'exemple.
Exemple : Aujourd'hui on écoute du rap. → Avant on écoutait du rock. – a. Aujourd'hui, on voyage en avion. → Avant on voyageait en bateau. – b. Aujourd'hui on fait du surf. → Avant on faisait du ski. – c. Aujourd'hui on danse sur de la techno. → Avant on dansait sur du disco. – d. Aujourd'hui on va à La Réunion. → Avant on allait chez les cousins de Bretagne.

Leçon 10

Prononce

1. Écoute et distingue « ch » et « j ».

a. Cherche journaliste génial – b. Partage chambre équipée – c. Achète objet bizarre – d. Échange séjour au Chili en juillet – e. Contre voyage en Chine en juin.

2. Différencie « s », « z », « ch », « j ». Répète et confirme comme dans l'exemple.
Exemple : C'est international ? → C'est très international.
a. C'est classique ? → C'est très classique. – b. C'est joli et charmant ? → C'est très joli et très charmant. – c. C'est intéressant ? → C'est très intéressant. – d. C'est étrange ? → C'est très étrange. – e. C'est attachant ? → C'est très attachant.

Parle

3. Les pronoms compléments directs. Réponds selon tes habitudes.
a. Vous regardez la télévision ? → Oui, je la regarde. / Non, je ne la regarde pas. – b. Vous utilisez l'ordinateur ? → Oui, je l'utilise. / Non, je ne l'utilise pas. – c. Vous lisez les journaux français ? → Oui, je les lis. / Non, je ne les lis pas. – d. Vous connaissez les romans de Balzac? → Oui, je les connais. / Non, je ne les connais pas. – e. Vous écoutez la radio en français ? → Oui, je l'écoute. / Non, je ne l'écoute pas. – f. Vous aimez la cuisine française ? → Oui, je l'aime. / Non, je ne l'aime pas. – g. Vous aimez les films français ? → Oui, je les aime. / Non, je ne les aime pas.

4. Prépare tes réponses au professeur de français. Réponds « oui ». Puis réponds « non ».
a. Tu comprends l'explication ? → Oui, je la comprends. / Non, je ne la comprends pas. – b. Tu as ton livre ? → Oui, je l'ai. / Non, je ne l'ai pas. – c. Tu travailles avec Marco ? → Oui, je travaille avec lui. / Non, je ne travaille pas avec lui. – d. Tu travailles avec Maria ? → Oui, je travaille avec elle. / Non, je ne travaille pas avec elle. – e. Tu parles français avec les assistants ? → Oui, je parle français avec eux. / Non, je ne parle pas français avec eux. – f. Tu as fait le travail ? → Oui, je l'ai fait. / Non, je ne l'ai pas fait. – g. Tu as fait les exercices ? → Oui, je les ai faits. / Non, je ne les ai pas faits. – h. Tu as compris le texte ? → Oui, je l'ai compris. / Non, je ne l'ai pas compris.

Vérifie ta compréhension

5. Écoute. Ils s'excusent. Trouve le dessin correspondant.
a. On fait un jogging aujourd'hui ? – Désolé, je ne peux pas. – b. Alors, on ne te voit pas ce soir ? – Pour le spectacle ? Non, je regrette beaucoup. – c. Excusez-moi, où est la documentation ? – Devant vous ! – d. Et en plus il pleut ! – Ce n'est pas ma faute !

Leçon 11

Prononce

1. Écoute. Relève les mots contenant le son « p » et le son « b ».

a. Il est beau, sportif mais bizarre. – b. Elle est sympathique, libre et passionnée. – c. C'est agréable et pittoresque. – d. C'est célèbre mais spécial. – e. Il préfère le club et le groupe. – f. J'aime mieux l'appartement et le couple.

Parle

2. Les pronoms compléments indirects. Réponds selon tes habitudes.

Quelles sont vos habitudes en vacances ? – a. Vous écrivez à vos amis ? → Oui, je leur écris. / Non, je ne leur écris pas. – b. Vous envoyez des courriels à vos amis ? → Oui, j'en envoie. / Non, je n'en envoie pas. – c. Vos amis vous répondent ? → Oui, ils me répondent. / Non, ils ne me répondent pas. – d. Vous écrivez à votre frère ou à votre sœur ? → Oui, je lui écris. / Non, je ne lui écris pas. – e. Vous téléphonez à votre ami(e) ? → Oui, je lui téléphone. / Non, je ne lui téléphone pas. – f. Vous faites des cadeaux à vos amis ? → Oui, je leur en fais. / Non, je ne leur en fais pas. – g. Vous parlez aux autres touristes ? → Oui, je leur parle. / Non, je ne leur parle pas.

3. Tu ne supportes plus un camarade de classe. Réponds.
a. Tu le supportes ? → Non, je ne le supporte plus. – b. Tu vas à la cafétéria avec lui ? → Non, je n'y vais plus. – c. Tu travailles avec lui ? → Non, je ne travaille plus avec lui. – d. Tu lui parles ? → Non, je ne lui parle plus. – e. Il te parle ? → Non, il ne me parle plus. – e. Tu lui dis bonjour ? – → Non, je ne le lui dis plus bonjour. – f. Vous vous regardez ? → Non, on ne se regarde plus. – g. Vous vous disputez ? → Non, on ne se dispute plus.

4. Utilise « encore » ou « ne ... plus ». Réponds selon l'indication.
Donne-moi de tes nouvelles. – a. Tu travailles encore avec lui ? → Oui, je travaille encore avec lui. – b. Tu habites encore chez tes parents ? → Non, je n'habite plus chez mes parents.
c. Tu as encore ta vieille Playstation ? → Oui, j'ai encore ma vieille Playstation. – d. Tu joues encore au football ? → Non, je ne joue plus au football. – e. Tu écoutes encore du jazz ? → Oui, j'écoute encore du jazz. – f. Tu fais encore du ski ? → Non, je ne fais plus de ski. – g. Tu vois encore Florence et Paul ? → Oui, je les vois encore.

Vérifie ta compréhension

5. Écoute la conversation téléphonique. Note les informations.
L'employé : SNCF Information à votre service, Bonjour ! – *Le client :* Bonjour. La SNCF ? – *L'employé :* Oui, je vous écoute. – *Le client :* Je voudrais avoir des renseignements sur la carte 12-25. – *L'employé :* La carte 12-25 vous propose des réductions sur le train à tout moment : 25% de réduction dans tous les cas même au dernier moment ; 50% si vous pensez à réserver vos billets à l'avance. – *Le client :* C'est sur tous les trains ? – *L'employé :* Oui,

aussi sur les TGV – *Le client :* Et ça coûte combien ? – *L'employé :* 49 euros pour un an et vous pouvez voyager dans 29 pays en Europe à tarif réduit ! – *Le client :* Ah oui... Merci et au revoir. – *L'employé :* Au revoir, à votre service et bonne journée.

6. Écoute. Trouve le dessin correspondant à la situation.
a. J'ai très mal à ce pied. – b. Allo, les pompiers ? Il y a un feu dans le jardin de mon voisin. – c. Je ne me sens pas bien. Je peux m'asseoir ? – d. J'ai froid. Je tousse. J'ai mal à la tête. – e. Je me suis blessé avec mon stylo. – f. Ah, l'ambulance arrive !

Leçon 12

Distingue le féminin et le masculin.

1. Écoute et note : masculin ou féminin ? Mets une croix.
a. dessinateur – b. éditrice – c. propriétaire – d. producteur – e. journaliste – f. infirmière – g. banquière – h. magicien – i. réceptionniste – j. conseillère – k. chercheur – l. partenaire – m. voyageuse – n. écrivain.

Prononce

2. Indique : un carré pour le son [ø] et un rond pour le son [œ].
Cherche... Interlocuteur joyeux, seul et amoureux...
Serveur sérieux et courageux mais pas nerveux.
Achète... Un peu de beurre, un peu de bœuf mais du meilleur !
Paie... Œuvre en euro... Ordinateur sans erreur.

Parle

3. Caractérise. Transforme selon l'exemple.
Exemple : J'ai un cousin ; il est drôle. → J'ai un cousin qui est drôle. – a. J'ai une tante ; elle est stupide. → J'ai une tante qui est stupide. – b. J'ai un grand-père ; il est âgé. → J'ai un grand-père qui est âgé. – c. J'ai une amie ; elle est amoureuse de moi. → J'ai une amie qui est amoureuse de moi. – d. J'ai une copine ; elle est amusante. → J'ai une copine qui est amusante. – e. J'ai une belle-sœur ; elle est compliquée. → J'ai une belle-sœur qui est compliquée. – f. J'ai un compagnon ; il est décontracté. → J'ai un compagnon qui est décontracté. – g. J'ai un neveu ; il est dangereux. → J'ai un neveu qui est dangereux.

4. Insiste comme dans l'exemple.
Conseils à un étranger qui étudie le français en France.
– Exemple : Accepte les invitations des Français. → Accepte-les. – a. Appelle ta correspondante française. → Appelle-la.
b. Parle à tes voisins. → Parle-leur. – c. Regarde la télévision française. → Regarde-la. – d. N'écoute pas la radio de ton pays. → Ne l'écoute pas. – e. Ne sors pas avec les étudiants de ton pays. → Ne sors pas avec eux. – f. Pendant les vacances, visite les régions de France. →

Transcriptions

Visite-les. – g. Ne tutoie pas ton professeur d'université.
→ Ne le tutoie pas.

Vérifie ta compréhension.

5. Retrouve les personnages d'après les descriptions.
a. Margot est grande. Elle est blonde. Elle porte un jean et un chemisier coloré. – b. Romain est grand. Il a les cheveux longs. Il porte un Tee-shirt publicitaire, une chemise ethnique et des jeans pas chers. – c. Clarisse a mis une veste noire et une robe rouge très couture sur un chemisier gris. Elle a des lunettes. – d. Flore est toujours en survêtement. Elle a les cheveux bruns courts. – e. Jérémy porte un pantalon noir et un pull noir. Il a un long manteau et porte de grosses bagues à tous les doigts !

Préparation DELF

Compréhension orale

1. Comprends des informations pratiques au téléphone.
Document 1 → « Cité Cinéma Bonjour ! Au programme, cette semaine, « Le Deuxième Souffle », le nouveau film d'Alain Corneau avec Monica Bellucci et Daniel Auteuil. Séances à 14 h, 16 h 20, 19 h et 21 h 30. » – Document → *Le client :* Je voudrais réserver une chambre pour ce soir. – *L'employée :* Pour combien de temps ? – *Le client :* Une nuit. – *L'employée :* Pour combien de personnes ? – *Le client :* Une personne – *L'employée :* Donc une single ? – *Le client :* C'est ça, une single. – Document 3 → « Salut, Sandrine, j'ai ton billet pour Rome. Tu pars samedi à 9 h 50, vol AF 1742, Roissy terminal 2F. Tu prends ton billet au guichet. Bonnes vacances. Bises » – Document 4 → Pour le rendez-vous avec l'architecte, je suis libre lundi après-midi, mercredi matin à partir de 11 h et jeudi après 18 h. J'attends ton appel.

Achevé d'imprimer en août 2012
sur les presses de la Nouvelle Imprimerie Laballery – 58500 Clamecy
Dépôt légal : août 2012 - Numéro de projet : 10184352 - Numéro d'impression : 208051

Imprimé en France

La Nouvelle Imprimerie Laballery est titulaire de la marque Imprim'Vert®